文獻研究叢書・圖書文獻學叢刊

古籍知識手冊

（一）

古籍知識

高振鐸　主編

目 錄

林序 1

許序 5

1 古籍概說————1
一、經部書 2

二、史部書 6

三、子部書 11

四、集部書 13

五、叢書 18

六、類書 20

七、方志 26

八、筆記 31

2 書籍的歷史與書籍制度————37
一、甲骨書 39

二、青銅器書 41

三、石經 43

四、簡策與簡策制度 48

五、帛書與卷軸制度 53

六、印本書與冊葉制度 61

3 古籍版本————69

一、版本與版本學　69

二、拓本　71

三、寫本　73

四、雕版書及其版本特點　86

五、活字本　105

六、套印本　112

七、佛道藏版本　117

八、版本名稱釋略　122

九、版本款識　128

十、版本鑒定　136

4 古籍目錄————145

一、目錄與目錄學　145

二、目錄的體例與名稱　149

三、目錄的作用　162

四、目錄的種類　164

五、古典目錄簡介　168

5 古籍校勘————209

一、校勘與校勘學　209

二、校勘工作要求　211

三、校勘方法　217

四、校記　224

五、歷代校勘成果簡介　228

6 古籍辨偽————237

一、偽書產生的原因和種類　237

二、辨偽的歷史　243

三、辨別偽書與考證年代的方法　251

四、辨偽需要注意的幾個問題　260

五、主要參考書　263

7 古籍輯佚 ————265

一、古籍的散佚和輯佚　265

二、輯佚的歷史　273

三、輯佚學的研究　282

四、輯佚書的資料源淵　288

五、輯佚學的相關知識　294

8 古籍標點 ————301

一、古籍標點的意義　301

二、句讀的起源和發展　302

三、古籍標點符號的用法　304

四、古籍標點注意事項　311

五、標點致誤舉例　317

9 古籍新注 ————325

一、新注古籍的要求　326

二、古籍新注的類型　329

三、古籍新注的內容　332

四、古籍新注的語言　337

10 古書的文體 ————341

一、文體的產生和發展　341

二、文體的分類　345

三、歷代文體專著介紹　385

11 常用工具書————395

一、工具書的編排方法　395

二、查文字　402

三、查詞語　411

四、查語句　421

五、查事物　426

六、查圖書　432

七、查論文　440

八、查人物　445

九、查地域　451

十、查年代　454

十一、工具書之工具書舉要　460

林　序

　　二十多年前在大學讀中文系時，有「國學概論」一科，老師在講桌上擺了三、四種書，看這本講一句，看那本又講兩句，零零碎碎，自然提不起學生的興趣。久而久之，老師講他的，學生也都在做自己的事。有一次，學生說話的聲音太大，惹火了老師。他勃然大怒，把全班四十多人訓斥了一頓，最後說：「你們不聽也可以，考試時如果把『荀子』錯成『苟子』，一定死當！」要把「荀子」錯成「苟子」，除非故意搗蛋，否則也不是那麼簡單被當的。那時是有補考的，祇要不是死當，總有機會過關。由於不是那麼容易被死當，同學就越發不用功了，一年下來，老師聲嘶力竭，沒聽說有人被當。幾年後，這位年年要爲國學聲嘶力竭的老師，不幸逝世了。

　　打從第一次上這門課時，我就在想著：是中國的國學太過精深了，不能用一本書來表達，必須同時有三、四種書；或是老師太忙了，沒時間編講義，臨時急就章，才講得那麼辛苦。答案是什麼並不重要，這件事反而使我興起了收集國學入門書的念頭。數年間，前後收集了數十種有關國學概論的著作，包括：章太炎的《國學略說》、錢穆先生的《國學概論》、孫德謙的《古書讀法略例》、屈翼鵬師的《古籍導讀》等等。這些著作，大都是國學界大師敬仰作，各有其長處，所以一直在學術界流傳著。但不可諱言的是，對青年學子來說，文字未免太過艱澀，討論的內容也稍嫌瑣細，也因此提不起年輕人的興趣。

　　什麼樣的書才能引導青年學生進入國學的領域？爲了主動向

學生介紹好書，也為了能毫不猶豫的回答學生所提出的問題，我一直在尋找一本最適合年輕人閱讀的國學入門書。一般的國學入門書，除了內容艱澀外，另一缺點是，內容大多以書為主，將經史子集中的重要書籍一本本的介紹。這種寫作法自有其好處，但也有很明顯的缺點，譬如，古書的版本、目錄、校勘、辨偽等知識，就很難納入。另外，有關文字、語法、修辭、訓詁等知識，也往往被忽略。至於天文、地理、禮俗、科學、避諱等，一般的國學書，根本沒想到。這麼繁複的知識，如果缺乏最起碼的了解，要閱讀古書，將會有相當大的困難。可見一部理想的國學入門書，仍然未誕生。

一九八九年十月，我到山東曲阜參加孔子二千五百四十周年誕辰大會，在書店購得高振鐸先生主編的《古籍知識手冊》（濟南：山東教育出版社，一九八八年十二月），覺得這是一本最淺顯易懂、內容又最豐富的國學入門書。全書分三部分：一是古籍知識，介紹書籍的歷史和制度，以及版本、目錄、校勘、辨偽、輯軼、標點、文體等方面的知識。二是漢語知識，介紹文字、詞彙、音韻、語法、修辭、訓詁等知識。三是文化知識、介紹天文、歷法、地理、家庭、宗法制度、姓氏、稱謂、禮俗、冠服、科學、論法等方面的知識。這本書將前文所述國學概論書籍中有所缺失的地方，全部都加以補足了。

我回台灣後，向朋友、學生推薦這本「奇書」，馬上獲得很大的迴響。可惜，這書是大陸出版品，依政府規定，僅能供學者參考之用，不可能大量流傳。後來，該書在大陸也絕版了。但六、七年前，在台灣卻出了一種翻印本，不久即被搶購一空。這幾年，有學生來問我，如何充實國學知識，我還是向他們推薦這本書。由於坊間已無從購得，我所擁有的那本，多次被學生拿去複印，已被折騰得面目全非。數年前，聽說萬卷樓圖書公司已向

原出版者山東教育出版社取得台灣版的發行權，這對渴望得到這本書的青年學子來說，有如久旱得甘霖。稱為國學界的一件大事也不為過。

今年年初，萬卷樓圖書公司的李冀燕小姐告知，此書即將發行的台灣版，不是以前舊版的重印而已。而是請求原出版者山東教育出版社同意在各類中增刪一些資料，並因本人一直關心國學知識的推廣，要求本人再增補部分所知的資料，以求更適合台灣的青年學子使用。這些增補的資料，皆經原出版者審閱過。這樣稿件來來往往，一晃已兩年有餘。這兩年多，對企盼擁有這本書的學子來說，可說是一種煎熬，但從另一個角度來說，也可以說是雙方出版者一種負責的態度，更是學術誠信的表現。

當我拿著這本書的清樣稿，試著為它寫序時，我想到以高振鐸教授為首的數十位學者，為這本書所作的貢獻，內心有無限的敬意。對我大學時代的國學概論老師，他的生不逢時，則懷有無限的感傷。如果現在他還在教這門課，又能使用這本《古籍知識手册》，該有多好啊！

林慶彰 誌於中央研究院中國文哲研究所

一九九七年六月

許　序

　　本公司籌劃多年的增修版《古籍知識手册》，在各方熱心關切與一再催促下終於以嶄新的面貌與讀者見面了。

　　這部書原是高振鐸先生主編，於 1988 由山東教育出版社出版，今由本公司取得在台灣的出版權，並經原主編高振鐸先生的同意，對原書內容有所增删，所以稱爲「增修版」。

　　這部書分爲三大部分：第一部分是「古籍知識」，內容包含版本、目錄、辨僞、輯佚等方面的知識。第二部分是「漢語知識」，內容包含文字、音韻、訓詁、語法、詞彙、修辭等方面的知識。第三部分是「文化知識」，內容包含天文、地理、曆法、禮俗、宗法制度、姓氏、稱謂、諡法、避諱等方面的知識。原書本爲一大册，爲了檢閱的方便，增修版特地把它分爲三册，第一册爲「古籍知識」，第二册爲「漢語知識」，第三册爲「文化知識」。

　　在大學中文系，一般會開設文字學、聲韻學、訓詁學、文法、修辭學等課程，本書的第二部分，作了精要的整理，及明暢的敍述，是中文系學生預修、複習這些課程的最佳參考書。

　　大學中文系還開設經學、史學、子學以及文學的課程，這些課程內容都牽涉到許多有關天文、地理、曆法、版本、目錄、辨僞、校勘方面的專門知識，授課的教授先生都未必會提及。即使提到了，也只能點到爲止，無暇作全面而詳細的說明。爲了配合這方面的需要，各大學中文系也開設「讀書指導」、「國學導讀」、「治學方法」等課程。但是，國學的範圍實在太廣，牽涉

的知識實在太多，以目前出版的情形來說，除了《古籍知識手册》之外，恐怕沒有一本書會這樣全面而有系統的蒐集這些基本而必備的國學知識。有了這本書，相信教授上述課程的教授先生會更加得心應手而收事半功倍之效。對中文研究所、中文系的學生以及閱讀中文古籍的讀者而言，本書更是一部國學知識的寶庫。「一書在手，無往不利」，對《古籍知識手册》來說實非過言。在增修版《古籍知識手册》出版之時，本人謹向中文學界的朋友鄭重推薦這部不可或缺的寶典。

許錟輝 謹序於萬卷樓

1997 年 7 月

1 古籍概説

　　我國是世界文明古國之一。自有文字記載以來，就有豐富的文化典籍。尤其我們祖先發明了紙，發明了雕版、活字印刷以後，中國的文化事業更有了突飛猛進的發展，對人類的文化寶庫，做出了巨大的貢獻。經史子集各類圖書，卷帙浩繁，庋架盈壁。如今，現存古籍仍是浩如煙海。其中不少是烜赫巨製、價值連城的珍品。這些典籍，集中反映了中國歷史上燦爛輝煌的文化，是人類智慧的凝聚，知識的結晶。

　　我國古籍，據《藝文志二十種綜合引得》統計，歷代藝文志所著錄的圖書近四萬種。當然，歷代著錄的圖書可能有一定的失傳。但1949年後出版的幾種目錄的統計數字也很可觀的。五十年代出版的孫殿起編的《販書偶記》，著錄《四庫全書》未收的清人著作近一萬種。朱士嘉編的增訂本《中國地方志綜錄》，共收入地方志 7,413 種。上海圖書館編輯的《中國叢書綜錄》共收叢書 2,797種，去掉同書異名的子目，這些叢書共收單種書籍 30,891 種。這三項合起來近六萬種，如再把三目未收的單本書，佛藏、道藏、戲曲小說、金石碑版等古籍都算進去，我國古籍可達八萬種左右的數據是可信的。

　　現按照圖書的類別對古籍進行如下簡要的介紹。

一、經部書

經部書，一般指儒家經典。《易》是古代講占卜的書，《書》是古代的歷史文獻彙編，《詩》是古代詩歌的總集，《禮》是古代各種典章制度的總稱，《樂》是講述古代的樂制，《春秋》是古代編年史。這六部典籍相傳是春秋時儒家創始人孔子在收集整理魯、周、宋、杞等古國文獻的基礎上編定的，作爲孔子教授弟子的教材流行於春秋戰國之際。孔子死後，他的弟子門人轉相傳授，儒家成爲顯學，這些儒家傳習的教本被擡高到經的地位。到了戰國後期才出現了「六經」的名稱。

隨著社會的發展，儒家思想成爲主要的政治思想，「經」的領域隨著爲政者的需要越來越擴大。秦焚書後，《樂經》亡逸，剩下五經。漢武帝「罷黜百家，獨尊儒術」之後，設置了五經博士，從而提高了儒術的地位。在經書中，《禮》有「三禮」：《儀禮》是古代禮儀的彙編，凡 17 篇；《禮記》是儒家討論禮制的論文集；《周禮》是一部按儒家政治理想寫成的典籍。《春秋》有「三傳」，都是解釋《春秋》的，即左氏、公羊、穀梁傳。漢朝稱《詩》、《書》、《易》、《禮》、《春秋》爲「五經」。唐代將《詩》、《書》、《易》、「三禮」、「三傳」合稱爲「九經」。加上《孝經》、《論語》、《爾雅》稱爲「十二經」，始於唐文宗李昂開成年間（836～840）立於長安國子監太學前的《開成石經》。到了宋代，又列《孟子》於經部，稱「十三經」。

據清代錢泰吉的統計，十三經的正文除去篇名，共有647,500 多字。因爲經書被列爲文人必讀之書，但經書的文字簡樸深奧，不易理解，所以歷代文人對經書進行注、疏、校、釋、音義等方面的著作繁多。除散逸的無法計算者外，現存者竟

多達一萬多種，字數比十三經正文多四、五百倍。其中現存的最有代表性的是《十三經注疏》，最早的版本是宋光宗紹熙年間（1190～1194）三山黃唐合刊本。

「六經」處於「獨尊」地位之後，儒家學者編撰了很多闡明「六經」微言大義的「傳」和「記」。流傳下來的有《易傳》、《禮記》、《儀禮》所附的記，《左傳》、《公羊傳》、《穀梁傳》等。東漢以後，有些「傳」也被提升爲「經」。

西漢初年，學者們所傳的「傳」「記」，還是以闡述「六經」大義爲主，如《尚書大傳》、《春秋繁露》等。《春秋繁露》爲漢經學大師董仲舒所作，其所謂發揮《春秋》之旨，多主公羊學說。

東漢以後，注解經書逐漸轉向名物、文字的解釋，發展了章句訓詁之學。如馬融、鄭玄等都是著名的注解家。鄭玄對《周易》、《毛詩》、《周禮》、《儀禮》、《禮記》、《論語》等書都曾作過注釋。從東漢到魏晉南北朝，解釋名物、文字的箋注之學成了治經的主流。現在所說的《十三經》古注，除《孝經》爲唐明皇注之外，漢人與魏晉人各居其半。

魏晉南北朝在注釋方面有新的發展，所注的書不限於經書，借注書發揮自己的思想，也可以說是自成著作。魏晉以後，隨著音韻學的發展，對「經」的「音」注工作發展起來，徐邈對羣經都作了聲訓，注了「音」；顧彪作《今文尚書音》；劉芳作《毛詩箋音證》；徐爰作《禮記音》等。

南北朝時，因受清談家和佛教講經的影響，儒家也盛行登壇講經，講經的記錄稱爲講疏或講義。還有一種義疏，闡發經義比注釋更爲詳盡。於是出現了逐字、逐句、逐章釋經。所謂「疏」就是對「注」所作的注。義疏在南北朝很流行，當時對羣經都作了義疏。到了唐代，唐太宗認爲儒學多門，注解煩雜，命令孔穎達撰寫《五經正義》。所謂「正義」，就是要求把各家注釋統一起

來。至此，經、注、疏成了三個層次。十三經的義疏工作是南宋光宗紹熙年間完成的。

　　❖現將《十三經注疏》的細目開列如下：

• 《周易正義》10 卷　魏王弼、晉韓康伯注，唐孔穎達等正義。
• 《尚書正義》20 卷　漢孔安國傳（僞），唐孔穎達等正義。
• 《毛詩正義》70 卷　漢毛亨傳，鄭玄箋，唐孔穎達等正義。
• 《周禮注疏》42 卷　漢鄭玄注，唐賈公彥疏。
• 《儀禮注疏》50 卷　漢鄭玄注，唐賈公彥疏。
• 《禮記正義》63 卷　漢鄭玄注，唐孔穎達等正義。
• 《春秋左傳正義》60 卷　晉杜預注，唐孔穎達等正義。
• 《春秋公羊傳注疏》28 卷　漢何休注，唐徐彥疏。
• 《春秋穀梁傳注疏》20 卷　晉范寧注，唐楊士勛疏。
• 《論語注疏》20 卷　魏何晏等注，宋邢昺疏。
• 《孝經注疏》9 卷　康玄宗注，宋邢昺疏。
• 《爾雅注疏》10 卷　晉郭璞注，宋刑昺疏。
• 《孟子注疏》14 卷　漢趙岐注，宋孫奭疏。

❀　　　　❀　　　　❀　　　　❀

　　北宋仁宗慶曆以後，注疏經書開始創新。當時學者拋棄了漢唐舊說，自創新注，講究義理。到南宋時形成了新儒學。宋人注書，以朱熹爲代表，他對《周易》、《詩經》等都作了注釋。此外，朱熹極力宣揚《禮記》裡的《大學》、《中庸》和《論語》、《孟子》是經典的基礎，是爲學之本，親自爲它們作注，稱爲《四書集注》。從此，經書中有了「四書」這個名目。朱熹提倡的義理之學稱爲「宋學」。

　　清朝考據之學盛行，經部書是研究的一個重要方面。清代學者爲了糾正宋明理學的空疏，以恢復漢學爲旗幟，根據漢人的箋注作疏證，整理了十三經。1949 年前中華書局編的《四部備要》，就

收了清代學者所作的《十三經注疏》。清代學者研究經書，著述豐富，名家很多，成就超過了歷史上的任何一個朝代。道光年間，阮元彙刻當時研究羣經的著作，名爲《皇清經解》，光緒時王先謙又補刻了《皇清經解續編》，清代研究經部書的專著大體彙集在這些書中。

要詳細了解經部書，可參考清康熙年間朱彝尊的《經義考》（有《四部備要》本）。此書初名《經義存亡考》，共三百卷，是一部著錄上古至清初注釋儒家經典的總目錄，注明每書的作者、卷數、存佚情況，並附原書序跋（元明以下多未錄）、諸儒論說及其他有關資料或者考證，此外還有清翁方綱的《經義考補正》，計12卷，補正1088條（有《叢書集成》本）。

❖近代思想家章炳麟。曾對清人解經的著作進行了研究，從中選擇了若干種，定爲羣經新疏，其子目如下：

- 《易》　惠棟《周易述》，江藩、李松林《周易補述》，張惠言《周易虞氏義》。
- 《書》　江聲《尚書集注音疏》，孫星衍《尚書今古文注疏》。
- 《詩》　陳奐《毛詩傳疏》。
- 《周禮》　孫詒讓《周禮正義》。
- 《儀禮》　胡培翬《儀禮正義》。
- 《禮記》　〔缺〕。
- 《左傳》　劉文淇《左傳正義》。
- 《公羊傳》　陳立《公羊義疏》。
- 《穀梁傳》　〔缺〕。
- 《論語》　劉寶楠《論語正義》。
- 《孝經》　皮錫瑞《孝經注疏》。
- 《爾雅》　邵晉涵《爾雅正義》，郝懿行《爾雅義疏》。
- 《孟子》　焦循《孟子正義》。

二、史部書

「史」字最初的含義，並不是指「歷史」、「史籍」或「史學」，而是一種職官的名稱，即史官。老子曾作過周柱下史。又有所謂「左史記言，右史記事」的說法，後來則指史籍而言。

《七略》裡史部書沒有單獨作為一類。《漢書・藝文志》把史書作為《春秋》的附庸。西晉荀勗的《中經新簿》確立了史書的地位，從春秋家類獨立出來成為一部。但是他把史書列在丙部，到了東晉，李充編撰《晉元帝四部總目》，易乙部為史部，易丙部為子部。史部書列在經部書之後子部書之前，自從儒家思想當成正統思想後，史書，特別是正史，記錄了帝王將相的事迹，帝王可以從中吸取經驗教訓。

古代的史部和今天說的歷史書籍不盡相同。它除了史書外，還包括敍述典章制度和地理方面的書。史部中有正史、編年、紀事本末、別史、雜史、詔令奏議、傳記、史鈔、載記、時令、地理、職官、政書、目錄、史評等 15 個門類。

(一)紀傳體

我國古代將以君主的傳記為綱領的紀傳體史籍列為「正史」，作為史書的範本。「正史」之名，是唐時修《隋書・經籍志》才出現的。「正史」代表了正統思想，可以說基本上是用唯心主義的歷史觀寫成的，所記述的具體歷史事件，都不同程度地存在著歪曲和隱諱等問題，儘管如此，這些史書畢竟為我們保存了極其豐富的歷史資料，記錄了重大的政治、經濟、軍事、文化活動，科學技術上的重大發明創造，文學藝術的源流演變，以及文化典籍的存佚流傳等。因此，它是古代歷史文獻的骨幹，是研

究古代歷史的基本史料。

「正史」是紀傳體史書，是用紀、傳、表、志的體裁寫成的。這種體裁創始於司馬遷撰寫的通史《史記》。班固仿照《史記》的體例。寫成了我國第一部斷代史《漢書》。以後。歷代史家仿照這一體例，或者編修本朝史，或者撰寫前代史。由於歷代不斷編修，數量日見增多，於是便有「三史」、「四史」、「十七史」、「二十一史」、「二十二史」、「二十四史」、「二十五史」和「二十六史」各種名稱的出現。

「三史」之名始於魏晉南北朝，最初的「三史」是指《史記》、《漢書》、《東觀漢記》，後因《東觀漢記》失傳，唐代才以范曄《後漢書》作爲三史之一。西晉太康年間，陳壽寫成魏、蜀、吳《三國志》，著作時間雖在《後漢書》之前，但後人以朝代爲順序，便將《三國志》附於《史記》、《漢書》、《後漢書》之後，合稱「四史」。唐人加《晉書》、《宋書》、《齊書》、《梁書》、《陳書》、《魏書》、《北齊書》、《周書》、《隋書》爲「十三史」。宋人加《南史》、《北史》、《唐書》、《五代史》稱「十七史」。明嘉靖時校刻史書時，加上《宋史》、《遼史》、《金史》、《元史》爲「二十一史」。清乾隆初年《明史》編纂修成，合稱「二十二史」。乾隆四十年（1775）武英殿刻竣各種正史，除「二十二史」外，又加上《舊唐書》、《舊五代史》共二十四史，這即是人們常說的「二十四史」。加上近人柯劭忞撰寫的《新元史》爲「二十五史」；再加上近人趙爾巽等編的《清史稿》爲「二十六史」。

❖現將二十六史列表如下：

◎二十六史一覽表

書　名	卷　數	編　著　者	記　載　年　代	成　書　年　代
史　　記	130卷	西漢司馬遷	起於黃帝迄於漢武帝中期約三千年	漢武帝太始四年
漢　　書	120卷	東漢班固	前206～公元24	漢章帝建初八年
後漢書	130卷	南朝宋范曄	25～220	宋文帝元嘉廿二年
三國志	65卷	晉陳壽	220～280	晉武帝太康十年
晉　　書	130卷	唐房玄齡等	265～419	唐太宗貞觀二十年
宋　　書	100卷	梁沈約	420～479	齊武帝永明六年
南齊書	59卷	梁蕭子顯	479～502	梁武帝天監十三年
梁　　書	56卷	唐姚思廉	502～557	唐太宗貞觀九年
陳　　書	36卷	唐姚思廉	557～586	唐太宗貞觀十年
南　　史	80卷	唐李延壽	420～589	唐高宗顯慶四年
北　　史	100卷	唐李延壽	386～618	唐高宗顯慶四年
魏　　書	130卷	北齊魏收	386～550	北齊文宣帝天保五年
北齊書	50卷	唐李百藥	550～577	唐太宗貞觀十年
周　　書	50卷	唐令狐德棻等	577～581	唐太宗貞觀十年
隋　　書	85卷	唐魏徵等	581～618	唐太宗貞觀十年
舊唐書	200卷	後晉劉昫等	618～907	後晉出帝開運二年
新唐書	225卷	宋歐陽修等	618～907	宋仁宗嘉祐六年
舊五代史	150卷	宋薛居正等	907～960	宋太祖開寶七年
新五代史	74卷	宋歐陽修	907～960	宋神宗熙寧五年
宋　　史	496卷	元脫脫等	960～1279	元順帝至正五年
遼　　史	116卷	元脫脫等	916～1125	元順帝至正四年
金　　史	135卷	元脫脫等	1115～1234	元順帝至正四年
元　　史	210卷	明宋濂等	1206～1370	明太祖洪武三年
新元史	257卷	民國柯劭忞	1206～1378	民國九年
明　　史	332卷	清張廷玉等	1368～1644	清高宗乾隆四年
清史稿	536卷	民國趙爾巽等	1583～1911	民國十六年

(二)編年體

編年體史書，是按時代順序以帝王爲中心記載有關史事的著作。《春秋》是我國現存最早的一部編年體史書。由於《春秋》文字過於簡略，使人難於理解，相傳左丘明爲《春秋》作傳，詳於歷史事實，大大提高了編年體史書的實用價值。到了漢代荀悅簡化《漢書》作《漢紀》30卷，編年體史書的體例、結構更前進一步，開創了由斷代紀傳體史書到斷代編年體史書的先例。繼荀悅之後有袁宏《後漢紀》，孫盛《魏春秋》，習鑿齒《漢晉春秋》，干寶、徐廣《晉紀》，裴子野《宋略》，吳均《齊春秋》，何之元《梁典》等編年體史書出現（現僅存荀悅、袁宏二家）。

宋代司馬光編撰從周威烈王23年（前403）到後周世宗顯德六年（959）共1362年的歷史，寫成《資治通鑒》294卷，是編年體史書中最有名的一種。它的影響很大，以後有不少人續修，如宋李燾的《續資治通鑒長編》、明薛應旂的《宋元通鑒》、清畢沅的《續資治通鑒》、夏燮的《明通鑒》、談遷的《國榷》等。其中畢沅所撰《續資治通鑒》220卷，是記載宋、遼、金、元四百餘年史實的編年史，與《資治通鑒》相銜接。近世出版家往往把它與《資治通鑒》合刻，稱《正續資治通鑒》。

編年體作爲一種史書體裁，包括的範圍極廣。凡史官記錄皇帝的言行舉止和日常宮庭大事的起居注，以及根據起居注編輯排比而成的實錄，均屬於這個範圍。編年體的優點，在於它以年月爲經，以史實爲緯，容易使人看淸事件之間發生的聯繫。它的缺點主要是事件發生和延續的時間過長，有前後割裂的毛病。

(三)紀事本末體

紀事本末體史書，是在編年體史書的基礎上發展起來的。這種體裁的史書，是以事件起迄爲綱，它既不同於紀傳體的以人物爲綱，也不同於編年體的以時間爲綱。南宋袁樞編《通鑑紀事本末》42卷，開創了這種體裁。袁樞喜歡讀《資治通鑑》，但感到《通鑑》過於浩博。一件史事前後相隔很遠，開頭、經過、結果很不連貫，讀起來很困難。於是他把司馬光的《資治通鑑》按照歷史事件的本末都連貫起來，將1300多年的大事，歸納成239個題目，每件大事記述得清清楚楚，改寫成了《通鑑紀事本末》。這不能說不是一種創造。後來仿照這種體例編寫的著作很多，如明朝陳邦瞻的《宋史紀事本末》、《元史紀事本末》，清朝高士奇的《左傳紀事本末》，谷應泰的《明史紀事本末》，近人黃鴻壽的《清史紀事本末》等。

紀事本末體史書的優點，在於使紀傳編年貫通爲一，經緯明晰，節目詳具，前後始末，一覽了然。它敍事前後連貫，簡明扼要，是初學歷史的入門書。但是，由於紀事本末體獨立成篇，同一時期所發生的歷史事件之間，記載就很難互相聯繫，是這種體裁的一大缺點。

(四)政書體

專門敍述典章制度變革的史書稱爲政書。它是從正史的書志擴大和貫通發展而成的。創造這種體裁的是唐代的劉秩，他作《政典》35卷，遂有典章制度的專著。後來唐代杜佑根據劉秩的《政典》加以補充和擴大，編成《通典》200卷。

杜佑生活在中唐時代，當時國勢日衰，他研究歷代典章制度的沿革，主觀上是企圖找到解決當時政治經濟問題的辦法，因此

他特別重視食貨，把它放在全書的首位。全書分食貨、選舉、職官、禮、樂、兵刑、州郡、邊防 8 門，每門又各分子目。上溯源於黃帝，下迄唐天寶年間，每事以類相從，凡歷代沿革皆一一記載。這是我國第一部記述典章制度的通史，它開闢了研究政治、經濟、文化專史的途徑。

《通典》以後，元馬端臨在《通典》的基礎上，調整、補充其內容和門目，寫成了《文獻通考》348 卷，分 24 門，新增加的有經籍、帝系、封建、象緯、物異 5 門，其餘 19 門都是在《通典》基礎上加以離析和補充而成，其中經籍考是目錄學的名著，有關宋代制度的材料很豐富，很多是宋史各志所未載的材料。

《通典》、《通考》、再加上宋代鄭樵的《通志》，過去謂之「三通」。鄭樵以畢生精力，寫成通史性質的著作《通志》200 卷。上起三皇，下迄隋代，共分《帝后紀傳》20 卷，《年譜》4 卷，《二十略》52 卷，《列傳》124 卷。其中《二十略》是全書的精華部分，是記載典章制度的。

「三通」之後，清代乾隆時又官修了《續通典》、《續通志》、《續文獻通考》、《清通典》、《清通志》、《清文獻通考》，與「三通」合稱「九通」。1935 年，又將劉錦藻所著《清朝續文獻通考》收入，合成「十通」。

除了「十通」外，與《通典》同源並流的，還有記斷代典章制度的專著，歷代的「會要」、「會典」等。

三、子部書

子部書產生於春秋戰國時代。當時出現了諸子蠭起，百家爭鳴的局面，逐漸形成了不同的學術思想流派。後世將這些思想流派的代表人物稱爲「諸子」。先秦諸子大部分是一個學派的著作

總集。他們的學說，最初只是以語錄、演說或單篇文章的形式流傳於世，後來多經漢朝學者的編輯整理，才成為「某子」專著。其中各篇並不一定都是「某子」個人作品，而是以「某子」為主的一派學說總集。西周以前並沒有子書之名，子書主要是春秋戰國時間的產物，諸子名稱，是西漢校訂典籍時才出現的，大都定於劉向的《敘錄》中。

子部書是以先秦各派學說思想體系為主，分為儒家、墨家、道家、名家、法家、陰陽家，縱橫家、農家、雜家等九個學術思想流派。此外還有小說家，《漢書·藝文志》編者認為小說家是「街談巷語，道聽途說」之作，因而不為人們所重視，可以去掉。「九流」加上「小說家」一共「十家」，合稱「九流十家」。後來就作為各個學術派別的泛稱。

魏晉以後，子書的範圍不斷擴大，數量也不斷增加。南朝宋時王儉編《七志》時，第二項列為「諸子類」，著錄所謂「今古諸子」。梁阮孝緒撰《七錄》，第三項列「子兵錄」，著錄子書與兵書。到《隋書·經籍志》（以下簡稱《隋志》）專列「子部」，成為四部書的重要組成部分。《隋志》著錄「諸子合 853 部，6437卷」。

科學技術書籍在子部書中占有相當多的數量。這些專門學問，漢朝整理典籍有專人負責整理這些著作。《漢書·藝文志》裡屬於科技的數術略、方技略，同兵書略、六藝略和諸子略是並列的。阮孝緒的《七錄》把兵書歸於子部，稱為「子兵錄」，數術、方技合為一類，稱為「術技錄」，到了《隋書·經籍志》，這些書都列入子部。在封建社會裡這些著作並不受人重視。所謂「巫醫樂師，百工之人，君子不齒」，典型地反映了那時輕視科技的思想。科技書籍在子部中雖占比重很大，但處於從屬地位。

東漢時期，佛教從印度傳入中國。後來，儒、佛、道並稱為

「三教」。道、佛經典文獻隨之增多，《隋志》附於四部書之後，《唐志》則列入子部，還有將它們單獨編目的。

宋代理學產生後，社會上出現許多學術思想及哲學理論著作，從而擴大了子書的範圍。

明清之際，著作甚多，《宋元學案》、《明儒學案》、《清儒學案》以及《清學案小識》、《漢學師承記》、《宋學淵源記》等屬於子書中的重要文獻，對研究宋、元、明、清各朝哲學思想體系與學術源流頗多參考價值。

子部書數量很大，《四庫全書》收錄子書計有儒家、兵家、法家、農家、醫家、天文算法、術數、藝術、譜錄、雜家、類書、小說家、釋家、道家 14 大類，2984 部（包括存目）。《販書偶記》與《販書偶記續編》，收載子書 3259 部，兩者共計 6243 部。今存子部書約在六千部左右。清朝末年，湖北崇文書局彙刻了《子書百家》，後來石印改稱《百子全書》。1935 年世界書局曾精選諸子中的代表作 28 種，同時選擇好的注本排印刊行，名爲《諸子集成》，是較爲流行的本子。

諸子書，興盛於先秦到西漢初年，與儒家著作地位相同。漢武帝之後，儒家思想擡頭，儒家經典已成爲神聖不可侵犯的禁區。東漢以後，子部書逐漸衰落，因此，《漢志》將經書列爲第一位，子書降爲第二位，《隋志》以後則降爲第三位。其他典籍，包括子書在內，都已成爲經書的附庸而得不到發展。

四、集部書

集部書是彙集歷代作家各種體裁作品的圖書。主要是文學方面的書，彙集一個人作品的叫「別集」；彙集多人作品的叫「總集」。

(一)總集

春秋戰國以前沒有出現彙輯個人、各體作品的圖書，當然也沒有什麼「集」。到西漢時，文章雖然漸漸多了，但還沒有彙集諸體編成文集的。自晉代摯虞撰成《文章流別集》41卷，具備了各種文體，並按文體品評優劣，是一部文章總集，後來人們感到把個人作品編在一起使用方便，於是就有別集的出現。

漢代沒有集部的名稱。《七略》和《漢書‧藝文志》把文學方面的書籍歸入詩賦略。三國時期，曹丕曾經把徐幹、陳琳、應瑒、劉楨等人的文章彙編成集，但影響不大。荀勗和李充的四部分類，文學作品列入丁部。直到王儉《七志》開始稱為「文翰志」，阮孝緒的《七錄》有「文集錄」。《隋書‧經籍志》才把集部的名稱確定下來。《隋書‧經籍志》裡集部分為楚辭、別集、總集三大類，清代編《四庫全書》擴大為五類，增加了詞曲和詩文評。

集部書並不都是文學作品，不少集子中經史子集的內容都有，實際上集部的很多書是著作集。造成這種情況的原因是多種多樣的，但是最根本的原因是學術分類還未科學化。

總集可以從不同的角度進行分類。依其著作收錄的體裁和學術內容，可分為綜合性的和專科性的。如《文苑英華》是綜合性的，既有詩又有文；《唐詩選》就是專科性的，只收詩。依其對作品的收錄面來區分，可以分為全集和選集。全集如《全上古三代秦漢三國六朝文》，選集如《昭明文選》。一般地說，全集的編輯，旨在保存文獻，選集的編選，旨在推薦佳作。若依總集收錄作品的時間斷限分，則又有通代和斷代之分，如《樂府詩集》是通代的，《全唐詩》是斷代的。

《文選》

　　現存最早的總集有梁昭明太子蕭統的《文選》，共 30 卷。選錄先秦至梁初一百三十餘家的作品七百餘篇，分爲 38 類，對後世頗有影響，舊時列爲總集之祖。唐宋以來一直被知識分子奉爲學習古詩文的範文，有「文選爛，秀才半」之說。唐代顯慶年間，李善爲《文選》作注，析爲 60 卷，注文包括本事、典故和訓詁，引用了很多資料，其學術價值一向爲人們所重視。唐代開元年間又有呂延濟、劉良、張悅、呂向、李周翰等五人爲《文選》作注，側重疏通字句，世稱「五臣注」。後來有人將李善注與五臣注合刻稱《六臣注文選》，因爲歷來研究《文選》的人很多，所以產生了「文選學」這種專門學問。《文選》的版本很多，以清代胡克家重刻宋刊本《李善注文選》（附考異 10 卷）和《四書叢刊》影宋本《六臣注文選》最善。

《文苑英華》

　　《文苑英華》，宋李昉等編，一千卷，選錄南朝梁至晚唐五代的作品近二萬篇，作者近 2200 人，其中唐代作品約占 90％，是一部大型詩文選集。時間斷限與《文選》相銜接，編排體例也模仿《文選》，把所收作品分爲 38 類，但《文苑英華》在每一大類中再分門目，類目比《文選》更細。1966 年中華書局影宋配明刊本，附有作者姓名索引，極便檢尋。彭叔夏的《文苑英華辨證》10 卷和勞格的《文苑英華辨證拾遺》，是使用《文苑英華》時必須參考的，影印本把兩個材料一併印入，爲讀者提供了方便。

　　✾　　　　✾　　　　✾　　　　✾

　　清康熙年間吳楚材、吳調侯編選的《古文觀止》、乾隆年間姚鼐編選的《古文辭類纂》都是起過一定影響的總集。

　　上面列舉的總集都是選本，也是彙錄全文的。清代康熙年間下令編輯的《全唐詩》900 卷，嘉慶年間下令編輯的《全唐文》一千

卷，以及同時代嚴可均編輯的《全上古三代秦漢三國六朝文》746卷，近人丁福保編的《全漢三國晉南北朝詩》54卷，唐圭璋編的《全宋詞》都是。彙錄全文，工程浩繁，沒有足夠的功力，往往收錄不備；或者貪多務得，只求量大，而校錄不精。因此，現在能見到的總集都有增補和校訂的必要。

(二)別集

同總集相對的是別集。多數別集以文學作品為主幹，但是也包括奏議、論說、書信、語錄等多種形式，內容相當廣泛。

別集有自編的，也有他人編的，書名種類很多。大致有以下幾種：

1.是用作者姓名作集名的，如唐李商隱的詩就叫《李商隱詩集》。

2.是用字號為集名的，如漢代劉歆，字子駿，他的文集就叫《劉子駿集》。

3.是用別號為集名的，如宋代詞人秦觀號淮海居士，他的詞集叫《淮海集》。

4.是用官銜作集名，如漢賈誼曾做過長沙王太傅，集名叫《賈長沙集》。

5.是用諡號作集名，如宋代文學家歐陽修死後諡「文忠」，他的集名就叫《歐陽文忠公全集》；曹植生前封於陳地為王，死後諡他為「思」，他的集子叫《陳思王集》。

6.是用封號作集名的，如南北朝詩人謝靈運襲封康樂公，也稱謝康樂，他的集子叫《謝康樂集》。

7.是用作者籍貫作集名，如宋代散文家曾鞏是江西南豐人，他的集子就叫《曾南豐文集》。

8.是用作者住過的地方作集名，如唐代詩人白居易在洛陽香

山住過，自稱香山居士，他的詩集叫《白香山詩集》。

9.是用寫作年代作集名，如白居易的詩文集編成於唐穆宗長慶年間，他的集子名叫《白氏長慶集》。

10.是用齋堂名號，如明代臨川戲曲家湯顯祖讀書的地方叫玉茗堂，他的戲曲選叫《玉茗堂四種》等等。

別集自編的不多，更多的是他人編的。有些自編的別集，後人又有增補。陸龜蒙的《笠澤叢書》是自編的，宋代葉茵輯陸龜蒙的全部著作，編成《甫里集》20卷。歐陽修的集子，後人輯成153卷，大大超過了本人自編的《居士集》。

別集命名的情況非常複雜，很少以著者本名命名。有些作家的集子有好些名稱。如駱賓王的詩文集除了叫《駱賓王文集》外，還叫《駱先生集》、《駱丞集》、《醫御集》、《義烏集》、《武功集》、《靈隱子集》、《駱臨海集》，名目之繁多，使初學的人掌握起來有一定的困難。

集部書還包括文學批評部分。它們在我國整個文學中占有重要的地位。梁朝鍾嶸的《詩品》和劉勰的《文心雕龍》是有名的文學理論著作。此外，還有各種詩話、詞話。

詞是按譜填寫、合樂歌唱的一種文學形式，唐五代稱曲、雜曲或曲子詞，溯源於南朝，形成於唐，盛行於宋，形式長短不一，故又稱長短句。古籍中詞曲集子也不少，詞曲在古典文學中有特殊地位。

我國歷史悠久，集部書，特別是別集數量相當龐大，內容也相當複雜，經、史、子、集的內容都有。集部書裡經史子之類所占的比重，從《清代文集分類篇目索引》一書中可以看出來。該書收近三百年學者別集428種，總集12種。分為三部：學術文之部，傳記文之部，雜文之部，其中學術文之部占絕大部分。

五、叢書

叢書是將許多種書，按一定體系編輯整理，並題有總名的一部大書。「叢書」二字最早見於唐代韓愈的《剝啄行》，其詩中有「門以兩版，叢書於間」的記載。不過這裡的「叢書」是指多書而言。最先用「叢書」作書名的是唐代陸龜蒙的《笠澤叢書》，然而這是一部考訂辯證雜著的具體書名，不是編印兩種以上專書的眞正叢書。學術界公認的創後世叢書體系的，當以南宋嘉泰二年（1202）俞鼎孫、俞經所輯的《儒學警悟》40 卷爲最早。它彙輯《石林燕語辨》、《演繁錄》、《嫺眞子錄》、《捫虱新語》、《螢雪集說》和《考古編》7 部書而成。編輯宗旨是「凡舉子之事業，人事之勸懲，間有出於已意，皆薈萃也。然而或又得於師友之謦欬者，議論賅博，識見超拔，大概爲儒學設，亦爲警悟用。」可見叢書的出現，是適應科舉制度和宣揚儒家思想需要的結果。這部書流傳並不廣，清光緒年間才發現明抄本，到 1922 年才刊行。在這部書沒發現以前，考證叢書源流者，都以宋度宗九年（1273）刊行的宋左圭《百川學海》爲最早，《學海》流傳後，刊刻叢書的風氣逐漸興起。

元代的叢書較爲著名的有陶宗儀輯《說郛》，彙書幾千種，但原文經過刪節。首尾不完備，讀者使用起來不方便。該書現存兩種版本：

㈠是由明代陶珽重校的清順治三年（1646）年宛委山堂刊本，爲 120 卷。

㈡是由張宗祥重校，1927 年商務印書館鉛印本，爲 100 卷。

明代叢書有了大的發展，無論數量還是種類都逐漸增多。如

果說唐有叢書之名而無叢書之實，宋有叢書之實而無叢書之名，明代便有名實具備的叢書了。明代叢書大體在嘉靖、萬曆前，繼承宋代《百川學海》、元代《說郛》的體例，進行增補續編。如吳永的《續百川學海》、馮可賓的《廣百川學海》、陶珽的《說郛續》等。萬曆年以後，除在所收子目增多，篇幅增大外，還出現了新的叢書類型，有包羅萬象的綜合性叢書，如袁褧的《金聲玉振集》、王文祿的《百陵學山》、陳繼儒的《寶顏堂祕笈》、胡文煥的《格致叢書》、周履靖的《夷門廣牘》、沈節甫的《紀錄彙編》。有彙集某一歷史時期著述之作，如程榮的《漢魏叢書》（為第一部名實具備的叢書）、趙標的《三代遺書》、何允中的《廣漢魏叢書》、鍾人傑、張遂辰的《唐宋叢書》等。有彙集各種專門部類的叢書，如周子義等的《字彙》、謝汝韶的《二十家子書》、陸楫的《五朝小說》等。有彙集某一地方的著述，如樊維城的《鹽邑志林》，該書是我國第一部郡邑叢書。

明代刊刻叢書，數量比較多，但質量存在著一些問題，主要是有些人在刊刻叢書時，喜歡竄改和刪節。其次是明代官場有一種風氣，喜歡刻書相贈，其中也有不少叢書，這部分書大都是沽名釣譽，並不十分注重書的質量。儘管如此，刊刻叢書的意義還是重大的，它的價值就在於從明人刊刻叢書中保存和流傳了先秦古籍、私人著述和不易得到的史料。

清代，特別是中葉，是我國叢書刊刻的鼎盛時期，品種之全，數量之多，校勘之精，遠勝於明代。這是由於清代考據輯佚學興起，學者輩出，著述宏富。清代以重視版本的有黃丕烈的《士禮居叢書》、孫星衍的《岱南閣叢書》等。以輯佚而著稱的有馬國翰的《玉函山房輯佚書》、王仁俊的《玉函山房輯佚書續編》、《玉函山房輯佚書補編》、黃奭的《漢學堂叢書》等。以精校古籍著稱於世的有畢沅的《經訓堂叢書》、盧文弨的《抱經堂叢書》、胡珽

的《琳琅祕室叢書》等。以包攬四部的有曹溶的《學海類編》、張潮的《昭代叢書》、鮑廷博的《知不足齋叢書》等。我國古代最大的一部叢書是清乾隆年間內府編纂的《四庫全書》，計收書 3,461 種 79,309 卷。

近代以來，由商務印書館、中華書局編刊的幾部大型叢書，對古籍整理起了很大的推動作用。

商務印書館張元濟等輯的《四部叢刊》初印於 1919 年，1922 年影印珍本出版「正編」。收集經、史、子、集典籍 323 種，收書底本以涵芬樓藏書爲基礎，搜集國內藏書家宋元舊本和明清精刻精抄本，是一部包羅宏富的大叢書，是我國古典文獻中的珍寶。後來又繼續搜集，於 1934 年又印成《四部叢刊續編》，收書 81 種，1935 年至 1936 年又印成《四部叢刊三編》，收書 73 種。1927 年至 1931 年，中華書局輯印了《四部備要》，收經、史、子、集書 336 種，內多是常用注本，採用仿宋體鉛字排印。商務印務館又於 1935 年至 1937 年輯印成《叢書集成》，選定宋至清代一百部叢書，包括普通叢書，專科叢書、地方叢書三大類，共收文獻 4,107 種，約二萬卷。此書收編了四部以外的筆記、叢鈔、雜說等單本、孤本書籍，可以補充四部書的不足。它打破了四部分類法，採用近代圖書分類法，便於人們按科學分類法檢索，流通範圍較廣，社會影響較大。

這三部近代大叢書的出版，對我國古代典籍的保存和傳播是極大的貢獻。

<h2>六、類書</h2>

類書是輯錄歷代典籍中各個門類或某一門類的資料，按類別或按字韻編排，便於查找和徵引資料的工具書。內容包括歷史事

實，詩文辭藻，人物典故，典章制度，天文地理，飛禽走獸，草木魚蟲，以及其它事物的資料。內容包羅萬象，幾乎無所不有，相當於我國古代的百科全書。類書著重原始資料的編纂，並注明出處，以供徵引。

　　有人認為既然類書是摘編古代典籍裡的資料為主的工具書，便說類書是「分類資料」，這種看法是不全面的。實際上在我國類書發展的歷史長河中，逐漸形成了「以類隸事」和「以韻隸事」的兩種體例，雖然總的數量上「以類隸事」占的比重較大，但「以韻隸事」的類書也是源遠流長的。根據《新唐書‧藝文志》等書記載，早在盛唐時期，顏真卿就撰有《韻海鏡源》360卷。雖然《韻海鏡源》沒有流傳下來，但清黃奭《漢學堂叢書》輯得一卷，尚可窺見一斑。宋元以來「以韻隸事」的類書，有宋錢諷的《回溪史韻》、元陰時夫的《韻府羣玉》。我國最大的百科全書《永樂大典》就是按《洪武正韻》編排的。據《明實錄》記載：明永樂元年（1403），明成祖諭翰林侍讀解縉等說：「天下古今事物，散載諸書，篇帙浩瀚，不易檢閱，朕欲悉採各書事物類聚之，而統之以韻，庶幾考索之便，如探囊取物耳」。清代張玉書等編纂的《佩文韻府》也是一部按韻編排的大型類書。至今仍為我們經常使用，所以我們不能說類書只是按類編排的工具書，更不能說類書就是「分類資料」。

(一)類書的發展

　　中國的類書起源於三國時代。但實開後代類書分門別類的體例之先河的則是訓詁詞典──《爾雅》。這部書產生很早，經過多人增補，是秦漢之間一些學者遞相增益而成的。全書按所釋的字詞分為釋詁、釋言、釋訓、釋親、釋宮、釋器、釋天、釋地、釋蟲等十九篇，它雖然具備了類書的某些特點，但看做起源尚為不

妥。我國第一部類書是魏文帝時的《皇覽》，是 220 年劉劭、王象等人奉敕編纂的。這部書分四十餘部，每部又分數十篇，共八百餘萬字，原書早已失傳，清孫馮翼從各書中輯出佚文一卷，收入《問經堂叢書》，但所存寥寥無幾。

南北朝時，駢體文興盛一時。由於寫文章崇尚字句整齊、音韻鏗鏘，對仗工切和講究用典使事，於是抄集典故、排列偶句，以補記誦的不足，供臨文尋檢，已成為一般文人的普遍需要。它促進了類書的產生和發展，加之當時皇帝貴族憑藉自己的權勢和財力，招聚文士，編輯書籍，搜集眾籍，編纂類書成為一種風尚。其中較著名的有《華林遍略》、《修文殿御覽》等書。二書均散佚。隋以前的古類書，現在都已失傳，雖有部分佚文，也看不出原書的本來面目了。

唐代類書已有了相當的發展，其中著名的類書有：虞世南編《北堂書鈔》173 卷,分 80 部，801 類。歐陽詢等編《藝文類聚》100 卷，書中保存了隋以前類書的一些內容。太宗貞觀年間，命高士廉等撰《文思博要》1200 卷；武則天令張昌宗等撰《三教珠英》1300 卷；玄宗令徐堅等撰《初學記》30 卷。唐代的著名作家、詩人也熱心於類書的編輯工作，如唐初四傑之一的文學家王勃撰有《平臺祕略》、詩人白居易撰有《白氏六帖事類集》等。

唐代類書，多已亡佚，今存僅四大類書，即《北堂書鈔》、《藝文類聚》、《初學記》和《白氏六帖事類集》。其中以《藝文類聚》最為有名。本書由歐陽詢主編，參與其事者還有裴矩、陳叔達等人，唐初武德七年（624）編成。從《藝文類聚》等書可見，類書部門之下，每類復加子目，每一子目下先取事類，後探詩文，並大致按所引各書的時代先後排列次序，條理清晰，一目了然。《藝文類聚》開創了「事文並重」的編排方法，以後的類書，多沿用這種形式，沒有多大變化。

　　宋代類書，無論數量、種類都已超過唐代，採擇材料的範圍也比唐人更廣。宋初，由於政治上的需要，令李昉、王欽若等編輯四部大書，其中三部爲類書：第一部《太平御覽》一千卷；第二部《太平廣記》500 卷；第三部《册府元龜》一千卷。宋代三大著名類書在中國類書史上占有重要的地位。除朝廷大事編纂類書外，宋代士大夫自編的類書也很多。如王應麟撰的《玉海》200 卷，專爲應博學鴻詞科考而作，也是宋代材料搜集宏富的著名大類書之一。王應麟還撰有《小學紺珠》10 卷。此外還有劉衣季撰《翰墨大全》125 卷，無名氏撰《錦繡萬花谷》40 卷等。元代編輯的類書不多，現存的有陰時夫撰《韻府羣玉》20 卷和嚴毅撰的《押韻淵海》等。

　　明代編輯的類書很多，出現了我國歷史上規模最大，用處最廣的類書——《永樂大典》。明成祖永樂元年（1403），解縉、姚廣孝等奉敕撰，共 22,877 卷，另凡例 60 卷。明代私人編輯類書也是很多的，如鄒道元編的《彙書詳注》36 卷，俞安期編的《唐類函》200 卷，唐順之編的《荊州稗編》120 卷等。

　　到了清代，皇帝很重視類書的編纂，如張英等奉敕撰《淵鑒類函》450 卷，張玉書等奉敕撰《佩文韻府》443 卷。現存類書中規模最大的《古今圖書集成》一萬卷，也是清初官修的大型類書，被外國譽爲「康熙百科全書」。該書爲陳夢雷等編輯，蔣廷錫等校訂，原名爲《彙編》，後來改稱爲《古今圖書集成》，全書共分 6 編 32 典。6,109 部，共一億六千萬字。序文稱：「凡六合之內，巨細畢舉，其在《十三經》、《二十一史》隻字不遺；其在稗史、子、集，十亦只刪一二」。雖屬誇張之詞，但內容極爲豐富也是事實。並附大量精美插圖，其數量之大比當時《大英百科全書》（第11版）多3、4倍，它不僅是人類文化史上一部巨著，也是我國古典文化的結晶。

清代除官修類書外，當時知名的文人學者也都從事類書的編纂，如朱彝尊撰《韻釋》107 卷，陳元龍撰《格致鏡原》100 卷，錢謙益撰《紅豆山莊雜錄》（不分卷）等。清代編的類書很多，僅據《四庫全書總目》就著錄了類書 65 部，計 7045 卷之多。

(二)類書產生之因

自三國至清末一千多年間，我國歷代都編纂類書，它的產生和發展首先決定於封建統治者的需要。一方面統治者爲了鞏固其政權，往往在新王朝建立初期，大肆網羅、籠絡文人學士編纂類書，遲其歲月，困其心志，消除反抗情緒，用以穩定其統治。如清朝康熙、雍正年間組織文人學士編纂《古今圖書集成》、《佩文韻府》等大型類書，則都抱有這種政治目的。

另一方面，有些類書是爲了皇帝閱覽歷代有關治亂興衰，君臣得失的事迹，以提供施政的借鑒，維護其統治地位而命令文臣編纂的。如《皇覽》、《册府元龜》等。

其次是受當時的文風、學風的影響。如南北朝時，文風喜用對偶和典故，社會上以知道典故多少而相互標榜。加之當時印刷術尚未發明，知識全靠抄錄，抄書又能增加記憶，於是文人學者迫於時代需要，從大量的古籍中摘取華麗的詞藻和冷僻的典故，編成類書，以備行文作賦之用。由於文人學士的這種需要，類書發展很快，如《初學記》就是爲了適應這種需要而編纂的。據史料記載詩人白居易在書齋中置瓶數十個，瓶上各題名目，命門生採集事類投入瓶中，倒出後抄錄成書，取名爲《白氏六帖》。唐代王勃的《平臺祕略》、陸贄的《備舉文言》和清代康熙年間編撰的《佩文韻府》、《駢字類編》也都是適應這種需要而編纂的。

再次是類書的發展和科舉制度的確立有關。我國隋朝廢九品中正，設進士、明經兩科取士，進士科以考試詩賦爲主。科舉作

爲一種制度，從隋代開始，到唐太宗時才固定下來。進士科重文辭，明經科重經術，文人爲了考試，必須善於作詩賦，要作詩賦就要積累辭藻典故。宋朝王應麟在編《玉海》時說：「萬一試日或遇此題，平時不知『枸杞』爲何物，焉能作靈根夜吠之語哉？需燈窗之暇，將可出之題，件件編類，如《初學記》、《六帖》、《藝文類聚》、《太平御覽》、《册府元龜》等書，廣收博覽，多爲之備」（《玉海》附《辭學指南》）。印刷術發明後，由於社會的需要，書賈爲了牟利，大力印賣類書。可見科舉制度也推動了類書的發展。

(三)類書的種類

類書的種類，從收集材料的內容和範圍，可分爲綜合性類書和專科性類書。

綜合性類書兼收各類資料，內容廣博，涉及當時各個學科門類，分門隷事，以類相從。《北堂書鈔》是我國現存最早的一部綜合性類書。《藝文類聚》、《太平御覽》、《唐類函》、《事文類聚》、《古今圖書集成》等，其類目的排列，一般都是以「天人感應，君權神授」的思想爲指導的，大都是按天、地、人、事、物的次序排列的。

天：包括天文、氣象、災異等。

地：包括地理、山川、古迹等。

人：包括帝王、君臣、父子等。

事：包括政治、經濟、文化等。

物：包括博物、農藝、醫學、工藝、器物等。

專科性類書是指專收某一學科門類或某一問題的類書。如經部類書有《十三經語類》、《五經類編》等；史部類書有《册府元龜》、《十史類要》等；子部類書有《百子抄奇》等；集部的類書有

《太平廣記》、《文苑彙集》等。專採詩文詞藻的如《駢字類編》、《子史精華》等；專記事物始源的如《事物紀原》、《壹是紀始》、《格致鏡原》、《事物原會》等；《三才圖會》則是專收圖譜方面的類書。還有一種專書性的類書如《山海經腴詞》、《文選類林》、《南史精語》、《楚辭綺語》、《太史華句》、《左國腴詞》等。

此外，還可以按編排方法來分，可分為按分類排列的類書，如《太平御覽》；按音韻排列的類書，如《永樂大典》；按類書用的文體分，可以分為散文體的、駢體的、賦體的等。

類書，包羅萬象，無所不有，除可以供查考資料、典故、詞語之外，還可以供搜輯古書佚文和校勘考證古書之用，特別唐宋以前的類書，這種作用就更為明顯。

七、方志

方志是按照一定體例，以地域為中心，專記全國或一地區的疆域、沿革、山川、古迹、物產、祥異、風俗、人情、人物、方言、文化、軍事的綜合性圖書。兼記史地，偏重人文，斷限明確，既區別於歷史又區別於地志，是一種特殊類型的圖書。數量很大，據著名方志學家朱士嘉在《中國地方志淺說》一文中說，我國國內現存方志約九千種，流散於國外的方志為數也不少，約占現存古籍總數的十分之一，在傳統的四庫法中屬於史部，地理類。

㈠方志的發展

方志名稱，始見《周禮·春官》：「小史掌邦國之志」，外史「掌四方之志」。孟子所稱《晉乘》、《楚檮杌》、《魯春秋》，墨子所稱燕、宋、齊、周等國《春秋》及《百國春秋》，孔子周遊列國，

得見百二十國寶書，都是所謂四方之志。我國現存最早的方志著作，是戰國時期的《尚書・禹貢》篇。《禹貢》記述了全國的區劃，將全國分爲冀、兗、青、徐、揚、荊、豫、梁、雍九州。在每州之下，記載山川、土壤、田地等級、物產、貢賦、交通等。按行政區劃，記述一地山川、物產等。就地方志的體例來說，《禹貢》已經基本上奠定下來了。《禹貢》是一部全國性的區域志，但內容簡單。比較詳盡的全國區域志，是在兩漢以後才出現的。

西漢到漢武帝時才得到進一步鞏固。爲了解掌握全國形勢，詔令地方政府在三年或十年定期派「計吏」將各地的戶口、賦稅的數字和山川、關隘、物產等情況上報給太史。這些資料爲編寫全國性區域志奠定了基礎。到班固編寫《漢書・地理志》時，已積累了較豐富的材料。《漢書・地理志》的卷首幾乎全部轉錄了《禹貢》的原文，並用簡短文字敍述前代區域劃分的沿革。在主體部分分別記述漢代的郡、國、縣、道、邑的數字，郡國的戶口和建置的興衰與分合情況。卷末還對各地區歷史演變的大勢和風俗形成的淵源作了簡要的介紹。《漢書・地理志》被視爲我國第一部全國性區域志。

此後，全國性地方志隨著王朝的更替，逐步發展起來。

西晉太康年間（280～289）已有《太康三年地記》、《太康土地記》等七種方志。摯虞在元康年間（291～299）依照《禹貢》、《周官》體例寫成《畿服志》170卷，記載州郡及其分野、封略、事業、國邑、山陵、水泉、鄉、亭、城、道里、土田、民物、先賢、風俗等資料，是西晉時期全國性地理志。

隋大業年間（605～618），地方志工作受到重視，封建統治者下令「普詔天下諸郡採其風俗、物產、地圖，上於尚書（尚書兵部職方）」。各地將風俗、物產、地志、地圖等資料整理好報送尚書，所以隋有《隋諸郡物產土俗記》150卷、《隋區宇圖志》

129 卷、《隋諸州圖經集》100 卷，比較全面地反映了隋代的情況。

　　唐貞觀十年（636）李泰撰寫《括地志》，貞元十一年（795）賈耽撰寫《貞元十道錄》，大中年間韋澳撰寫《州郡俗志書》等都是比較有名的，但至今已經亡佚。現在僅存的一種是李吉甫的《元和郡縣志》，原書各篇之首均冠以圖，故名《元和郡縣圖志》。後因圖佚失獨存其志，故稱《元和郡縣志》。記事以唐憲宗元和八年（813）為限，將全國十道所屬的戶口、沿革、山川、道里、貢賦、古迹等依次記述，體例比較完整，對後世編纂區域志有較大的影響，它是我國現存最早，篇幅又較完整的全國性區域志。二十世紀初，在敦煌石窟發現藏有唐修《沙州圖經》和《西州圖經》等多卷地方志，這是現存最早的圖經。

　　宋代撰著地方志日趨興盛，著述體例基本定型，門類逐漸廣泛，除記地理外，還增加了人物、土產和藝文等方面內容，而且長篇巨製也相繼出現。如北宋時期樂史的《太平寰宇記》193 卷，承襲《元和郡縣志》的體例，著重對當時十三道的經濟、文化情況加以記述，還增加了人事方面的內容，並附及外國的情況，開後世地方志中立人物、藝文例之端。葉德輝輯《宋祕書省續編到四庫闕書目》著錄的圖經，可能是一路為一集，成為明清編纂各省通志的先聲。宋代私人編寫地方風土小志值得注意，如孟元老的《東京夢華錄》10 卷，詳細記載開封的地方物產、風俗、人情以及商業情況等。其他如《武林舊事》、《都城紀勝》、《夢粱錄》等、成為地方志的交流和補充。

　　元朝政府不但向全國徵求地方志，還命令地方官吏及時編纂地方志。元成宗時，由祕書監札馬剌丁、少監虞應龍負責編纂《大元一統志》100 卷。明朝中葉以後，此書已散失不全。明景泰七年（1456）成《寰宇通志》。後英宗嫌其繁簡失宜，去取不當，

又命儒臣泛取要籍，折衷羣書，天順五年（1461）改刻爲《大明一統志》。

　　清編撰地方志達到了鼎盛時期，在我國古代地方志總數中，清代占 80％，即六千餘種，平均每年修志二十餘種。上起《一統志》，下至省、府、州、縣、鄉、鎮、鹽井、土司都有志書。康熙十一年（1672）詔各郡縣分輯志書。雍正七年（1729）因修《大清一統志》，嚴諭各省縣修志，限期完成。各省、州、府、縣志二百多年來一修再修，所以清代方志，目前存書是最多的。

(二)方志的種類

　　地方志的體例定型化和大量出現是在宋代以後，宋以前的方志反映地區的情況不全面，有的叫圖經，如宋朱長文的《吳郡圖經續記》；有的稱記，如宋歐陽忞《輿地廣記》；有的叫錄，如宋高似孫《剡錄》等。宋以後的方志吸取了地記、圖經、專志的長處，內容更加完備。

　　❖從時間上看有通代有斷代，從記事範圍看可分爲以下各類：

- 一統志：如唐的《元和郡縣志》。
- 總志：記兩省或兩省以上的志書，如《湖廣通志》。
- 通志：記一省的志書，如《江西通志》。
- 郡志：記一郡的志書，如《吳郡志》。
- 府志：記一府的志書，如《武昌府志》。
- 廳志：記一廳的志書，如《川沙廳志》。
- 州志：記一州的志書，如《義寧州志》。
- 縣志：說一縣的志書，如《豐城縣志》。
- 合志：記二縣以上的志書，如《宜興荊溪縣新志》。
- 鄉鎮志：記一鄉一鎮的志書，如《南潯鎮志》、《桃源鄉志》等。

✻　　　　✻　　　　✻　　　　✻

❖從內容上分類還可分爲以下幾種：

• 記風俗的：如《陳留風俗傳》等。

• 記名山的：如《廬山志》、《王屋山志》等。

• 記河流的：如《水經注》、《揚州水道記》等。

• 記寺觀的：如《洛陽伽藍記》。

• 記書院的：如《白鹿洞書院志》。

• 記建築的：如《三輔黃圖》。

• 記時令的：如《歲時廣記》。

• 記人物的：如《列女傳》、《高士傳》。

• 記邊防的：如《邊防備覽》、《蠻司合志》。

• 記外國的：如《海國圖志》、《瀛寰志略》。

• 記名勝的：如《江城名迹記》。

• 記物產的：如《南州異物志》。

• 記地方文藝的：如《吳都文粹》。

✻　　　　✻　　　　✻　　　　✻

　　方志是舊時特有的產物，一般都是由中央或地方的統治者下令纂修，並有統治者領銜，一些類目如帝王、名宦、孝義、烈女等反映著封建等級倫常，藝文類也載有不少社會意義不大的風花雪月的詩文。有些志書東拼西抄前代文獻，詳古略今，實用價值不大，但由於方志一般是反映封建社會基層政權的情況，就其材料的深度和廣度看，要比正史中的地理志好得多。從材料的眞實程度看，地方志要比一統志好得多。所以總的說，方志還是文獻資料的寶庫。如方志的食貨志中有戶口、物產、田賦等，是研究經濟史的寶貴資料。方志中的有關天象、山川、水利、交通、建築等項，載有豐富的科技史資料；人物傳記裡有豐富的歷史資料；藝文類裡有很多文學史的資料等。

　　總之，方志歷史之悠久、內容之豐富，編寫體例之獨特，在世界上是罕見的，在世界文化史上爲中國所特有。

八、筆　記

　　筆記是一種隨筆記錄的文體，包括筆記小說、史料筆記和考據筆記。梁劉勰在《文心雕龍·總術》中認爲「今之常言，有文有筆，以爲無韻者筆也，有韻者文也」。所以，一般稱注重詞藻，講求聲韻、對偶的文章爲「文」，把信筆記錄的散行文字稱爲「筆」。筆記這種體裁，無論記敍、議論、考據、辨證以及抒情志感等，信筆所至，無所不宜，內容形式最爲自由，以「雜」見稱。自魏晉南北朝時就有了這種文體，其淵源還可以遠溯至東漢。唐代筆記臻於成熟，到宋代又有發展，至清代而大盛，近人寫筆記的也很多，現代學者把一些零星雜著彙輯成書，雖然不一定標筆記之名，實際仍然是繼承了古代筆記的傳統。用「筆記」兩個字作書名的，大約始於北宋宋祁的《筆記》3卷。

　　歷代筆記，浩如煙海，內容豐富，包羅萬象。大致可分爲三大類：

　　第一是小說故事類。

　　包括由魏晉的志怪小說、軼事小說，唐宋傳奇和明清人的擬作，從晉干寶的《搜神記》、南朝宋劉義慶的《世說新語》到清紀昀的《閱微草堂筆記》、王晫的《今世說》等，都屬於這一類。

　　魏晉南北朝的筆記，以志怪故事爲大宗，這種志怪故事的內容和形式，首先爲唐傳奇的作者提供了借鑒，演志怪爲傳奇，促進傳奇小說的發展。其次爲後世的志怪筆記開闢了道路，由唐宋到清代的志怪筆記，儘管內容有異，文筆不同，但總的看來都是《博物志》（晉張華撰）、《搜神記》的繼承與演變。

《搜神記》：20 卷，晉干寶撰。

是魏晉志怪小說的一種類型，它兼受《山海經》和《穆天子傳》兩書的影響，以輯錄神仙鬼怪故事為主，也包含著一些沒有故事性的瑣言碎語的記載。書中有一部分民間傳說，是其中的精華，深受人們喜愛。《搜神記》之類志怪小說的文學價值，主要就在於它們保存了這些優秀的神話、傳說。

《酉陽雜俎》：前集 20 卷、續集 10 卷，唐段成式撰。

這部書稱作雜俎的原因，是把志怪、傳奇、雜錄、瑣聞、考證諸體彙為一編。全書分門別類地輯錄材料，好像類書，其實是仿《博物志》體例而變化的。

《閱微草堂筆記》：24 卷，清紀昀撰。

此書摹擬魏晉志怪，偏重議論，多方面地表現了作者的見解和學識，但也存在著大量的封建糟粕，為小說故事類筆記的另一種類型。

《今世說》：8 卷，清王晫撰。

這部書記載了清代順、康兩朝和作者同時的文士們的言行。體例全仿《世說新語》，故稱《新世說》。

第二是歷史瑣聞類。

這類筆記包括記軼聞遺事、述掌故、輯文獻、談藝術等的雜錄、叢談等。從晉人偽託漢劉歆的《西京雜記》、唐劉餗的《隋唐嘉話》、李綽的《尚書故實》到清王士禎的《池北偶談》、褚人穫的《堅瓠集》等，皆屬於這一類。

魏晉南北朝時期，社會動蕩不安，戰亂頻繁，地方分裂，野

史雜傳，爲數甚多。但記瑣聞、錄雜事的筆記剛剛處於萌芽狀態。這時期有「雜載人間瑣事」的《西京雜記》，記錄民俗傳說的《荊楚歲時記》。唐代歷史瑣聞類的筆記有了較大的發展，種類很多。其中有仿《世說新語》的體裁，分門繫事的《大唐新語》；有專輯一朝瑣聞的《明皇雜事》；有偏重一類記載的《雲溪友議》；有更近於志怪傳奇的《朝野僉載》。總的來說，仍以彙輯各種瑣聞軼事一類爲最多。宋代的筆記以記掌故、軼聞的史料筆記爲最發達，其主要特點在於多就「親見」、「親歷」和「親聞」來記敍本期的軼事與掌故。內容較爲切實，不乏第一手材料，所以這部分筆記首先值得重視。明清時期歷史瑣聞類的筆記，品種和數量都超越前代。

[《西京雜記》]：本爲 2 卷，現通行 6 卷本係宋人所分，稱劉歆撰。書末有葛洪跋語，大約是葛洪所依託。

此書所記都是漢代傳說、瑣聞和有關西京的宮室園囿的故事。其內容可供考證漢代典制，所記漢人軼聞，如司馬相如和卓文君的故事，王昭君和毛延壽的故事，以及匡衡勤學、穿壁引光，揚雄著《太玄》夢吐鳳凰等，多被後人用爲典實。

[《涑水記聞》]：通行本 16 卷，宋司馬光撰。

這部書雜錄宋太祖至宋神宗時故事，以有關國家大政的記載爲多。據司馬光本來打算雜採實錄、國史、異聞等，撰《資治通鑑後紀》，這部《涑水記聞》就是他積累的材料，內容近於實錄。

[《酌中志》]：23 卷，明劉若愚撰。

作者是天啓年間的太監，崇禎初，被認爲是魏忠賢一黨，下獄論斬。他在獄中寫成此書，爲崇禎帝所見，得減等免死。全書

所記，大都是身歷目睹之事，除去萬曆、泰昌、崇禎的一些史事和作者自敍外，全是天啓一朝的見聞。其書每卷一題，敍述一事，極爲詳細。附錄《黑頭愛主紀略》一卷，寫馮詮以逢迎魏忠賢而入相的經過，生動具體。此書對於宮廷祕密，暴露頗多，有一定史料價值。

《堅瓠集》：68 卷，清褚人穫撰。

該書對古今典制、人物事迹、詩詞、藝術以及社會瑣聞、詼諧、戲謔，無不記錄，尤以明清軼事爲多。採輯較廣，博而不精，間雜許多瑣屑無聊事情。

第三是考據辨證類。

包括從魏晉迄明清的考證典章制度、解說文字訓詁等讀書隨筆、札記；從晉崔豹的《古今注》、唐封演的《封氏聞見記》、宋沈括的《夢溪筆談》、戴埴的《鼠璞》等，到清錢大昕的《十駕齋養新錄》、趙翼的《陔餘叢考》等，皆屬於這一類。

考據辨證類的筆記，在漢代已略具規模。如班固的《白虎通義》、蔡邕的《獨斷》，《四庫全書總目提要》歸之於子部雜家類，實際就是考辨筆記的先河。魏晉南北朝時代，這一類筆記仍處於萌芽狀態，爲數不多。到唐代考據辨證類筆記走上獨立發展的道路。明清時期考據辨證類的筆記劇增，作者輩出。

《古今注》：今所傳宋刻本 3 卷，晉崔豹撰。

今本《古今注》共分輿服、都邑、音樂、鳥獸、魚蟲、草木、雜注、問答釋義 8 類，分類彙錄材料。可供研究古代文物、制度的參考。

$\boxed{\text{《封氏聞見記》}}$：10 卷，唐封演撰。

前 6 卷記紋掌故，考證名物，7、8 兩卷多記古迹，附以雜論，末 2 卷專注唐代士大夫遺事佚聞，以考證部分最有價值。盧見曾稱贊：「考據該洽，論辨詳明」。

$\boxed{\text{《少室山房筆叢》}}$：48 卷，明胡應麟撰，是彙輯作者考據雜說而成。

胡應麟在明中葉以博學著稱，與楊愼、陳耀文、焦竑同負盛名。此書徵引豐富，議論亦多創見，為研究古籍提供了寶貴資料和見解。此書將小說家概括為志怪、傳奇、雜錄、叢談、辨訂、箴規 6 類，使複雜紛紜的古代筆記，大致有類可歸。當然該書也有徵引錯誤，考辨失實之處，但總的說來，瑕不掩瑜，不失為一部好書。徵引材料大都注明出處，體例比較嚴謹。

$\boxed{\text{《日知錄》}}$：32 卷，清顧炎武撰。

顧氏是明末清初的大儒，學問淵博，見識通達。《日知錄》是他積累三十年的筆記，內容豐富，無所不談。許多條目都源源本本，考證詳明。清道光年間黃汝成曾為此書作注，稱《日知錄集釋》，有《刊誤》、《續刊誤》2 卷，亦為黃氏所撰。後附《日知錄之餘》4 卷，乃後人輯顧氏遺佚之作而成。《日知錄》是一部價值很高的考證性筆記，清人很重視它。除黃汝成外，還有些人為它作校補、箋注；近人黃侃也撰有《日知錄校記》1 卷。李慈銘說《日知錄》這部書「直括得一部《文獻通考》，而俱能自出於《通考》之外」（見《越縵堂讀書記》下）。可見人們是多麼推崇它。

　　　※　　　　　※　　　　　※　　　　　※

分以上三類並不是很周密的，因為歷史上形成的筆記類的著作特別複雜，有許多筆記，內容無所不包，很難說它屬於哪類，

因為筆記文體，記敍隨宜，原無限制，「雜」本是它的特點。在具體分析時只能認定以那種類型為主，或者還要設一個綜合類方能處置。這樣，就要求我們把握住筆記的特點：以內容而論，主要在一「雜」字，不拘類別，有聞即錄；以形式論，主要是一個「散」字，記敍隨宜。

筆記的缺點也比較嚴重。由於時代的原因，神怪迷信，大量存在，所敍事實，往往眞僞雜糅，很難分辨。加上編排雜亂，選擇比較困難，因此在閱讀時，應加以分析批判，吸取精華，揚棄糟粕，對於其中的引證，必須查對原書，方能使用。

（蔡志敏　王繼祥）

2 書籍的歷史與書籍制度

　　書籍是人類社會發展到一定歷史階段的產物。人們用文字把自己的實踐經驗（知識）記錄在特定的物質材料上就產生了圖書。它一經產生就反作用於社會。人們通過書可以表達思想、交流經驗、傳播知識，進一步推動社會的發展。

　　書籍有它的產生、發展的歷史。中國書的歷史，至少已有三千五百年了，它在世界上有著光輝的記錄。現代出版書籍的三個基本條件：紙、製版、印刷術，都是中國人最先發明，然後傳播到世界各地去的。

　　書籍的產生、發展有幾個重要條件。

　　首先是人們的知識，人們對於周圍環境事物的觀察和認識，由表及裡，由粗到精，由零碎、片斷到系統、全面。隨著人們知識的逐漸深入，逐漸接近於客觀真理，書籍也就逐步由零星的觀察記錄變為系統的科學著作，由簡單的記載事實變為複雜的理論闡述。這樣，不僅著作的內容隨著時代的進展而變化，著作的體例和類型也日益多樣化了。

　　第二，文字是記錄語言的工具，沒有文字就不能產生書籍，因此，文字的產生是圖書產生的重要條件。

　　在人類發展的「史前時期」沒有文字，人們交流思想，只能靠語言口耳相傳，關於我國原始社會有巢氏、燧人氏、伏羲氏、神農氏的故事，就是通過口頭傳說流傳下來的。但語言不能傳諸久遠。人們經過長期不斷的種種嘗試，終於創造了文字。文字的

產生，是書籍產生的主要條件。文字的產生距今已有幾千年的歷史，文字本身也隨著社會的發展而發生變化，文字的變化影響著書籍的變化。從原始社會的簡單文字記事，到用成文記事，即書籍的產生，是人類社會過渡到文明階段的標誌。至於我國的成文時代始於何時，據郭沫若的考證認為：「殷之先世，大抵自上甲以下已入於有史時代，自上甲以上則為神話傳說時代。」經于省吾教授進一步詳細考釋，得出結論認為：「我國有文字可考的歷史，開始於商人先公的二示——夏的末期。」《尚書·多士》篇云：「惟殷先人，有冊有典」。傳曰：「冊，書；典，籍。」

第三，書籍的產生必須具備一定書寫的物質材料。遠古的人類差不多在一切可以刻劃和書寫的材料上記錄過自己的知識，如龜甲、獸骨、陶器、青銅器、石頭、木板、竹片和縑帛等，直至發明了比較理想的材料——紙。到了東漢和帝元興元年（105），蔡倫擴大了造紙原料，改進了造紙方法，紙作為理想的書寫材料才逐步擴大，以至今天仍然是寫書印書的主要物質材料。由最古的書寫材料到紙的通行，中間有著幾千年的歷史，而紙發明後又有它自己的發展史，所有這些變化都影響著書籍的發展。

第四，書籍的產生還必須具有把文字書寫在一定物質材料上的工具，這就是筆墨刀錐之類。現代的書是用印刷的方法大量生產出來的。一部書可以變成幾萬部、幾百萬部。人們很容易得到所需要的書籍。印刷術發明以前，書籍生產只有抄寫的一種方法。人們想得到一部書，只能自己或請人抄寫。如果是一部百萬字的著作，就可能抄上幾年。在更古的時代，書籍還要用刀刻或用錐畫，既緩慢又費力。從刀刻錐畫到印刷，其間有著幾千年的發展過程。印刷術發明以後，它本身又有發展的歷史——從簡單的手工操作到現在的大規模機械化、自動化製作，這一切更深刻

地影響著書籍的發展。

　　人們的思想和知識，用以表達思想和知識的文字，文字所附著的材料，材料所具有的形態以及生產方法是構成書籍的條件。它們互相結合起來而構成書籍。它們在不同的歷史時期和社會條件下，都有各自的發展途徑，但又彼此互相影響，互相交織，因而使得每個民族不同歷史時期的書籍各具時代特色，形成一定時期的書籍制度。

一、甲骨書

甲骨書是指在龜甲獸骨上刻有文字的書，這是我國最早的書籍。現已發現刻有文字的甲骨是 3500 多年前的一種文書，它是我們研究商朝政治、軍事、外交、經濟生活、社會組織、風俗習慣等的珍貴歷史資料。

　　甲骨書的發現，是 1899 年，王懿榮最先開始搜集。1903 年，《老殘遊記》的作者劉鶚第一次出版了專門著錄甲骨書的《鐵雲藏龜》，因而引起了學者專家們的注意和研究。這時甲骨出土的真實地址還沒有人知道。1910 年，經羅振玉調查，是在河南省安陽縣西北五里地的小屯村北洹河南岸。小屯村一帶曾經就是商王朝後期的首都。1899 年至 1928 年三十年間，是私人發掘時

期，甲骨文的研究者，可以劉鶚、羅振玉、孫詒讓、王國維、王襄、葉玉森爲代表。1928 年至 1937 年十年間是機關發掘時期，前中央研究院曾用科學方法，先後發掘十五次（中間河南博物院也發掘了 2 次）。這一時期的甲骨文研究者，可以郭沫若等爲代表。1938 年至 1948 年，這十一、二年間因日本的侵略和進行解放戰爭，甲骨的發掘陷於停頓。但這個時期仍有出土，是在盜掘情況下進行的，遭受嚴重破壞。1950 年，中國科學院，考古研究所雖然進行了一次發掘，但爲了要愼重地保存小屯地下的完整性，留待將來作有系統的發掘，所以只在四盤磨村和洹河北進行工作。此次收穫很大，得到了民間記事刻辭的甲骨。發現甲骨距今不過百年，現已得到約 20 萬片。發現甲骨的地方除安陽外，鄭州二里崗也採集到三片殷代的有字甲骨，西安張家坡和山西洪洞縣坊堆村也都發現過甲骨。不久前在陝西周原地區發現了一批西周甲骨，15,000 餘片，其中卜甲 14,800 多片，卜骨 120 多片。從對部分卜甲整理的情況看，已知有字的卜甲 127 片約 450 餘字。這批甲骨有鑽鑿不同的穿孔，而且有關於典册的記載，這是周人把刻有文字甲骨串成册，並作爲檔案保存起來的證明。

甲骨包括卜用的龜甲和卜用的獸骨，獸骨多用牛、羊、豬、鹿的肩胛骨。當時生產力非常低下，天被認爲有至高無上的權力，人們一切疑難都靠求神問卜來解決，燒灼龜甲獸骨，根據甲骨上的裂紋以定吉凶，是卜問的主要方式。

甲骨文記載的內容有占卜的日期，原因及所示兆頭的吉凶。殷人重視神權，凡國家大事以至統治者的日常生活，都要事前進行占卜。因此卜辭涉及國家政治、戰爭、狩獵、農業、畜牧以及殷王疾病、祭祀等許多方面，從而使我們可藉以了解三千多年前殷商的歷史、政治、軍事、外交、風俗習慣、經濟狀況、社會組織等各方面的情況。

甲骨上的文字是用刀刻的，有時爲了便於看清楚，還在字紋裡填上朱砂。現在已經發現的字，據統計不重覆的約 4500 多個，能認識的約 1500 個。1965 年中華書局出版中國科學院考古研究所編的《甲骨文編》，共收錄 4672 個字，其中見於《說文》者 900 餘字，內含象形字較多。甲骨文的「冊」字作「 冊 」，像幾片長短不同的龜片達在一起。初出土的甲骨，有些疊放在一起，從側面看去，正像冊字的形象。安陽小屯村 YH127 坑出土的腹甲上刻有「 冊三，冊凡三 」的字樣，就是共有九片甲骨集合在一起，證明了當時確有把甲骨編連在一起的事實。因此，可以把這種龜片稱爲龜冊。甲骨書雖然不是正規的書，但起著最古書的作用。

二 、 青 銅 器 書

青銅器是用銅錫合金鑄成的器具，古人習慣於在它上面刻字或鑄字。這些文字後人稱爲金文、鐘鼎文或鐘鼎款識。凹下去的字爲「 款 」，或稱「 陰文 」，凸出來的爲「 識 」或叫「 陽文 」。青銅器的出現標誌著人類由新石器時代進入了青銅時代，我國在商代後半期就出現了青銅器，並且達到了高度的工藝美術水平，集中代表了我國上古時期科學文化發展的傑出成就。青銅器種類很多，大體上可分爲禮器（ 吉金 ）、樂器、兵器、食器及日用工具等。這些都是貴族的用具，特別是其中的禮器，是貴族們的傳家寶，只有在大典或祭祀時才使用。它又是統治者權力的象徵，所以被稱爲「 重器 」，必須長期保存，不能遺失。春秋戰國時，滅人國家時要「 毀其宗廟，遷其重器 」。由於青銅器這樣神聖，所以那時貴族凡有重要文件需要長期保存或有重大事件需要永久紀念的，就把文件或事件鑄在青銅器上。

　　青銅器從商代後期一直沿用到東漢時期。從器物的情況來看，殷器上的字數很少，間或有幾個字。到了周初字數漸多，從西周的後半期到東周中葉（春秋）器物的藝術性退化，刻辭卻長了起來，有的四、五十字，有的長達四、五百字。如毛公鼎上的刻辭，有 497 字之多。這是傳世古代器物上刻辭最長的一件。1977 年，河北平山縣戰國中山王墓出土的銅器大鼎、方壺等，銘文也有 450 字之多。因爲文字多，從中可以了解到當時許多歷史事實，成爲極其珍貴的歷史文獻。因此有人稱它爲「靑銅書」。

　　初期靑銅器上的銘文接近甲骨文，後來漸漸演變爲各種形體，文字學上叫做「籀文」、「古文」或「大篆」。最晚的是「秦篆」——「小篆」或「漢隸」。銘文字體和甲骨文不同，和秦篆也不相同，大體上屬於「古文」系統，這種字體是當時中原各國使用的。可是中原各國的字體也不一致，因而齊、楚、燕、趙等國的字體各不一樣，而各時期的字體也不盡相同。因此，靑銅器上的字體是可以作爲判定器物的時代和地點的標誌。

　　從前愛好靑銅器的人，只把它當做珍奇古玩，北宋以後，才有人注意到銘文，大事搜羅。也有人把靑銅器上的文字當做一種藝術字來摹寫，成爲書法中的一種體式。後來學者寫出專書進行研究，如宋歐陽修的《集古錄》10 卷，王黼等撰《宣和博古圖》30卷，著錄宣和殿所藏古器 839 件，分 12 類，每類各有總說，釋文列在圖下；趙明誠和李淸照的《金石錄》30 卷。元楊鈞的《增廣鐘鼎篆韻》，吾邱衍的《續古篆韻》。明豐道生的《金石遺文》；釋道泰的《集鐘鼎古文韻選》。淸高宗（弘曆）敕編的《西淸古鑒》、《西淸續鑒》甲乙編；錢坫的《十六長樂堂彝器款識》；阮元的《積古齋鐘鼎款識》等。近人著作如羅振玉《三代吉金文存》，郭沫若的《兩周金文辭大系圖錄》，陳夢家的《海外中國銅器圖錄第一

集》，孫海波的《新鄭彝器》，容庚的《寶蘊樓彝器圖錄》，商承祚的《十二家吉金圖錄》，于省吾的《雙劍誃吉金圖錄》等。

我國至今已發現幾萬件青銅器，其中有銘文的就有一萬多件。在這些銘文中不重覆的字有 3,500 多個，能認識的約占十分之六、七。青銅器本身有其固有的作用，銘文是附加的，因此從本質來說，只能稱爲檔案。就書籍制度來看，它們雖然具有豐富的史料價值，有書籍的作用，但依然不是正規的書。

三、石　經

所謂「石經」，主要指石刻的儒家經典。在石頭上鏤刻文字的做法，很早就有，現存最早的石刻，是唐初在陝西天興縣（今寶雞市）出土的鼓形石刻。這些石鼓共有十個，用「籀書」在上面刻有十首四言詩，詩體與《詩經》有相似之處。內容主要是記載秦國君主狩獵之事，字數共有 600 多個，現僅存 321 個。學者多認爲石鼓出於周平王時，秦文公所刻，距今已有 2700 多年歷史。自戰國至秦漢，石刻的風氣盛行，最後導致把一種著作全部刻在石上供人閱讀。這種整部圖書的石刻，在我國要算東漢靈帝時熹平四年（175）的石經爲最早。

東漢著名學者蔡邕，發現當時傳抄儒家經書中有許多錯誤。經書是當時國學的教科書，蔡氏怕貽誤後學，建議把經文加以校正，用丹筆隸書經文在高一丈、寬四尺的 46 塊石碑上，由工人陳興等鐫刻。從靈帝熹平四年到光和六年（175～183），共刻了七經，即《周易》、《尚書》、《魯詩》、《儀禮》、《春秋》、《公羊傳》和《論語》。石經刻成，立於洛陽太學門前。因爲刻石開始於熹平年間，所以世稱「熹平石經」。

石經的刊刻是爲了校正書中的文字。由於儒學各家師傳的不

同，常常發生分歧。石經的建立，爲儒生們公布了統一的標準文本，受到學者們的歡迎。據《後漢書》記載，石經公布之後，每天都有很多人從全國各地前來抄寫，太學門外每天都有上千輛車子，可見影響之大。

石經經文，是由蔡邕用通行的隸書手寫的。他博通文字學，字體遒勁優美，不但爲儒家經典樹立了標準讀本，同時也爲後來學習書法的人提供了結構正確、氣勢磅礴的隸書範本。直到今天，研究書法的人，還在臨摹「熹平石經」的字體結構和筆法技巧。

由於人們對石經的重視，所以後來改朝換代的時候總是把它搬來搬去。北齊時搬到鄴都，隋初搬到長安；唐朝初年築京城時，工人們竟把石經當成了建築材料，被魏徵發現搶救了一部分，後來又遭破壞。據記載，民國十二年（1923）夏天，馬衡、徐鴻寶在洛陽買到出土「熹平石經」殘石 60 多塊，北京大學也得到後記二石，共 159 字。後來羅振玉、周進、陶祖光等人續有所得，前後不下六、七百塊。收集最多的方若，他把收藏石經的屋子叫「石經室」，但據說其中有不少僞品。關於「熹平石經」的拓本，有馬衡、孫壯諸家集拓本。羅振玉鈎摹成的《漢熹平石經殘字集錄》、續編和三編，共著錄 192 石，2,193 字。馬衡著有《漢石經集存》（見中國科學院考古所考古學專刊乙種第三號），彙集拓片，並附釋文，計收集大小殘石 500 多片，共 8,000 多字，最爲詳備。今天原碑不存，只能從這些殘石或集拓看到「熹平石經」的殘迹。

魏石經

在熹平石經的影響下，三國時魏明帝正始年間（240～249），又由嵇康等用古文、篆文、隸書三種字體重刻兩部半石

經，即《尚書》、《春秋》和《左氏傳》，其中《左氏傳》沒有刻完。這部石經是魏正始二年（241）刊立的，因而也叫「正始石經」。共 35 石，約 147,000 字。這次刊刻標誌著經學上的一大變化，這些經文都以古文為依據，和漢石經以今文為主有所不同。原來漢石經所據文本，是漢初人根據自己的師承所定的本子，是用隸書寫成的「今文經」。但漢景帝和漢武帝時又陸續發現用古體文字寫的簡策，不僅有些書的文本和今本有分歧（如《尚書》），而且有些書，當時根本就沒有傳本（如《周官》《春秋左氏傳》），國學裡的博士們不承認古文經的真實性，因此他們也不在太學裡講授，古文經只是在民間流傳。到了後漢，今文古文派的爭論逐漸消解，特別是鄭玄、馬融這一派人，都綜合兩派的文本和解說來教學生。三國時傳授古文經的人已經很多，魏明帝時，太學裡已經設立了古文經的講座，但是太學裡只有今文經的標準文本，而沒有古文經的標準文本，因此刊刻古文經就成為必要了，魏石經刊刻的目的就在於此。

由於魏石經每一個字都用三種字體書寫，所以又叫「三體石經」，也稱「三字石經」。歷史上把魏石經相對的漢石經稱為「一字石經」。這兩部半石刻經文樹立在洛陽太學熹平石經的西面，三體石經的建立，更明確了古文、篆文和隸書三者之間的關係，這對經學和文字學都有良好的影響，可惜這部魏石經也在唐以前被毀，今天只能看到殘石拓片。

開成石經

唐文宗開成年間（836～840）又刊刻了一次儒家經典，這次是鄭覃以當時唐代通行的楷書寫成的，共有十二種經文。石經立在唐代首都長安太學內。這部石經比較幸運，沒有遭到嚴重破壞，經過一千多年的時間，直到今天還比較完好地屹立在西安市

陝西省博物館的碑林裡。

這部石經在學術界起過一定的作用，此後的一百年，後唐開始用雕版印刷儒家經典，就是以開成石經爲根據。而以後印本又是以五代印本爲依據，所以開成石經就成爲以後刻本的祖本了。近人陶湘曾代張氏皕忍堂由文楷齋刻字鋪工人雕版複製《開成石經》，有朱、墨、藍三種印本，白紙大字，刻印俱精，訂成 74 冊。

印刷術發明之後，雖然人們得到正確的版本已比較容易，但爲了表示儒家經典的莊重，刊刻石經仍在繼續進行。

蜀石經

蜀後主孟昶命毋昭裔督造，從廣政元年（938）開刻，又稱「廣政石經」。有《孝經》、《論語》、《爾雅》、《周易》、《毛詩》、《尙書》、《儀禮》、《禮記》、《周禮》等九種經文及《春秋左氏傳》前 17 卷。蜀亡後，宋人又繼續刻了《春秋左氏傳》未完部分和《穀梁傳》、《公羊傳》、《孟子》共十三經。蜀石經刻成，立於成都學宮。這部石經的特點是有注文，因此，頗爲宋人重視。但此石經到宋末時全部被毀，至今連殘石都很少，拓本傳到現在的也很稀見。

北宋國子監石經

簡稱「北宋石經」。這部石經刻於宋仁宗慶曆元年到嘉祐七年（1041～1062），計有九種：《周易》、《詩經》、《尙書》、《周禮》、《禮記》、《春秋》、《孝經》、《論語》、《孟子》。因爲這部石經是用篆文和楷書兩種字體刻寫的，所以又叫「二體石經」，這部石經立於北宋首都汴京國子監內。北宋石經也早已散佚，殘石拓片傳世的也極爲罕見。

南宋高宗御書石經。簡稱「南宋石經」。這部石經是南宋高宗趙構用楷書手寫成的。現在杭州還保存著一部分殘石。

清乾隆石經

清高宗乾隆爲了表示提倡文化，於乾隆五十六年（1791），又刻了一部《十三經》，由蔣衡用楷體書寫全文，共 10 多萬字。由於當時雕版印書的廣泛流行，這部石經已不爲世人所重視，現在仍完整無缺地保存在北京國子監即現在首都圖書館與首都博物館之間的夾道內。

＊　　　　＊　　　　＊　　　　＊

除了儒家經典外，各種碑刻歷代都有。如墓碑、墓誌、摩崖、題名等。往往爲人們提供一些珍貴的史料，並對研究古代文化遺產也有一定的幫助。

此外，在兩晉隋唐間，佛教徒也往往把佛經刻在碑上，爲長期保留，往往刻在深山中。同時在居民集居的地方刊立經幢，就是把佛經刻在圓的、方的或六面石柱上，這種佛經多是比較短的著作。如《金剛經》、《心經》以及陀羅尼（咒語）之類。

現在泰山經石峪有後魏時刻的石經，北京房山石經中有隋代高僧靜琬創建的石經，所刊刻的都是佛教的主要經典，如《大般若經》、《華嚴經》、《法華經》等。這些佛經篇幅很大，刊刻工作經常要持續幾十年、幾百年。例如房山石經就是從隋代開始直到明代才全部完成。

這期間道教徒也把道家經典刻在石上，他們刻石的數目和規模遠不如佛教。刊刻的主要經典是《道德經》，有唐一代就在景龍、開元以至景福年間，先後刻四、五次之多。

石刻的出現導致捶拓方法的發明，並產生了積極的影響，從而促進我國雕版印刷術的誕生。捶拓就是在碑表面上鋪以洇濕了

的紙，用軟刷將紙刷平，然後輕輕捶打，使紙密切附著於石面，並嵌入石刻文字的筆畫之中，然後在紙上輕輕刷墨，因爲石上的字是凹入的，文字部分不沾染墨汁。待第一次墨乾後再上一次墨，使之凹凸處黑白分明。墨乾後，揭下來後便成爲黑地白字的讀物。這種拓刷下來的拓本，也叫拓片。甲骨文、金文、陶文等均可用此法取得複本。捶拓可以代替抄寫，拓片可以攜帶流通，並易於保存，方便了書籍的傳播，在印刷術沒有發明之前，成爲複製圖書的極好方法。

四、簡策與簡策制度

(一)簡策

春秋、戰國、秦、漢時期的書籍主要是寫在簡策上面，簡策的材料是竹木。一根竹片叫做「簡」，許多竹片編連而成整體，叫做「策」，又叫做「冊」。編簡成策的材料是麻繩、熟皮繩（韋編）或絲繩（絲編），我們現在書籍制度中的「冊」、「簡」、「編」等術語就來源於此。一塊木版叫做「版」，寫了字的木版叫「牘」。如果是一尺見方的牘，便叫「方」。一般地說，簡冊主要用以寫書；版牘主要用以寫公文、信件和畫圖。《禮記》上說：「百名（即字）以上書於策，不及百名書於方。」由於地域不同，北方多用木簡，南方多用竹簡。

簡的長度不一，據王國維考證：戰國時的簡，以漢尺計算最長二尺四寸，用以寫經典、法律和國史；其次一尺二寸，用以寫孝經；再次八寸，用以寫傳記和子書。這是以簡的長短來表示書籍的重要性。由於戰國有一種八寸為一尺的制度，因而把法律稱為「三尺法」，把子書和傳記稱為「尺書」、「短書」。戰國、秦漢都是如此。

版牘的長短廣狹也各有不同。最長的版叫做「槧」，長三尺；其次叫做「檄」，長二尺；再次為「傳信」，長一尺五寸；第四為「牘」，長一尺；第五為「傳」（出入城門的憑證）。版的寬度通常為長度二尺四寸的三分之一。

簡牘的製作方法，按照東漢王充《論衡・量知》篇的說法，把竹材鋸成圓筒，破成竹簽，叫做簡，也叫做牒。用簡寫書之前，需要在火上烘乾，以免蠹朽，叫做汗青或殺青。把木材鋸成段叫做槧，再破成片，刮平叫做版。版劈成條叫札，後人也叫木簡。

一根竹簡通常寫 22 字到 25 字，最少的有 8 字，每簡通常一行，但漢代木簡也有寫兩三行、四五行的，這也近乎牘了。把許多簡編在一起叫做策。在編簡成冊的時候，要用韋或絲做編，策的第一簡是書的題目，如《學而第一》（《論語》），《逍遙遊第一》

（《莊子》）。有時在每策開頭的地方，加上兩根不寫字的簡，叫做「贅簡」，作爲保護之用。一篇文章的簡編在一起就是一策（册），如《論語》20 篇就是 20 策，和後來把許多册葉訂起來稱爲一册是有區別的。爲了避免錯亂，同一部書的策要用「帙」或「囊」包起來。

簡策上的文字，是用筆寫的，字錯了就用刀刮去，重寫。簡策時期，讀書人總要帶著刀和筆，筆用以寫字，刀用以刮削錯誤。戰國時人說：孔子作《春秋》，「筆則筆，削則削」的說法就是從此演化而來的。

(二)簡策制度

簡策起於何時已不可考。據《尚書・多士》記載：「唯殷先人，有册有典」。可見在殷商時已有典册。《禮記・中庸》記載：「文武之道，布在方策」。後來春秋、戰國、秦、漢一直沿用，直到紙張完全取代簡牘爲止。

簡策在歷史上有兩次重要發現。

最早的一次是在漢景帝年間，當時魯恭王在孔子舊宅牆壁中發現了一批古代竹簡。據說有《尚書》、《逸禮》、《論語》、《孝經》等書。這些簡是戰國時代人們抄寫的儒家經典，所用文字是科斗文，是戰國時代文字，也叫斗篆。每簡 20 字到 25 字，由於文字是古體，與當時通行的隸書不同，因此叫「古文經」。這些書的內容也和當時的傳本有些不同。例如《尚書》的篇數比當時傳本多，內容也有差別，很多學者不相信它的眞實性，認爲是僞書。另一些人則認爲不僅是眞的，而且是秦始皇焚書前的原本。這就引起很大的爭論，形成了今文和古文兩個學派。

簡策的另一次重大發現是在西晉武帝太康二年（281），河南汲縣有個名叫不準的人，盜掘魏襄王墓，得到了十幾萬根簡

策，字是古體，不少已經散亂了。這批竹簡送到了當時的國家圖書館，經過著名學者荀勗、束晳、和嶠等人的考訂，將古體字轉寫成當時的楷書，整理出《竹書紀年》、《易經》、《國語》、《穆天子傳》等 16 部書，共 75 卷。其中有史書、經書、小說等，都是秦漢以來沒有傳本的。據荀勗《穆天子傳》序說，這批古書都是竹簡，素絲編，長二尺四寸，用墨寫，每簡 40 字，充分證明了戰國以來簡策制度的情況。

根據羅振玉、王國維等的《流沙墜簡》記載，二十世紀初英國人斯坦因在新疆、甘肅一帶盜掘大批前漢至東晉的簡牘，竹簡很少，多數是木簡，內容是當時邊境上的公文之類，也有一些小學字書。

1930 年在內蒙古自治區額濟納河流域居延故址附近發現了一萬多根由前漢中期到後漢初期的木簡，主要是當時邊塞的檔案，都是版牘一類，但也有少數的經書和子書以及其他雜書的殘簡。在這批木簡中有後漢永平七年（64）的器物簿，由 270 根木簡編成，捲爲一束，編簡的麻繩依然完好。

古代的簡策大量發現，爲研究古代的書籍制度提供了大量資料。1951 年在長沙城外的楚墓中發現 38 枚竹簡，1953 年在長沙仰天湖楚墓中出土了 229 枚竹簡，1959 年武威漢墓中發現了 500 多枚竹簡和木簡，其中有 400 多枚是前漢末年抄寫的《儀禮》一書。

近十幾年來，有幾次重大的發現。1972 年 4 月，山東省博物館和臨沂文物組在臨沂銀雀山發掘的一號和二號漢墓裡（漢武帝時）發現了 4942 枚竹簡。內容包括《孫子兵法》、《孫臏兵法》、《尉繚子》、《六韜》、《管子》、《晏子》等大量的先秦古籍。其中《孫臏兵法》最爲重要，這次的發現，使失傳了 1700 多年的軍事巨著重見天日，這是繼西晉太康二年汲冢出土《竹書紀年》、

《穆天子傳》等書後的最大一次發現。根據《史記》和《漢書·藝文志》的記載，我國古代有兩部《孫子兵法》，一部是《吳孫子》，即《孫武兵法》，一部是《齊孫子》，即《孫臏兵法》。後來《孫臏兵法》失傳，長期以來引起人們種種猜測和懷疑。有人認爲不存在《孫臏兵法》，或認爲兩部孫子兵法是一部書，這次兩部孫子同時出土，確切證實文獻記載的可靠。出土的《孫臏兵法》竹簡共 440 多枚，字數達 11,000 以上。《孫武兵法》的字句和今天傳世的本子也有不同，並發現了一些重要的佚文。1972 年在甘肅武威發掘的漢墓中，在一個麻質書衣裡包著一束 23 公分，寬窄不同的 90 多枚木簡，經研究是關於醫藥方面的記載。記有一百多種藥物，其中有 20 多種是本草書中所沒有的。

1972 年 1 至 4 月發掘了長沙馬王堆一號漢墓，出土的文物中有竹簡 312 枚，長 27.6 公分，寬 0.7 公分，是記載隨葬物品的清單。正是《儀禮》上所說的「書遺於策」的「遺策」，簡上的字數 2 至 25 個不等。有的文字間還有句讀，簡上記載與實物相對照，對考證古代名物很有幫助。1973 年 11 月至 1974 年初，又發掘了馬王堆第二號、第三號漢墓。二號墓出土了一份《漢武帝元光三年曆譜》，據研究，它是我國目前發現最早最完整的曆書，比《流沙墜簡》中著錄的漢元康五年（前 61）的曆譜要早七十多年。

1975 年在湖北雲夢縣睡虎地一座秦墓中出土一千多枚竹簡，經過初步整理，其中有秦始皇時期南郡守騰的文書，秦代的法律條文，以及陰陽占卜等類的書籍。

此外，我國古代還有把玉片用於書寫的玉簡。1965 年冬，在山西侯馬發現了距今 2400 百多年前春秋晚期（前 497 年左右）的圭形玉簡，共有千餘件，現在能認讀的約 600 多件。書寫體是大篆，簡上用紅色或墨色書寫，字迹清晰、鮮明，內容爲解

放奴隸召集會議制定的公約，被命名爲《侯馬盟書》。

　　簡策是我國最早的書籍形式。簡策的出現成爲促進人們寫作的一種動力，我國文化奠基時期的著作都是寫在簡策上的。

五、帛書與卷軸制度

(一)帛書

　　縑帛是絲織品，猶如今天書畫使用的素絹。在竹簡木版盛行的同時，出現了寫在縑帛上的書。在《墨子》裡曾提到「書於竹帛」，可見在戰國時帛書就已流行，縑帛作爲書籍材料，已和竹木同時並用直到東漢時代。三國以後，紙逐漸通行，帛書逐漸減少。帛書普遍使用的時間約在戰國到三國之間。

　　用帛寫書的原因是因爲簡策太笨重，據《史記》記載：秦始皇每天要閱讀公文 120 斤，笨重程度可想而知了。其次，編連簡策的繩子容易折斷，弄亂了不易清理。再次，編簡相間，中間有縫，不適於繪圖或譜牒一類圖書的使用，所以人們找到了另一種書寫材料帛。

　　帛是絲織品，質地輕軟。可以依據文字的長短取裁和舒卷。書，卷束時以細木棍爲軸心從左往右收卷，捲成一束，叫一卷。這樣，書籍就沿襲簡策而固定爲卷子形式。大抵簡策的一篇，寫在帛書上可以成爲一卷。但是有的短篇在帛書上可以幾篇合寫成一卷。《漢書·藝文志》所記錄的國家圖書館藏書情況，有的以篇計算，有的以卷計算，有的以卷篇並稱。以篇計者指的是簡策，以卷計算指的是帛書。

　　由於帛是不同種類的絲織品，名稱也有多種。如「縑書」指的是書寫在微黃色的細絹上的書；「素書」指的是書寫在白色的

生絹上的書；「繒書」與「帛書」一樣，指的是書寫在各種絲織品上的書籍的總稱。帛書的長短不一，長者丈餘，短者二、三尺（見余嘉錫《論學雜著‧書籍制度補考》）。帛書的寬度，據出土帛書的情況看，大致有 48 公分、23.4 公分和 18 公分三種（各合漢尺 2 尺多、1 尺左右和 7 寸）。什麼書用哪種尺度書寫，無統一規定。例如馬王堆出土的帛書《老子》甲、乙本，就分別寫在 48 公分和 24 公分寬的帛上。帛書的形式是書面上有畫的或織的界行，有紅黑兩種。紅的稱朱絲欄，黑的稱烏絲欄。為了保護書的起首地方，在最前邊接上一塊素，叫做「首」，也叫做「褾」。首和書本身可以有不同的顏色。漢順帝時，襄楷得到于吉一部《太平清領書》共 170 卷（即現在的《太平經》殘存本），就是「素書朱介青首朱目」。意思是說：以白色的生絹作質料，紅色的界格，青色的首，並用紅字寫書內的小標題，再加上烏黑的墨字，可見這種書是非常美觀的。帛書的題記方式，有尾題，卷末注明字數，至於標點符號，分篇、提行等，都與簡册基本相同。

帛書起源約在春秋末年，戰國以來逐漸通行，秦漢時繼續使用。帛在後漢時已發展成爲一種奢侈的書寫材料，雖然當時已經有紙，但在貴族文人之間養成一種貴素賤紙的習慣。後漢末年，崔瑗用紙抄了一部書送給朋友，卻附一封抱歉信，意思是說我窮得買不起素，只好用紙了。據說當時大書法家蔡邕非常重視自己的字，不是縑素，不肯下筆。魏晉時期，帛書仍然被貴族地主視爲區分身分高低貴賤的標誌之一。如魏文帝曹丕用帛書寫的《典論》和詩賦送給孫權，而把用紙寫的同樣的作品送給張昭（《魏書‧文帝紀》），就反映了這種風氣。隋唐以後，絹帛才成爲繪畫和書法的材料，而書籍多用紙來書寫了。

帛書的實物曾在新疆樓蘭遺址發現過。1951 年在長沙漢墓

中也發現過，但這些墓中的帛書都屬於繪畫之類，帶有迷信性質，雖附文字解釋，並不是眞正的書籍。而且因埋在土中易於朽爛，發掘出來的帛書都是碎片。

一批保存完好的帛書是在 1973 年 12 月，從長沙馬王堆一座漢文帝前元十二年（前 168）的古墓出土的。其中有兩部《老子》的寫本，已被分別定名爲《老子甲本》和《老子乙本》。此外還有《周易》、《戰國策》、《左傳》以及《天文占星》、《醫經》、《相馬經》等 20 多種，共約十萬多字，是內容相當豐富的古代佚書。《老子》每部上下篇次序和今本相反，在《甲本》卷後和《乙本》卷前分別抄有四篇現傳世的《老子》書中所沒有的佚文。《甲本》有 463 行，13,000 字；《乙本》有 252 行，16,000 多字。考古工作者根據書中避諱字的情況斷定，《甲本》約抄寫於漢高祖期間（前 206～前 195），《乙本》約抄寫於漢惠帝時期（前 194～前 180）。此外還有《戰國策》12,000 多字，大半內容爲今本所無，《易經》比今本多出 4,000 多字等。這批帛書出土時，放在一個長方形漆盒的下層，除少數是捲在 2.3 公分寬的竹木條上以外，大部分無軸，被疊成長方形，放在漆盒的一個格子裡，使我們具體地看到古人抄寫的帛書除捲成卷子以外，還有折疊起來存放的形式。可見「卷」並非帛書的唯一形式。它顯示出帛書由折疊式向卷軸式過渡的迹象。

這批帛書不僅爲我們提供了研究西漢初期社會的重要歷史資料，而且塡補了書史研究中缺少帛書實物的空白，具有重要的歷史價值。

1973 年，在這個墓葬中同時還發現了 3 幅用 3 種顏色繪製在縑帛上的古地圖。經過修復，看出圖上有山脈、河流、城鎮、街道等標誌。其中一幅《駐軍圖》除了繪有一般的山脈、河流之外，還根據軍事用途，突出地表示出駐軍布防、防區界限、指揮

城堡等。這幅圖相當精確細緻，反映了我國古代地理勘測和地圖繪製的高超技術。是我國至今發現最早的古地圖。

由於「縑貴而簡重」，隨著理想的書寫材料——紙的發明和廣泛應用，簡牘與縑帛就讓位於紙了。但是簡牘從上古到公元後三、四世紀，縑帛自公元前四、五世紀到公元後五、六世紀一直為人類文化服務，並傳下了豐富的著作，歷史功迹是不朽的。

(二)卷軸制度

卷軸制度是書籍史上採用紙張以來寫本書最早的形式。它繼承了帛書的卷束形式，流行於東漢末年至北宋初年，而更盛行於隋唐時期。在公元前二世紀，我國就已經產生了紙，但是社會上經過了一個相當長的竹、帛、紙並用的過渡階段，到 404 年桓玄稱帝下令廢竹簡，紙才逐漸完全代替了竹、帛的地位。

1. 卷軸的形式

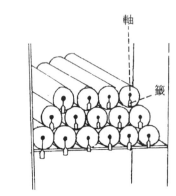

紙書最初是因襲著帛書的卷軸形式。按照文章的長短，把若干張紙粘連起來，成一橫幅，由右向左一行一行地寫，用一根比紙稍寬的細木棒做中心，從左向右捲起來，右端是書首，這便叫做卷。這根細本棒叫做軸。軸通常是用木、竹製成的，露在兩端的軸頭，鑲有琉璃、珊瑚、紫檀、象牙、玳瑁、雕漆、玉石、金銀等貴重材料，所以稱為卷軸制度。

卷子的左端捲入軸內，右端露在卷外，容易破損，因而另外用一段紙或絲織品粘在前面以便保護，稱為「褾」，或叫「玉

「池」、「護首」，現在人們稱爲「包頭」。爲了防止卷子散開，標首端適中處再繫一根絲織品，作爲縛紮之用，叫做帶。帶可以有各種顏色，古人對於帶也很考究。帶的尾端繫上一個長尖形的橫物，稱「別子」也叫「籤」，用以捲好帶子捆緊後再別牢。

古人用紙寫書時，爲了不使書卷被蟲蛀蝕，影響書籍的閱讀和保存，魏晉時期便發明了用一種叫黃蘗的藥材染紙，再寫字的方法，叫「入潢」或「治潢」。古書上常常有人提到用黃紙寫書，就是指這種染過的黃色紙，比白紙貴重。紙幅的寬度通常在一尺上下，長度通常可以容納首尾完整的一篇或幾篇文字。每行字數視其字體大小不同，由十幾字至二十多個字，少數多達四十個字不等。紙上用墨（或鉛）畫成直格，分爲許多行，四周的叫邊或欄，中間的叫界。唐朝人稱爲「邊準」，宋朝人叫它爲「解行」，後人也有採用帛書的名稱而叫它爲「烏絲欄」、「朱絲欄」。

如果一部書有許多卷，爲了集中管理，避免混亂，就在外面用布、帛包裹起來。這樣的一包叫做一帙。也可以寫作「袟」。通常是以十卷或五卷爲一帙，因此，古代圖書目錄也有以帙來計算書的數量的。帙還可保護卷子，免得磨損。它的質料通常以麻布爲裡，絲織品爲表。現存古帙也有以細竹爲經、各色絹絲爲緯，織成細竹簾，再在外面用絹、綢之類爲襯裱。帙的右端也有帶，以便捆紮卷子之用。卷軸用帙包裹，放在書架上，軸頭一端向裡，另一端向外。因爲帙只包裹卷身，卷軸的兩頭仍露在帙外，這樣排架，取書時，便於抽出，還書時，也便於插入。因此，叫做「插架」。架上書多了，爲了便於識別和檢尋，就在軸頭上掛一個小牌子，上面寫著簡單書名和卷次或者其他記號，這叫做「籤」，功用相當於現代圖書館中的書標。軸、帶、袟、籤有各種顏色，往往用不同顏色來區別不同類型的書。如《唐六典》

卷九注中說，唐玄宗藏於集賢院的書籍，其中經書用鈿白牙軸、黃帶、紅牙籤；史書用鈿青牙軸、縹帶、綠牙籤；子書用雕紫檀軸、紫帶、碧牙籤；集書用綠牙軸、朱帶、白牙籤。卷、軸、縹、帶、籤、帙，是卷子的各個組成部分。

　　卷子書寫有一定的格式，通常每卷起首寫本篇或本章的名稱──小題，如果一書不止一卷，還要每卷寫明其次第；以下空數字，再寫全書總名──大題，有時也加上卷次；次行寫著作人姓名，有時也寫上該人的職銜，也就是小題在上，大題在下，撰人名又在大題之下。但唐人寫書已有改為先寫大題，後寫小題。在全篇寫完以後，空一行，再寫上本篇或本章的名稱和次第。這空著的一行是預備填寫抄書人姓名、年月和地點。在古卷子中有很多空著不寫的。有時還寫有寫書原因，這叫做「題記」。這一點在雕版印刷時期被繼承下來，在印本書中叫做牌記。有時這種題記寫在卷尾標題之後，這就是後世書籍跋尾的起源。

　　寫本卷子也常用朱、墨兩種顏色書寫書中作用不同的文字。如果一本書有正文也有注解，就把正文用紅筆寫，注文用墨筆寫。唐寫本韻書往往用朱筆寫部首，如唐寫本《食療草本》就是用朱筆寫藥名，墨筆寫注釋，為以後的朱、墨套印提供了樣本。有的寫本將正文與注釋用大小兩種字體分別書寫，正文用大字單行，注文用小字雙行；或者正文頂格寫，注文用同樣大字低一、二格；或者注文用略小的字體作單行，直接寫在所解釋的文句下面。後面這種辦法，一不小心，便會把正文和注釋混亂，以致閱讀和傳抄的人，往往會把注解當作正文，或把正文當作注解。我國古代的書有許多因此造成錯誤，以致難讀難懂的。

　　紙卷子的行格式樣和帛書相同，而寫書款式則基本上沿襲著簡策的形式。卷軸時期寫本制度不僅保留竹帛的特點，就是對後世印本書籍的影響也是深遠的。

2. 卷軸的發展

　　卷軸形式的紙書，從東漢到唐代臻於極盛的階段，並沿用至北宋初年（二世紀～十世紀）。這段時間內，書籍的流傳全靠手抄，由於紙是比較容易得到的材料，抄寫易於進行，抄書的人也多了起來。漢朝就已出現了代人抄書的人，到唐朝發展一種寫書的專門職業，稱爲「經生」。「經生」的出現不僅吸收了傳統的書籍制度，而且使卷軸制度達到完善的極盛時期。但是卷子一般都是長一、二丈，有的可達幾丈，使用卷軸費時費事。閱讀時必須邊讀邊展開，還要不斷捲起已讀部分，才能讀到後半部分。讀完後還需要重新捲起來紮好，才可以歸還上架。如果要在一卷的中間或結尾部分查找一字或一句話，勢必將全卷舒展開，再重新捲起。特別是在查閱類書、字典、韻書一類的工具書時，更是不堪其煩。卷軸制度到了晚唐時期，在印度傳入佛教經典的影響下，加速了書籍幀制度的演進，出現了龍鱗裝、經摺裝、旋風裝等卷軸裝的改進形式，是卷軸向冊葉過渡的書籍裝幀形式。

龍鱗裝

　　用較厚的紙在兩面寫字，在葉子的四周留下空餘處套邊，將葉子右端餘留的尾紙粘貼在用素紙裱成的手卷上，由左向右逐葉

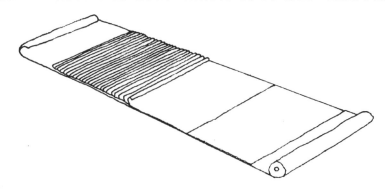

縮短，形狀如鱗次。捲時從右向左，裡面是積葉成册，外表是手卷形式，還保留著卷軸式的外殼。故宮博物院保存的吳彩鸞寫本《刊謬補缺切韻》的宋代原裝本就屬此類。

| 經摺裝 |

又叫梵夾裝。經摺裝是長幅卷子改為一反一正折疊，成為長方形一疊，前頁和後頁各粘一張硬紙為書面，以便保護。使用這種形式比卷軸方便，但缺點是容易散開，書口外露，經常翻閱會把書摺斷。

| 旋風裝 |

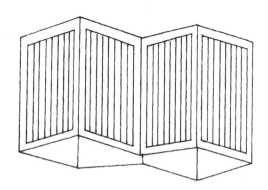

也是由長幅卷子摺疊成册，同經摺裝不同之處是將前後封面用一張整紙（褾紙）首尾粘連起來，可以循環翻閱，如同旋風，不致散開。日本人島田翰說：「概粘其首尾於褾紙，其翻飛之狀，宛如旋風。」（《書籍裝潢考》）。同樣旋風裝的書口也外露，翻閱容易破損、摺斷。

唐代將經摺裝和旋風裝通稱為「葉子」，宋代稱「册葉」。由卷子改變為册子，由一張紙粘成的長卷，轉變為摺疊成册子，反映著古書從舊形式向新形式的演變與過渡。

六、印本書與冊葉制度

(一)印本書

雕版印刷術是在一塊木板上刻版，然後用墨印刷的方法。這是我國勞動人民在長期使用印章和石刻的基礎上發明出來的，印章和石刻是印刷術的先驅。

雕版印刷術發明的時代說法不一。有人根據《後漢書‧張儉傳》中「刊章討捕」的話，認為起源於東漢；有人根據《顏氏家訓》裡提到「江南本」，認為起源於北齊。這些說法無人附議，可以不論。費長房《歷代三寶記》引隋文帝開皇十三年（593）12月8日敕有「廢像遺經，悉令雕撰」的話，有人認為雕版印刷起於隋朝。「撰」字一再轉寫引用，竟成了「版」字或「造」字。其實這裡的「雕撰」是指雕像和寫經，並不指雕版印書。

有大量文獻記錄和有實物可考的雕版印書是在公元八～九世紀。

從文獻方面看，唐穆宗長慶四年12月（825年1月）元稹為白居易作《長慶集序》提到當時抄寫和刻印名家詩文出賣的情況：「至於繕寫模勒，炫賣於市井，或持之以交酒茗者，處處皆是。」這裡「模勒」一般認為就是刊刻的意思。

據《舊唐書》記載，唐朝劍南、兩川及淮南等地，在每年政府沒有頒布新曆之前就已經有刻印的日曆在市上出售。唐文宗太和九年（835）12月初六曾下令禁止民間私置日曆版。從這裡可以看出，當時印刷術在民間已經比較流行，使用印刷術的地區在四川、江蘇、安徽等地，說明九世紀初，印刷術早已發明。

從實物方面看，清光緒二十六年（1900），英國人斯坦因從

敦煌竊去的遺書中有一本雕版印的《金剛經》，卷子長約一丈六尺，高約一尺，由六張紙上印有文字，在卷首另加印有一張扉畫，一共 7 個印張粘連成一個卷子。卷首畫面雕刻、印刷，細致而生動，全書字體接近楷書，渾厚樸實，墨色鮮明清晰。卷尾刻著「咸通九年四月十五日王玠爲二親敬造普施」一行，這是世界上現存最早有日期的印刷品。咸通九年即 868 年，這正是馮宿奏請禁止私印日曆後的 33 年，文獻與實物正可以互相印證。實際上，這卷《金剛經》不僅有文字，而且有精美的圖，刀法純熟，印刷精良，刊印之精，在雕印技術上顯然不是印刷術發明初期的作品。

1954 年在四川成都東門外望江樓附近唐墓中，發現的唐成都府成都縣龍池坊卞家刻印的《陀羅尼經咒》，上刻古梵文經和小佛像，約一尺見方，雕印都非常精細。成都稱府在唐肅宗至德二年（757），這頁經文的刻印時代當在這年以後，從這一經咒的發現，證明當時刻工技術，不僅能刻漢字，而且刻外文的水平也很高。這是國內現存最早的刻本。

1966 年，在南朝鮮東南部慶州佛國寺釋迦塔內，發現一部我國漢字譯本《無垢淨光大陀羅尼經咒》。據國外印刷史家研究，這部書是唐朝武后長安四年到玄宗天寶十年之間（704～751）刻印的，比咸通本《金剛經》提早了 100 多年。這部書很可能是世界上現存最早的刻本了。這一發現可以作爲我國至遲在八世紀已有印刷術的旁證了。

根據上述文獻記載和現存實物來看，認爲我國雕版印刷至遲發明於七世紀末八世紀初（盛唐時期），在九世紀後半期（唐代後期）就已經相當發達，是較爲穩妥的。

宋元時期，公家和私人刻書都極盛行。宋版和元版書被稱爲「宋元舊槧」，歷來被藏書家奉爲稀世之寶。

(二)册葉書

　　雕版印刷術的發明，給書籍制度以極大的影響，書籍的裝潢、裝訂形式都發生了變化，書籍從卷軸制度進入了册葉制度。從敦煌發現的五代北宋時期（907～1000）的寫本、印本書，基本上還都是卷子本。以至宋「開寶藏」、金「趙城藏」也都是卷子本。可見十世紀時我國圖書的裝幀仍然沿用著前一時期的卷子形式。在十世紀已有了經摺裝、旋風裝等形式，爲數雖然不多，但說明已開始向册葉裝的形式過渡。《五代會要》記載，後周廣順三年（953）國子監完成了九經的雕印，田敏「進印版九經書，『五經文字』，『九經字樣』各二部，一百三十册」（《册府元龜》作一百三十策，策與册同），爲我們提供了採用册葉裝的證明。至此，我國圖書的裝訂形式，就隨著雕版印刷的發展，而逐漸改卷子本爲册葉裝，册葉是目前世界通行的書籍制度。

> 册葉裝

　　是由許多單葉累積而裝訂成册的，所以這種制度，稱爲册葉制度。雕版印書一版就是一葉，最適合印刷術的要求。要了解册葉制度，就必須認識雕版書版面的各部分和積葉成册的方式。

　　我國古代雕版印書都是單面印刷，也就是在紙張的正面印刷字。從版上印成的一張書叫做一葉（通常寫作頁）。對折起來而成一葉，這是雕版印書的特點之一。

　　紙面上印版所占的面積，也就是邊欄以內的稱爲版面或匡郭，版面以外空白餘紙的上端稱爲「天頭」，下端稱爲「地腳」，合稱「天地頭」。版面四周的線叫做「邊欄」，單線的叫做「單邊」或「單欄」，雙線的稱「雙邊」或「雙欄」，一般用一粗一細的框線。版面內通常用直線分成行，唐代人稱「邊

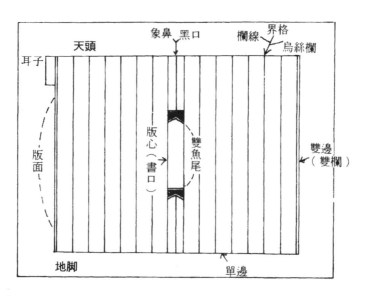

準」，宋代人叫「界行」或「解行」。

　　版的中間叫做「版心」，也叫「中縫」、「中折行」。版心是印刷頁對折時的標準線。版心往往用「　　」形符號來分欄，　　符號稱為魚尾。魚尾分叉處正是書葉對折處，是全版面的中線，即標準線。魚尾有單雙之分，一個的叫單魚尾，兩個的叫雙魚尾。魚尾上、下到版框為止的空格叫象鼻。版心以魚尾為界，劃分成上、中、下欄。中欄一般題寫簡略書名、卷次、葉數；上欄在從前是刊刻葉數的地方，後來把欄的書名移至此處，也有刊刻出版家名稱的；下欄從前記刻工姓名，現在多為記出版家名稱或叢書總名。版心（中縫）印有黑線的稱黑口，線不太粗的叫做小黑口，如果很粗，填滿了版心的稱大黑口。通常在版心中間記書名、卷數、頁碼的稱花口。

　　版框左欄外邊上端刻印有一小方格，內刻書中小題，即篇名，稱為書耳或耳子。有些書把整個版面分成兩或三大欄，分別

稱為上欄、中欄、下欄。分欄的書多是一般民間日用、舉子場屋和通俗小說之類的書。

　　古代以散葉裝訂成冊也是有一定的次序的。首先在書的最外層裝上一葉較硬的紙或版紙，古人稱做「護封」、「書衣」、「書皮」。書皮之內往往有一葉空白的紙，叫做副葉，又稱扉葉。加在前面的叫前扉，加在後面的叫後扉，功用是保護正文書葉，故又名「護葉」，相當於現在精裝書的扉葉。扉葉之後，是題有書名的紙，從前人們叫做封面或內封面，現在叫做書名頁。封面一般的形式是四周印有邊框，刻三行字，中間一行是書名，右行刻某人著作編選，左行刻某某藏版或梓行。也有在上邊框外刻刊版年月。此外還有在封面印有書名，在其背面有刊記或牌記，記載刻書的年、月、地點及刻書人或藏版處。但是從前的書這三項記載全的並不多見。封面之後，順著次序是序（著者自序或別人作序）、凡例、目錄，然後是正文，正文有長有短，長者可達多冊，正文之後，有時有種種參考材料，稱為附錄，或者有跋或後記。有時附錄的材料很多，往往自成一部分，合成一卷稱為卷末。有時也將這種附錄性質的材料編在正文或目錄之前，稱為卷首。卷首和卷末都不計在正文卷數之內，因為是幫助了解正文的材料。有時這項材料很多，還可以再分子卷，稱為卷首之一、卷首之二等等。最後又有一張空白的護葉，即後扉，再後面就是封底了，從前稱為書皮或護封，是不計算在全書之內的，這就是冊葉裝書的結構。這些情形一直保存在後世的印刷書籍內，就是目前的鉛印書中也還保留不少。

　　當印刷書籍最初出現時，印刷裝訂形式都還是模仿卷軸制度的。現存最早的印本書籍——咸通九年的《金剛經》，仍然沿用卷軸形式的。唐末出現的經摺裝和旋風裝也為印刷者所利用。特別是後世許多印刷的佛經，仍採用經摺裝。但是這種形式的書籍其

折縫處易於斷裂。斷裂之後便成爲散葉，其面積恰好相當於一版。好像是一張印葉字對字地摺疊著。因此就出現了一版一葉，以散葉裝訂成冊的制度，即冊葉制度。冊葉制度的最初形式是蝴蝶裝，開始於五代，盛行於宋代，至元朝便逐漸爲包背裝所代替。

蝴蝶裝

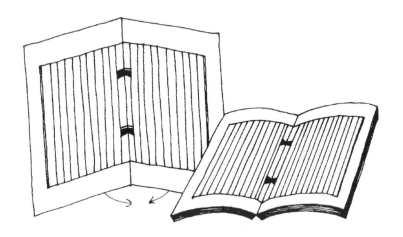

是把每一葉字對字地依照中縫對折起來，然後將折口一齊粘在一張裹背紙上的裝訂形式。蝴蝶裝的外封面一般都用硬質紙張。因此，在書架上可以直立。這樣的書打開之後，中縫固定在書背上，每葉兩端猶如蝴蝶的翅膀向兩邊伸開，因而有蝴蝶裝之稱。宋代的書，特別是北宋時，在排架時都以書口向下，書背向上，書根向外，直立排列的。這和現代排架形式相彷彿。

包背裝

書籍採用蝴蝶裝之後，因爲書頁的折疊處粘在書背上，克服了斷裂和散開的缺點，但它最大的缺點是，閱讀起來必須連翻兩

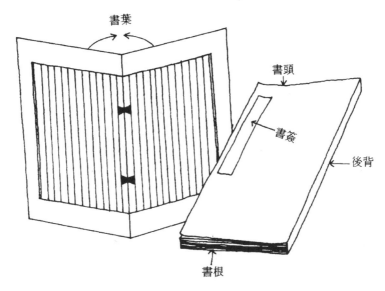

張空白頁才能讀下去，還是不很便利。因此，就有人將書葉正折，把有字的紙面露在外面，版心成為書口，左右邊欄外的餘幅向書背，然後用漿糊把它粘連在包背紙上，這就形成了包背裝。包背裝在南宋時出現，元朝很盛行。這種形式，閱讀方便，但排架時容易磨損書口，使書葉斷裂，因此就改為平放。既然平放，就不必再用硬封面了，因此就有了軟面的書。

線裝

　　用包背裝的裝訂方法，克服了蝴蝶裝連翻兩頁才能讀一頁的缺點，但包背裝把書粘連在包背的紙上，並不牢固。不久，人們用紙捻成線在書葉邊欄外的餘紙上，把書葉穿訂起來，再加上包裝的封面。明代的包背裝大多數是這種方法。明代中葉後，裝訂方法更進步了，有了不用整張紙裹背，而將兩張散葉作為外封面，用線連同書中正文訂在一處，這樣就出現了線裝書籍的裝訂方法。這個線裝形式一直沿用到近代。線裝形式也有一定的發

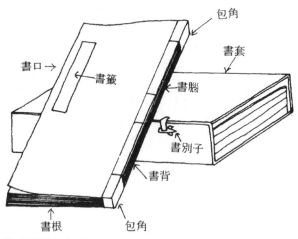

書口→

書籤

包角

書套

書腦

書別子

書背

書根

包角

展，如包角、袍套等等方法。

　　蝴蝶裝、包背裝和線裝都是積葉成册的。所以都是册葉制度
的形式。它們的出現，是書籍形式上的一次革命，現代出版的平
裝書或精裝書也都是册葉形式。册葉制度的確立，是和雕版印刷
的技術密切相關的。雕版印刷術是册葉式書籍出現的主要條件，
册葉也是現代書籍的主要形式。各國現代的書雖然彼此之間也有
一些差別，但都是屬於册葉形式，這都是印刷術產生發展的結
果。

　　　　　　　　　　　　　　　（蔡志敏　王繼祥）

3 古籍版本

一、版本與版本學

(一)版本

　　版本一詞出現於北宋前期，最初的含義是指雕版印成書本，故又稱印本。在此之前中國古時的書籍，是靠抄寫流傳的，就是所謂抄本或寫本。可以說自從雕版印刷發明以後，就有版本這一名稱。沈括的《夢溪筆談》說：「版印書籍，唐人尚未盛爲之，自馮瀛王始印《五經》，以後典籍皆爲版本。」可見當初版本是對寫本（或書本）而言。隨著雕版印刷和活字印刷的發展，不同時代所印的圖書都打上了所處時代的烙印，而且因爲雕印地區的不同，印刷方法和技術的差別，圖書內容的增刪加工，以至由於裝訂形式的不同等，出現了千差萬別的版本，就是同一種圖書，也會出現幾十種不同的版本。如《楚辭》就有三十多種版本，《史記》有六十多種版本，《紅樓夢》也有三、四十種版本。由於書名、著者相同，就不得不注明其不同版本。有時同一著作書名亦會有差異，有時對某一著作進行了傳、記、注、音、疏，在內容上也不盡相同，因此，對版本的考究是十分必要的。古代僞書或書商作僞較多，爲了不受膺品的欺騙，也需要具備鑒別僞書和版本知識。加之不同的版本，其內容、成書年代、本子質量優劣、學術

價值等等都需要認眞細緻的研究。由於版本的日益繁多，「版本」一詞的含義由簡到繁地發生了根本的變化，涵義不斷擴大。後來把寫本、抄本、稿本、批校本和拓本等都列入版本之內。近代以來，一些新的印刷方法如鉛印本、石印本、影印本、曬藍本、油印本等也都包括在版本的範圍之內。於是版本的涵義愈來愈擴大，因此從狹義講版本是對寫本而言，從廣義講版本包括書籍的一切構成形式。

(二)版本學

什麼是版本學？旣然圖書版本存在著這種千差萬別的情況，爲了研究這些版本在內容和形式上的差異，爲了正確地考定版本，爲了掌握版本形成和鑒別版本的一般規律，就產生了版本學。因此，版本學是以圖書爲對象，以校勘學和目錄學爲支柱，以考定版本的價值爲主要任務的研究版本形成和版本鑒別規律的科學。

版本學的研究對象是從古到今，各種不同版本的書籍。中國古籍版本學則著重研究古籍的版本源流和鑒定的規律和方法。具體內容應包括：

1.是總結繼承我國歷史上形成的版本學的基本理論成果。

2.是研究古籍版本及發展源流。

3.是研究不同版本圖書內容的異同優劣。

4.是研究總結和提高版本鑒定的規律和方法。

5.是研究版本學的發展史。

研究中國古籍版本的目的，是爲弄清圖書內容的學術價值，尋求版本形成發展和鑒定的科學規律，而不是爲了把古籍版本當做古董來欣賞，所以要兼顧圖書的內容和版本形式兩個方面的研究，僅僅把好的版本當做欣賞的對象是不足取的。具體地說，今

天研究版本的目的有以下幾個方面：

第一，爲學者提供學術價值較高接近原著的原刻本或精校、精注本，以有助於科學研究。

第二，爲古籍整理校勘工作者提供可靠的校勘依據，以羅致衆本做好古籍整理和出版工作。

第三，保證古籍整理編目工作，著錄版本準確無誤。

第四，通過對版本源流的研究，爲深入研究科學發展史做出貢獻。

第五，做好古籍版本的鑒定工作，對於搞好圖書的編輯出版，提高圖書的採購、保管和讀者服務工作的質量有重要意義。

二、拓本

以紙墨拓印甲骨、金石、碑版文字所製取的複本稱爲拓本，它是雕版印刷發明的先驅。有人認爲這未免誇大了拓印技術的作用，事實上二者的原則和技術大致是相同的。無論物質材料是石塊，是青銅，或者是木板，模拓和印刷都是用紙墨從雕刻物的表面製取複本，區別在於雕刻文字的正反凹凸不同而已。所以印刷方法可以說是捶拓方法的反轉，然而這一反轉工作，人們一直積累了幾百年捶拓經驗才得以實現。

拓印技術可以追溯到公元二世紀。主要根據《後漢書·蔡邕傳》：熹平石經刻成後「及碑始立，其觀視及摹寫者，車乘日千餘輛」。如果把摹寫一辭理解爲拓印，可以做爲根據，如理解爲抄寫，就不能成立。當時造紙技術還不能造很薄的紙，似乎還不具備拓印的物質條件。捶拓的方法必須發生在造紙技術有較大提高之後，因爲能製造出具有質地比較薄的紙張，才能適合捶拓的需要。據《隋書·經籍志》記載，隋代皇家圖書館裡藏有拓本，以

卷爲單位，包括秦始皇東巡會稽石刻文 1 卷、熹平石經殘文 34
卷、曹魏三體石經 17 卷，並述及梁代所藏石刻文字，在隋時已
散佚。其中可能仍有抄本，但說明隋以前已有了拓印的方法。現
在最早的拓印本是公元六世紀遺物。據此我們可以推測在公元四
世紀，造紙技術有了較大發展以後，到公元六世紀之前，開始有
了拓印技術是比較接近事實的。

　　根據《舊唐書・職官志》與《新唐書・百官志》記載，宮廷中至
少有二處雇用專管拓印的「拓書手」。可見拓印技術在唐代有了
進一步發展。據《大唐六典》所載，崇文館有拓書手 3 人，新、舊
《唐書》載 718 年，集賢殿書院有拓書手 6 人，還有從事其他工作
的書記、裝潢匠、製筆匠等。

　　後人將古代書法家刻石文字，以木板摩刻成陰文正字，再從
雕板上拓印，以作爲學習書法的範本，稱爲「法帖」。這也是從
石刻轉移到木刻上的例證。從石刻上拓印，較從青銅器和甲骨等
其它物件上拓印要早。宋仁宗皇祐三年（1051）詔令拓印青銅器
上的文字藏諸祕閣（翟耆年《籀史》）這是青銅器拓印之始。甲骨
文發現之後也參照金石拓印技術製取複本。

　　拓印的方法是先將棉連紙用礬或白芨水浸濕，放在刻石表面
上，用軟刷將紙刷平，並用軟刷輕輕捶打，使紙嵌入銘刻文字的
筆畫之中，紙平後，用拓包（又名朴子，用細布包棉製成）蘸以
上好墨汁，在紙面上均勻地進行捶拓。所刻文字因筆畫凹下，不
沾染墨汁，待第一次墨乾後再上一次墨，至凹凸處黑白分明，墨
乾後，將紙揭下，即可得到黑地白字的拓片。甲骨文、金文、陶
文等均可用此法取得複本。拓印甲骨要輔以臘托或泥托，以防龜
板壞裂。金文器內文字要用長柄刷和拓包。器物過大要用紙數張
分別拓印。近代以來，隨著技術進步，有人認爲捶拓方法已經過
時，可以用照像、繪製的方法代表。實際上拓印的方法是不能代

替的，因為拓片是從原物上直接拓印下來的，所以器物大小內外，字畫的粗細、深淺、花紋陰陽明暗，都能自然逼真，至於照像就做不到這些。

三、寫本

自從漢代發明紙張以後，從根本上改變了我國古籍的面貌。紙作為比較理想的書寫和印書的材料，具有帛的柔軟、輕便和易於舒展等優點，又避免了帛的價格昂貴的缺點。紙張逐漸代替了簡牘與絹帛，為文化的普及和書籍的大量生產提供了物質基礎。

從出土實物來看，二、三世紀出土的紙張極少，雖已有零星的字，但還不能真正書寫。這時期的出土實物仍以簡牘為多。時間越晚，出土紙張漸多，簡策漸少。現存最早的晉人寫本《三國志》殘卷，就是四世紀的遺物。四世紀之後，簡、帛逐漸絕迹，為用紙寫書所代替，從四世紀到八世紀印刷術發明之前，則成為紙寫本的最發展時代。

目前我們能夠見到最古的寫本是西晉元康六年（296）寫的佛經殘卷，這是清末日本人大谷光瑞和他的弟子桔瑞超從我國新疆吐魯番盜竊去的。1924 年新疆還出土了一份晉人寫本《三國志·吳志》殘卷，存有 80 行，1000 多字。這個殘卷也已流傳到國外，國內只有影印本。1965 年 1 月，吐魯番一座佛塔遺址中又發現了一個晉人寫本《三國志·吳志》殘卷。內容是孫權傳，從建安二十五年的後半到黃武元年的前三分之一，共 40 行，500 多字。這兩個《吳志》殘卷都是用隸書寫的，行款工整，據考證是陳壽《三國志》成書後不久抄寫的，這是我國現存最早的古寫本書。

1966～1969 年，文物考古工作者在新疆吐魯番阿斯塔那北

區配合農田水利建設時，在清理唐墓中發現一批唐代寫本。其中有《論語鄭玄注》殘卷，長 5.38 公尺，保存了《爲政》後半篇和《八佾》、《里仁》、《公冶長》3 整篇。出土時雖已殘缺，但可以清楚地看到在「公冶長」篇後，寫明了書寫的日期「景龍四年二月一日」和「學生卜天壽寫」，卷尾還有關於寫者年齡、籍貫的記載。景龍四年是唐中宗在位的最後一年，即公元 710 年，因此，它是公元 710 年的抄本書。

宋代以後，雖然雕版日益興盛，但是寫本也仍有相當的地位，甚至有些大藏書家是靠抄本積聚文獻。到明代，社會上仍流行抄寫本，許多抄家竭一生之力，交換互借，手校眉批，不獨其抄本可珍，其手迹尤足貴。1926 年福建發現了道光年間女作家李桂玉寫的彈詞長篇小說《榴花夢》，共 360 卷，約 482 萬字，是目前我國流傳的古典小說中最長的一部抄寫本。

明清時期還編撰了兩部著名的大型寫本《永樂大典》和《四庫全書》。

(一)初期寫本

在雕版印刷發明之前，書籍的流傳主要是靠手抄寫的，這類書籍叫做寫本，或者叫抄本。但是，即使在雕版印刷產生之後，仍還有許多寫本流傳，可以說，版本包括了刻本（印本）、寫本（抄本）兩大類。現存最早的寫本是晉元康六年（296）的佛經殘卷，藏於日本；其次是後涼麟嘉五年（393）的經卷，藏於上海博物館。北京圖書館現藏的最早寫本是敦煌寫經 8 千多卷。現在比較多見的是明、清寫本。

自從發明了紙，而且能夠用植物纖維製作紙以後，爲著書寫字提供了便利的條件。於是抄書藏書逐漸成爲統治者和士大夫階層生活當中的一件大事。

東漢時期就出現了用紙抄寫的書籍。東漢桓帝非常重視收藏圖書，國家藏書已成爲一項政治措施，他創立了祕書監作爲管理國家藏書機構。以後從魏晉到隋唐都沿襲這一制度。每一朝代在其開創之後不久，就要進行一次或幾次對圖書的整理。據文獻記載，西晉初年國家藏書有 29945 卷，中間經過西晉末年永嘉之亂，圖書散佚。東晉再次進行搜集，至南朝宋元嘉八年（431），國家藏書已達 64582 卷。梁武帝時最爲發達，文德殿藏書 23106 卷，在華林園中，還另外藏有佛教書籍。梁元帝在江陵藏書七萬餘卷，但可惜這些書都在兵亂中燒毀了。北方各朝收藏同南方比爲數較少，直到隋朝統一全國後，政府藏書才有大量的充實。那時不僅國家有豐富的藏書，私人抄書藏書的也多了起來。如後漢的郭泰有書 5 千卷。西晉張華有書 30 車，范蔚有書七千餘卷，梁代任昉藏書一萬多卷。據《隋書・經籍志》記載：梁武帝時「四境之內，家有文史」，可見藏書之盛。當時書籍全靠手抄，爲了防止錯誤還要詳加校讎，完成幾萬卷的手寫本圖書，並非輕而易舉的事情。

當時公私藏書數量如此之多，而書籍全靠抄寫，因此需要大量抄寫的人。早在後漢時期，就出現了專門代人抄寫的人和販賣抄本的書肆。

初期紙寫本書的形式完全是模仿帛書的。紙卷子是將紙按著文章的長短粘成長幅，用棒作軸，粘在最後一幅紙上，然後以軸爲中心由左向右捲成一束，稱爲卷軸，這種制度就叫做卷軸制度。每張紙面劃上邊欄和界行，以便書寫。每一紙卷用一幅幅紙粘連起來，二幅到幾十幅數量不等，每幅紙叫做枚或幡。爲了保護紙卷，每 5 卷或 10 卷往往用帙包裹起來。

寫書的紙還要入潢，目的是避免蟲蛀。入潢就是把紙用黃蘗汁浸染，染過的紙顏色發黃，故稱黃紙。紙可以先潢後寫，也可

以先寫後潢。可見我國很早就知道用黃蘗汁保護書籍。三世紀以後就很流行染紙，西晉荀勗整理汲冢竹簡後，在《穆天子傳》序中曾說到用黃紙抄寫。東晉桓玄令中所說用黃紙代替竹簡，也是指的這種紙。在五世紀賈思勰所著《齊民要術》中對「入潢」進行了詳細介紹。從而也可得知，我國遠在五世紀以前就已經有了保護紙書的辦法了。

(二)隋唐時期寫本

隋唐時期（581～907）是我國寫本書的黃金時期。這是由於隋朝統一政權的建立，結束了魏晉長期動蕩的局面，唐初又在政治方面進行了一系列改革，使得社會安定、經濟發展、文化繁榮，這就為寫本書籍的發展提供了必要的社會條件，而且紙的產量增加和質量的提高，也為紙書發展提供了物質基礎。這一時期，雖然發明了雕版印刷技術，但還沒有成為書籍生產的主要方式，所以書籍主要還是靠抄寫，而且在六至七世紀之間寫本書的發展達到了頂峯。

隋建立以後，便開始注意收集書籍。官家抄、藏書籍規模尤為宏大。隋文帝開皇三年（583），國家藏書只 15,000 多卷，而且多是殘卷。後來，隋文帝接受了祕書監牛弘的建議，下詔向民間搜求異書。並規定獎勵辦法，獻書一卷，給絹一匹的賞賜。書籍經朝廷校寫定本後，發還原主。文帝還派出專使到各地收集。所以國家藏書逐漸增加，達 3 萬餘卷。隋煬帝（605～618）繼位，增加了祕書省的官員，把祕閣藏書限寫 50 本副本，大力進行收集、補充工作，藏書於洛陽，編成目錄。後來，嘉則殿藏書達到三十七萬餘卷。但是隨著隋朝的覆滅，這些藏書也遭到大半散佚的命運，到唐朝初年只餘下八萬餘卷。

唐代的帝王也很重視圖書的收藏。唐初，在隋代殘存藏書的

基礎上，建立了國家專藏。唐高祖武德年間，用重加錢帛的獎勵
辦法，繼續收購遺書，數年間，羣書略備。太宗時期，令狐德
棻、魏徵等人又請太宗下令徵求書籍，並配校讎人員 20 人，繕
寫 100 人進行校定。於是，國家藏書爲之大增。唐玄宗開元三年
（715）命褚無量等校正內庫裡藏的各種書，七年下令「公卿士
庶之家所有異書，官借繕寫」。根據母煚（貫炯）的《古今書錄》
記載，到唐開元年間，藏書共有 3,060 部，51,852 卷。此外還有
佛經、道經 2,500 多部，9,500 多卷。安祿山叛亂之後，散亡殆
盡。唐文宗時又重新抄錄，達到 5,600 餘卷，到唐末又散失無
存。

　　唐代私人抄書、藏書也逐漸增多。如柳仲郢家有書萬卷，李
泌家有書三萬卷。民間寫經求福者更不計其數。

　　隨著圖書事業的不斷發展，必須有很多的抄書手，才能完成
大量書籍的抄寫工作。六朝時期，祕書省除了沿襲東漢舊制設置
管理藏書的專職人員「令史」之外，又增設了正字和弟子。弟子
是寫書人員，弟子寫完後，由正字進行校對。到隋唐時期，書寫
手已經形成各種人才具備的比較完整的人員結構隊伍。據《唐
書・職官志》記載，除了有令史、正字外，還有楷書手、拓書
手、畫手（畫插圖）、熟紙匠、裝潢工人等。祕書省提出寫書的
標準字樣，爲「顏氏字樣」，和後來的顏元孫的「干祿字樣」，
張參的「五經文字」。唐代寫經的人，也採用這種字樣作爲抄寫
佛經的標準。近代人有的摹寫「唐人寫經」，稱其字爲「寫經
體」。這對於統一全國的書法起了一定的積極作用。

　　這個時期，佛經廣泛流行，僧寺不僅寫經布施，而且加以收
藏，編排目錄。隋文帝特別信仰佛教，在搜集抄寫普通圖書的同
時，還在許多地方，命令公家抄寫一切經置於寺內。據說，當時
所寫 46 藏（一藏即一部《大藏經》）共十三萬餘卷。另外又寫了

一部藏於祕閣，民間寫經更不計其數。所以《隋書・經籍志》載
「民間佛經多於六經數十百倍」。可見當時佛經寫本之多是驚人
的。到了唐代更是屢次興建翻經道場，譯寫佛經。

這時期寫本書的形式是紙的卷軸，同初期寫本比較，已發展
到了一定的高度。從敦煌提供的實物看，隋唐時代紙卷子一般長
度為 40～50 公分左右，高約 25～27 公分。個別的有比一般尺寸
更大些或更小些。每張紙有一定的尺寸，越到晚期紙張就越大
些。紙上用墨或鉛劃上直行，唐朝人稱為「邊準」，這就是帛書
的「烏絲欄」或「朱絲欄」。上下有欄，稱為「邊欄」。每張紙
一般為 20～30 行，每行字數也有一定規律，經卷一般為 17 字左
右。唐代書寫方式還要在篇後注有抄寫的年、月，抄寫人姓名、
年齡。如 1969 年新疆吐魯番唐墓中出土的寫本《論語鄭氏注》殘
篇就是這種書寫方式。

隋唐時代帝王貴族之家的卷軸裝飾是極為華麗的。隋煬帝嘉
則殿藏書用軸的貴賤來表示書的價值。即上品紅琉璃軸，中品紺
琉璃軸，下品漆軸。唐玄宗時集賢院藏書則以軸、帶、帙、簽不
同顏色來區分各類藏書。

卷子有時長達幾丈，使用起來非常不便，特別是到了唐代，
類書、韻書和字書都有較大的發展。這些書專供查考典故和字義
之用，需經常翻檢，卷軸制度便成了障礙，於是人們就改進成為
經折裝和旋風裝。在九世紀中葉（唐代末期），卷軸制度開始發
生了變化，由卷軸逐漸向册葉制度過渡。

唐代雖然抄藏了許多書，但到今天，除一些佛經還有流傳
外，其他卻非常罕見。抄寫書籍畢竟費時費力，書籍的產量受到
一定的限制，不能滿足當時社會需要，隨著文化事業的不斷發
展，雕版印刷術便應運而生了。

(三)敦煌寫本

唐寫本以敦煌莫高窟發現最多,所以版本的寫本中敦煌寫本成為一個專門的類別。

千佛洞位於甘肅敦煌東南的鳴沙山。早在晉代,就有佛教徒在這裡開鑿山洞,雕刻佛像,建築寺廟。現在所見到的寫本主要是敦煌千佛洞藏書,是公元五世紀到十世紀末的遺物,大約在十一世紀初因防兵亂而封存在洞窟暗室中的。這些書籍中,有五、六世紀的古寫本,也有十世紀後期的寫本,估計有 25,000 餘卷。

1900 年(光緒二十六年)有一個王道士在無意中發現了幽閉了九百年之久的古代文物,其價值是無法估量的。不久就遭到帝國主義分子的掠奪,英國的斯坦因、法國的伯希和得去的最多最好。現都藏在英國倫敦博物院和巴黎國民圖書館裡。李盛鐸在押運這批殘存的卷子來京途中,又盜去其中大部分精華,後來賣給日本 500 多卷。此外,俄國、美國也取去一些。還有一些流落在我國私人手中。剩下的約八千多卷,到 1909 年才由清政府下令送到北平京師圖書館(現在的北京圖書館)保存。後繼續搜集,約達一萬多卷。

❖千佛洞中所保存的寫本價值,可從以下幾方面來認識。

第一,敦煌寫本的年代很古,數量較多。多數是寫卷,少數是蝶裝小冊。此外,還有初期印本書、繪畫版畫,石刻拓片、織錦刺繡等藝術品,估計也不下一千餘件。敦煌寫本年代是從五世紀到十世紀後期,即從北魏到宋初,約 25,000 多卷,這個巨大數量的古代寶藏的發現是中國歷史上從來沒有的。

第二,敦煌寫本的內容很廣,提供材料很多。敦煌寫本就其內容來說,有佛經、道經、儒家經典、文字學、歷史、地志、醫

書、小說、通俗詞典、唐代俗講等等。除了專書以外，還有詩、詞、小曲、雜文、信札、帳簿、日曆、戶籍、契據、狀牒和占卜書籍。就其所用的文字來說，有漢文、西夏文、藏文、梵文以至於闐文、回鶻文等等。這是一批研究我國中古歷史和中亞歷史、文學、文字學的珍貴資料。例如敦煌寫本中有中國久已失傳的佛經，如《大乘四法經論》、《佛說延壽命經》、《薩婆多宗王事論》等。有保存了許多古注的《老子》，有久已不存在古本隸書《尚書》，有箋注詳細可供後世校勘的《詩經》和大量的俗文學和變文、唱詞、小說等，是無比珍貴的歷史資料。

第三，敦煌寫本提供了真實的標本。我國古代四大發明：造紙、羅盤、火藥和印刷，對世界文化有極大貢獻。其中造紙和印刷兩項，我們都可以從敦煌寫本中找到最古和最好的實物標本。

第四，敦煌寫本的藝術水平很高。書法是我國特有的藝術，六朝和唐代出了許多有名的書法家，如王羲之、王獻之、歐陽詢、褚遂良、顏真卿、柳公權等，都是我們所熟知的人物。書法藝術在這個時期已達到高峯，研習書法，成為社會的風尚。敦煌千佛洞所出六朝和唐代的寫卷，雖然不是出於名家手筆，但一般都是行列嚴整，筆迹挺秀，表現了這一時期中國書法藝術很高的造詣。至於將近千件唐宋時代紙本、絹本、麻布本的繪畫和刺繡，以及絲織品等，更是這個時期在中國藝術史上的光輝成就。

(四)雕版印刷發明後的寫本

印刷術發明之後，書籍的產生雖然逐步代替了手抄，但寫本書籍仍然有其地位。因為一是印刷書的普及是有一個過程的，在相當長的時間裡存在寫本與印本並存的情況；二是一般著作在未刊印之前往往以轉抄本流傳，或者有的稿本長期不能出版，有許多著名的書，至今還只是有寫本而無印本；三是社會上窮苦的知

識分子買不起書，只好借抄，此外，還有的人以抄書爲業等等。

在唐代，雖然印刷術已經發明，但開始主要是在民間印刷宗教經典、個人著作以及日曆等生活用品。由於初期雕印，質量不高，不被朝廷重視。所以唐代仍以抄寫書籍爲主，至於朝廷藏書，全部都是抄寫的。根據馬端臨《文獻通考‧經籍考》的記載，宋朝（特別是北宋）內府藏書大部分仍然是靠抄寫的。

唐宋以來雖然官私藏書中，抄本書占的比重很大，但由於抄本書一般只有一兩本，保存不易，因此，唐宋元的抄本已成稀世之珍。現有的抄本書大多是明清抄本。明清以來，內府寫本中很多一向不刊行，如《明實錄》、《清實錄》，以及《本紀》、《玉牒》等。又如清朝的《平定三逆方略》、《平定海寇方略》、《平定察哈爾方略》等二百多種寫本都未刊刻。

此外明清私人藏書家往往校書和抄書。爲了版本鑒定需要，茲將較爲有名的抄書家，列表於下：

姓　　名	別號	地名	齋室名	用　紙　、　版　板　及　附　記
吳　　寬	匏菴	長洲	叢　書　堂	用紅格紙、版心有「叢書堂」三字。
葉　　盛	興中	崑山	賜　書　樓	用綠墨二色格紙，版心有「賜書樓」三字。
文徵明	衡山	長洲	玉　蘭　堂	格欄外有「玉蘭堂錄」四字。
王肯堂	宇泰	金壇	鬱　岡　齋	版心有「鬱岡齋藏書」五字。
沈與文	辨之	吳縣	野　竹　齋	欄外有「吳縣野竹齋沈辨之製」九字。
楊　　義	夢羽	常熟	七檜山房	版心有「嘉靖乙未七檜山房」八字，或「萬卷樓雜錄」五字。
姚　　咨	舜咨	無錫	茶　夢　齋	版心有「茶夢齋抄」四字。
秦四鱗	西岩	常熟	致　爽　閣	版心有「致爽閣」三字或「玄覽中區」四字。
祁承爜	爾光	山陰	澹　生　堂	版心有「澹生堂抄本」五字。

毛　晉	子晉	常熟	汲 古 閣	版心有「汲古閣」三字，格欄外有「毛氏正本汲古閣藏」八字。
謝在杭	肇淛	長樂	小 草 齋	版心有「小草齋抄本」五字。
馮　班	定遠	常熟	空 居 閣	格欄外有「馮氏藏本」四字。
馮　舒	已蒼	常熟	空 居 閣	格欄外有「馮氏藏本」四字。
馮知十	彥淵	常熟	空 居 閣	格欄外有「馮氏藏本」四字。
錢謙益	牧齋	常熟	絳 雲 樓	版心有「絳雲樓」三字。
錢　曾	遵王	常熟	述 古 堂	格欄外有「虞山錢遵王述古堂藏書」十字或「錢遵王述古堂藏書」八字。
錢謙貞	履之	常熟	竹 深 堂	版心有「竹深堂」三字。
曹　溶	潔躬	秀水	倦　　圃	版心有「檇李曹氏倦圃藏書」八字。
葉樹廉	石君	常熟	樸 學 齋	版框外有「樸學齋」三字。
徐乾學	健菴	崑山	傳 是 樓	版心有「傳是樓」三字。
朱彝尊	竹垞	秀水	潛 采 堂	用毛泰紙，無格欄。
惠　棟	定宇	吳縣	紅 豆 齋	格欄外有「紅豆齋藏書抄本」七字。
趙昱昱	功千	仁和	小 山 堂	格欄外有「小山堂抄本」五字。
吳　焯	尺鳧	錢塘	繡 谷 亭	版心有「繡谷亭」三字。
吳　騫	槎客	海昌	拜 經 樓	用毛泰紙，無格欄。
吳壽暘	虞臣	海昌	拜 經 樓	用毛泰紙，無格欄。
鮑廷博	以文	歙縣	知不足齋	用毛泰紙，無格欄。
汪遠孫	小米	錢塘	振 綺 堂	用毛泰紙，無格欄。
何元錫	夢華	錢塘	夢 華 館	
金　檀	星軺	桐鄉	文 瑞 樓	
王宗炎	以除	蕭山	十萬卷樓	
丁　丙	松生	錢塘	八千卷樓	
顧　苓	芸美	長洲	雲陽草亭	有「塔影園客」朱色印。
錢熙祚	雪枝	金山	守 山 閣	用十二行綠格，格外有「守山閣抄本」五字。
姚覲元	彥侍	歸安	咫 進 齋	用十三行綠格，版心有「咫進齋」三字。
厲　鶚	太鴻	錢塘	樊榭山房	用八行墨格。
鈕樹玉	匪石	吳縣		用十行綠格。

(五)兩部最大的寫本

印本時期有兩部部頭最大的寫本書，這就是明代的《永樂大典》和清代的《四庫全書》。

《永樂大典》

《永樂大典》是我國文化遺產中的一部大類書。也是世界上第一部大百科全書，收錄了從有文字記載幾千年以來，七、八千種資料。全書 22877 卷，外加凡例和目錄 60 卷。全書字數共約三億七千萬左右，訂成一萬一千零九十五冊。編校、錄寫、圈點等工作動員了三千多人，花費了 3 年的時間，全部繕寫完成。

明成祖篡奪帝位後，為了以文治籠絡天下文士，使解縉、胡廣、黃淮、胡儼、楊士奇、楊榮、金幼孜 7 人入翰林院。於永樂元年（1403）七月一日，對翰林院學士下詔編纂《永樂大典》，要求內容應包括「凡自書契以來，經、史、子、集、百家之書，至於天文、地志、陰陽、醫卜、僧道、技藝之言」「統之以韻」，以便檢索。

永樂元年開館，由解縉任總裁，協纂校寫等共 147 人。永樂二年十一月二十一日書成，進呈御覽。賜名《文獻大成》。但朱棣因這部書內容簡陋，闕略不全，又下令重修。於永樂三年在南京文淵閣開館重新纂修，由姚廣孝任總裁，仍讓解縉等人擔任編纂工作。參加編纂的人員共 2169 人，於永樂六年（1408）冬，全部繕寫完成。明成祖親自作序，定名為《永樂大典》。內容包括經、史、子、集、釋藏、道經、戲劇、平話、小說、工技、農藝以至占卜星相等各方面的書。上自先秦，下至明初，宋元以前的佚文祕典，多得藉以保存。朱棣在序文中稱：「纂集四庫之書，及購天下遺籍，上自古初，迄於當世，旁搜博采，彙聚羣分，著

爲奧典。」並非誇大之辭。

　　《大典》纂修訂定凡例 21 條，全書體例以當時官修韻書《洪武正韻》爲綱，按韻分列單字。每一單字下詳注音韻訓釋，備錄篆、隸、楷、草各種字體，依次將有關天文、地理、人事、名物，以至奇聞軼事、詩文、詞曲，一律照原文整篇或整段編入，隨類收載。書爲黃綾面硬包背裝，正文墨字，引書書名朱筆，句讀紅色，字畫工整，板框界行紅色。由於卷帙太大，僅有抄本，一直沒有刻印。

　　《永樂大典》是在南京編纂繕寫完成，藏在南京文淵閣。當時曾擬複寫一份，刻版傳世，並計劃在一年內竣工。但因費用浩大，遷延作罷。永樂十九年（1421），《永樂大典》運到北京，貯藏於文樓。嘉靖三十六年（1557）宮內失火，世宗朱厚深夜三次下諭，搶救《大典》，幸免於火，移置皇史宬內。經過這次大火，恐怕以後這一部孤本難保無虞，遂於嘉靖四十一年（1562），下詔摹寫副本，因卷帙浩繁，前後歷時三年，至穆宗隆慶元年（1567），副本錄寫始告完成。《永樂大典》在明朝共有正副本二部，一部是永樂正本，一部是嘉靖錄抄副本。

　　《永樂大典》幾經戰火，搶劫盜竊，正本已蕩然無存，副本也散失不少。1960 年中華書局將殘存的《永樂大典》共計 730 卷，影印出版，裝成 202 冊（未照原裝分冊）。後又另將「烏」字韻的一冊按原書裝製成仿印本，1986 年中華書局又將二十五年來多方調查和聯繫徵集到的 67 卷，影印 2 函 20 冊出版。使後人得以見到《永樂大典》的原貌。

《四庫全書》

　　《四庫全書》是清乾隆年間編纂的，是我國歷史上最大的一部叢書。也是繼《永樂大典》之後，又一部份量最大的寫本書。

　　《四庫全書》是出於清高宗（乾隆皇帝）的意旨，特派 3 個皇子，還有幾個大臣負責工作。但是，實際負責的是總纂官紀昀和總校官陸錫熊。擔任編輯任務的多半是當時有名翰林和學者，如邵晉涵、戴震、周永年、姚鼐等。擔任抄寫、裝訂等工作的最多時達到 3,800 多人。全書內容包括經、史、子、集四大部分，一共收集了從古代到當時的著作 3,461 種，編成 79,309 卷，分裝 36,000 冊。還另有《四庫全書總目提要》200 卷。從乾隆三十七年（1772）開始設館編輯，經歷 10 年到乾隆四十六年十二月第一部抄寫方才完成。特建立文淵閣（北京故宮內），作為收藏之所。至第二年春，又抄成三部，分別放在圓明園文源閣、熱河行宮文津閣和奉天文溯閣。以上稱為北四閣。乾隆隨即又命令繼續繕寫三部，到乾隆五十二年（1787）全部完成，分藏在揚州文滙閣、鎮江文宗閣和杭州文瀾閣，稱為南三閣。《四庫全書》共有以上七種本子。在十五年的時間內，完成 25 萬冊寫本圖書，可以說是空前壯舉。

　　《四庫全書》是軟面包背裝。經部用綠色絹作封面，史部用紅色，子部用藍色，集部用灰色。北四閣的書都是用開化榜紙，潔白堅韌，絲線裝訂，刻印紅色框界，半葉 8 行，每行 21 字。版心上欄寫《四庫全書》，中寫書名卷次及頁碼。每部書卷首有提要。南三閣書，因紙料缺乏，改用白太史連紙，書型較小，行字完全一樣，書皮絹、線、顏色則略有不同，抄寫工作也比較草率，有缺卷缺頁的現象。

　　《四庫全書》是一部規模巨大，收羅宏富的大叢書。在著錄書籍中，又都一一辨別真偽，考究版本，作成提要，對於學術研究是具有一定作用的。但是清高宗編這部書的目的是企圖籠絡文人學士，消滅對其統治有礙的圖書。為達到這一目的，有些書內容被刪改，甚至被全部查禁燒毀。凡是認為應該全部禁止和部分銷

毀的書開列目錄，下令全國繳送，由官方銷毀。幾次目錄所列，竟有三千多種，而各地的官吏爲了迎合旨意，禁毀的爲數更多。摧殘圖書的慘烈程度，是自秦始皇焚書後所僅見的。

這七部書的現狀，圓明園文源閣所藏已在第二次鴉片戰爭時被英法聯軍全部燒毀。文淵閣所藏，原來在故宮博物院，後被遷運臺灣。文津閣所藏於民國初年歸入京師圖書館（現北京圖書館）。文溯閣所藏歸入遼寧省圖書館，後移交甘肅省圖書館收藏。南三閣中文宗閣、文滙閣所藏在太平天國時的戰亂中被焚毀。文瀾閣所藏也在這時遭受損失。當時杭州藏書家丁丙、丁申弟兄曾自力收集了一部分，後來又陸續抄補了一些，辛亥革命以後歸入浙江圖書館，並陸續派人到北京抄補，到 1925 年補齊。因此現存的《四庫全書》共有四部。

民國以來有多次影印《四庫全書》的計畫，但都未成功。1933年由臺灣教育部推動影印《文淵閣四庫全書初集》。1969 年起臺灣商務印書館除將原來之《初集》重印外，又陸續印行十一集和別集一集，合計十三輯，收書一千八百多種。1983 年起又將《文淵閣四庫全書》全部影印，裝成一千五百册，後來上海古籍出版社和韓國的漓江出版社，又根據該書翻印。此數種影印本流傳世界各地，使用非常方便。

四、雕版書及其版本特點

(一)唐五代刻本

雕版印刷術確切的發明年代、發明人都已無據可查，但是發明於 1300 年前的唐初是合乎實際的。我國雕版印刷術始於唐，擴於五代，盛於兩宋，極盛於明清。雕版印書是活字印書的先

驅。

　　唐五代的雕版印刷書籍，流傳到現在的已成「鳳毛麟角」。
除有現存最早的在敦煌發現的唐咸通九年（868）王玠為二親雕
造施捨的《金剛經》卷子本外，在敦煌還發現有唐乾符四年
（877）刻印的古本曆書以及中和二年（882）劍南四川成都府樊
賞家刻印的曆書殘頁。可惜這些稀世珍品都被英國人斯坦因竊出
國外。在國內現存最早的雕版印本，是1953年在成都市郊唐墓
中發現的唐成都府成都縣龍池坊卞家刻印有梵文及小佛像的《陀
羅尼經咒》。

　　最早的雕版印刷術來自民間，因此印刷術首先被應用在生產
人民大眾所需要的圖書，如日曆、詩歌、佛經、字書、小學、韻
書、文集以及陰陽、占卜等。到唐代後期（九世紀）雕版印刷術
已經流行。出現了雕刻中心，唐、五代雕刻中心區，大致有四
川、淮南、江南一帶。同時，唐代自安史之亂後，黃河流域戰爭
不斷，經濟凋敝，而四川、淮南、江南一帶比較安定富裕，文化
事業也得到繁榮和發展，這給兩宋以後各代版刻地區的發展奠定
了基礎。

　　唐咸通六年（865）在長安留學的日本僧人宗睿，攜帶回國
的書籍目錄《新書寫清來法門等目錄》中就有標明西川印子《唐
韻》、《玉篇》各一部。所謂西川印子就是四川印本的古稱。這也
證明唐代刻書已經盛行於世，刻印的書籍不僅在國內流通，而且
已向國外傳播。只是流傳到今天的卻非常少了。

　　五代的統治階級、民間和佛教徒大力提倡刻印書籍。雕版印
刷從民刻發展到官刻。雕版印刷的三大系統，即官刻、私刻（家
刻）和坊刻開始形成，這種結構一直延續了千年以上。

　　大規模地刻印儒家必讀的經書，始於五代。後唐明宗時，宰
相馮道見市間的刻印圖書，多是民間常用的日曆和一些通俗讀物

或佛教經文，而士大夫們所需要的儒家經典卻沒有，因而與李愚等奏請雕印九經。以唐《開成石經》爲依據，令當時國家的學校兼出版機構——國子監主持其事。於後唐長興三年至後周廣順三年（932～953）刻印九經及《論語》、《孝經》、《爾雅》、《經典釋文》等。書版收藏在國子監內。九經全部刻完，花費二十多年的時間，經歷四個朝代。這就是有名的《五代監本九經》，由此版本學上的「監本」一語開始出現。這是我國歷史上第一次用雕版印刷經典書籍。《五代監本九經》雖然沒有流傳下來，但是後代國子監本，以及宋朝刻版的經書，都是直接或間接受到五代監本的影響。

五代不但有官刻的經典，而且民間坊刻和私刻更加發展。如前蜀乾德五年（923）曇域和尚刻印貫休和尚的《神月集》。士大夫階層也有出資刻書的人。後蜀有母昭裔於後蜀明德二年（935）在成都令門人勾中正、孫逢吉寫《文選》、《初學記》、《白氏六帖》雕版印刷，並且還建議當時割據四川的蜀主孟昶刊刻九經。後晉丞相和凝將本人的文集，自己謄寫上版雕印，有 100 卷之多。另一方面，民間及佛教徒的刻書事業繼續發展，如 835 年馮宿奏請私置日曆版。在敦煌發現的書籍中有五代刊刻的韻書殘本，還有許多上圖下文的佛像圖畫，都是證明。

現存五代刻本非常少，在敦煌發現的五代印本《唐韻》、《切韻》等殘本，都藏於巴黎國立圖書館。

❖唐、五代刻本的特點：

1. 字體直拙，與唐人寫經相近；

2. 不僅刻文字，而且刻版畫；

3. 初期刻印本，處於由卷子裝向冊葉裝過渡階段，或是單葉，或聯綴成卷子，或是旋風葉，從現存實物看還不像是冊葉。

(二)宋遼金刻本

兩宋時期（960～1279）是雕版印刷術的黃金時代。各級政府機構刻書、私家刻書、書坊刻書都有了很大發展。不僅雕版印刷刻工精美，校勘認真，而且擴大了刻書範圍。除儒家經典外，遍及歷史、地理、醫藥、農業、工業、天文算法、詩文集、詞集、小說、佛教和道教的經典以及民間日用必需的書籍、民間文學等等。這一時期發明了活字印刷，印刷材料也得到進一步的改進。宋代著作保存到現代的遠比宋以前為多，與印刷術的發達有直接關係。

宋代刻書地區幾乎遍及全國，除北宋首都汴京（開封）外，四川眉山、浙江杭州、福建建陽等地是全國刻書事業最繁榮的地區。

宋代刻書上承五代，仍然分為官刻本、家刻本和坊刻本三大系統。

官刻本是政府各機關所刻的書，有中央所刻和地方所刻的區別。中央刻書以國子監為最著名，大部分刻於杭州。除此之外，還有崇文院、祕書監、司天監都曾刻書，但都不曾見到流傳下來。北宋政府刻書始於宋太祖開寶四年（971）在成都開雕《大藏經》5,048 卷，書版有 13 萬塊，至太宗太平興國八年（983）才全部完成。這是我國歷史上雕版印刷的第一部大部頭叢書，世稱開寶藏。北宋開寶八年，吳越王錢俶倡刻的《陀羅尼經》是國內現存最早的古浙本。宋太宗時，編輯兩部各有 1,000 卷的大書——《太平御覽》和《文苑英華》，還有 500 卷的《太平廣記》。宋真宗時，又編輯了一部 1,000 卷的《冊府元龜》，是宋代有名的四大類書。北宋初期 30 年中，都是用五代刻成的「九經」原版印刷，但很快便「刓損」、「訛缺」。因而在 988 年到 1065 年間，刻

成了十二經的正義（也稱單疏）。986 年到 1034 年間，國子監和崇文院又校刻了《說文解字》、《廣韻》、《玉篇》、《集韻》、《禮部韻略》等字書、韻書。其後，史書開始付雕。在 994 年到 1093 年間，刻了《三史》、《三國志》、《晉書》、《隋書》、《唐書》以及司馬光的《資治通鑒》、《唐律疏義》等等。

祕書省國子監還注意校刻醫學、自然科學技術書籍，擴大了刻書的範圍。1207 年國子監刻印《黃帝內經素問》，1057 年設立校正醫書局，陸續刻印《靈樞》、《太素》、《脈經》和《銅人腧穴針灸圖經》等 20 多種醫學著作，以及《齊民要術》、《四時纂要》和九種算經。

南宋初期，宋高宗趙構在臨安建都不久，即令國子監把當時的臨安府及兩浙、兩淮、江東的轉運司、茶鹽司等地方官署所刻的書版收歸國子監繼續刊印，而且還刻印了許多沒有刻本的書。南宋國子監的刻本種類也比較多。但就兩宋時期比較而言，宋代官刻書在北宋以中央為多，南宋則以地方為多。南宋地方官刻書的機構，有各種不同名稱，依其官署名稱分為茶鹽司本，轉運司本、安撫司本、提刑司本等等。用地方政府公庫錢刻印的總稱「公使庫本」。此外，各州、軍學、郡學、縣學、祠宮以及書院也都有刻書。

在宋代刻書業中，政府刻書成為主要力量，刻書數量大，質量也比較好，至今我們還可以看到宋朝官府刻印的書籍。

家刻本是私人出資校刻的書。自從五代毋昭裔大量刻書後，私人刻書風氣興盛起來，尤其是南宋時期，私人刻書更加普遍。著名的有趙、韓、陳、岳、廖、余、汪等七家。由於校刻人往往進行精細的校訂或選擇善本翻刻，所以質量一般是可靠的。在他們所刻書上，往往以某某家塾、某堂、某齋、某宅、某府等為標記。岳珂相臺家塾所刻《九經》，後世推為善本。廖瑩中世綵堂刻

《春秋》、《論語》、《孟子》及韓愈、柳宗元文集，黃善夫所刻《史記》和前後《漢書》，以及費氏進修堂所刻大字本《資治通鑒》，都著名於世。

坊刻本是一般書商所刻的書。自從雕版印刷術開始廣泛發展的時候，我國手工業印刷工人和書商就開始經營他們的刻書、賣書事業。他們自己擁有寫工、刻工和印工，把圖書作為商品出售，以營利作為刻印目的。所以私人經營的書坊刻書，在我國開始的最早、散布的最廣、印刷量也最大。宋代書坊刻書的地點幾乎遍及全國。浙江、四川、福建是三個最大的中心。其中浙江居首位，浙江刻書又以杭州最為著名。特別是南宋時期，杭州書肆林立，經國子監校刊的書，大多數都在這裡雕印。浙江刻印的書稱為浙本。四川刻書有悠久的歷史，還在五代時期後蜀御史中丞相毋昭裔就提倡刻書，蔚然成風。四川刻印的書通稱蜀本，北宋時期，以成都雕印最多；南宋時中心逐漸移往眉山。紹興年間四川漕司井憲孟主持所刻《眉山七史》著稱於世。南宋末年，元兵南下，對書籍和版片大肆焚毀掠劫，四川的印書業受到嚴重破壞。福建刻書以建陽的麻沙、崇化兩鎮最為有名，所以稱為建本或麻沙本。這些版本的質量傳統說法是浙本最精，蜀本次之，建本數量多，但質量較劣。

書坊刻書都以書商字號為名。有的稱某某書堂、書鋪、書肆或書籍鋪、經籍鋪。有的刻書鋪歷史悠久，刻書流傳廣泛。如南宋初年杭州有「榮六郎刻書鋪」，原在北宋京城汴梁，後南遷杭州仍繼續刻書賣書。杭州還有陳起、陳思父子相繼經營的「陳宅經籍鋪」，幾十年間刻遍了唐宋人的詩集。此外，杭州的「尹家書籍鋪」也是當時有名的刻書鋪子。建安余氏勤有堂（又稱萬卷堂）也是從北宋時就已開始刻書一直到元代、明代的著名書籍鋪。坊刻書的範圍比官刻、私刻廣泛得多。除翻刻官方刻本以

外，大量刻印人民生活日常需要的書及人民喜聞樂見的文藝書籍。同時為了供應科舉考試的需要，也刻些字書、韻書、類書、史書節本、文選以及帶批點、評說的文章、經義等等。

坊刻書籍在材料和工藝上比不上官刻和家刻的精美，校勘也較差一些，但卻有它的創造。如有一些上圖下文的小說，不僅圖文並茂，還為明代版畫開闢了道路。還有一些所謂「纂圖」、「互注」的書，對讀書人提高學習興趣，加深對內容理解都是有益的。

宋代刻書事業的發展，還表現在一些佛教寺院對佛經的大規模刻印。如神宗元豐三年（1080）福州東禪寺，徽宗政和三年（1113）福州開元寺，高宗紹興二年（1132）潮州思溪園覺禪院都曾重刻大藏經，卷數都在6千卷左右。最後，平江府磧砂延聖院從宋理宗紹定四年（1231）重刻大藏，直至元順帝至正九年（1349）完成，共6301卷。

❖宋版書受到重視的原因主要有兩點：

第一是許多古籍刻印時間久遠，最接近於原本，一般訛誤少。

第二是宋版書的刊刻技術精良，是後世的模範，對後世書籍制度有巨大的影響。

但必須指出宋版書也並非完全可靠，尤其是坊刻書，為營利不注意質量，錯漏比較嚴重。據現在統計，宋版書目前僅存7百種左右。

和宋朝先後並存的遼金兩代，也都有刻書，但不如宋代發達。遼代刻書各家藏目不見著錄，並很少有關於遼代刻書業的文字記載，刻本幾乎絕迹。近年在山西省應縣發現遼代統和八年（990）至乾統六年（1106）的雕印佛經（卷軸裝）50卷，是現在研究遼代雕版印刷的唯一實物。

　　金代刻書事業比較發達。刻書中心在平水（又稱平陽，今山西臨汾一帶）。金代刻書，除官刻外，私家和書坊刻書也很多。北京圖書館藏《劉知遠諸宮調》殘卷就是金代平水坊刻書的一種。平水坊肆刻有版畫，如《四美圖》是平水姬家書坊所刻。此外北京圖書館還收藏有《莊閑老人明秀集注》也是平水刻本，刻印技術精湛，收印在《中國版刻圖錄》中。除平水外，河北的寧普也是金代刻書中心。山西運城所刻《趙城廣勝寺藏》更爲有名。這部佛教經典因在山西趙城廣勝寺內，故又稱《趙城藏》。抗日戰爭期間八路軍不惜犧牲搶救才得以保存下來。這是我國僅存的一部珍貴孤本佛經，現存 4,000 餘卷，卷軸裝，歷來不見文獻記載和公私藏目著錄。自金皇統八年至大定十八年（1148～1178）刻成，現藏北京圖書館。金刻本的年代大約和南宋相當，刻本流傳下來的也很少。

　　❖宋刻本的版本特點：

　　(1)板式：宋代早期刻書，多半是四周單欄，後演變爲左右雙欄，上下單欄，行寬，字疏，白口。後期出現黑口，單魚尾，版心上記字數，下記刻工姓名，書名在上魚尾下。有些書小題在上，大題在下，序經相連，有卷子本的遺意。

　　(2)字體：一般說來，從時間上說，北宋早期刻書多用歐字，特點是字體瘦勁，秀麗俊俏，形態略長，轉折筆畫輕細有角。後來逐漸流行顏體，雄偉樸厚，字形肥胖，間架開闊，有骨有肉。南宋以後柳體日多，柳字比顏體筆劃挺拔，起落頓筆、過筆略細，橫輕直重。從地區上論，汴梁和浙本多歐體，蜀本多顏體，閩本多柳體，江西刻本歐柳兼之。

　　(3)墨色：宋本用墨質料精良，各書濃淡不一，雖著潮水濕而無漂迹。

　　(4)紙張：北宋汴梁本和南宋浙本及蜀本主要用白麻紙。南宋

閩本，多用黃麻紙。另外有一種厚硬的黃紙，主要印佛經。

　　(5)裝幀：宋版書的裝幀主要是蝴蝶裝，也有少數旋風裝和經折裝。北宋早期還有卷軸形式，如《開寶藏》。南宋時出現了包背裝。

(三)元刻本

　　元太宗八年（1236）六月，在大都（北京）設編修所，於平陽設經籍所。忽必烈攻下臨安，聽集賢院大學士許衡意見，將官印書及江西所有書版，車載而北，繼宋代遺風，發揮宋版書的優良傳統。官刻、家刻和坊刻逐步得到恢復和發展，使雕版書籍出現中興局面。

官刻本

　　世祖尊崇孔子，不改漢制，撥發官款雕印漢文圖書，以供學校使用，因而官刻圖書遍及各地。元代官刻書以興文署最著名，其中刻書最早最好的是至元二十七年（1290）刻的《胡三省音注資治通鑒》、《通鑒釋文辨誤》。此外還有藝文監。藝文監又分藝林庫、廣成局兩部分。藝林庫掌管藏書，廣成局掌管刻書。其他中央機關也有刻書的，如太醫院刻醫書。地方官府刻書的也很多，其中以九路儒學分刻的《漢書》、《後漢書》、《三國志》、《隋書》、《唐書》、《北史》、《遼史》、《金史》、《宋史》等九史為最著名。元朝地方刻書中各書院刻本非常精緻。書院有學田收入作為刻書的資金，主持書院的「山長」大都是有名學者。他們親自校勘，刻本比宋刻為優。杭州西湖書院泰定元年（1324）刻馬端臨《文獻通考》，技術精良，字體優美，行款疏朗悅目，為元代刻書中的代表作。

> 家刻本

元代的家刻本也有一些流傳於後世。岳氏荊谿家塾刻《春秋經傳集解》，平水進德齋曹氏刻元好問《中州集》（附《中州樂府》，樂府卷末有「至大庚戌（1310）戾月平水進德齋刊」牌記），大德八年（1304）丁思敬刻《元豐類稿》，版式寬大，字畫精整，結構嚴謹，為元刻本的代表。茶陵陳仁子刻《增補文選六臣注》也很著名。

> 坊刻本

元代的坊刻本比宋代更為發達，數量比官刻、家刻本多。福建、杭州是書坊刻書的中心，而福建建陽、建安兩縣尤為著名。其中建安崇化鎮余氏勤有堂、麻沙劉氏南澗書堂以及劉錦文日新堂、葉日增和葉景達的廣勤堂、虞平齋務本堂、鄭天澤宗文堂，一直持續到明代尚有刻本。東陽劉君佐翠巖精舍，又稱劉氏家塾，也持續到明代。現存元代坊刻書籍多半是這幾家的刻本。如余氏勤有堂元統三年（1335）刻《國朝名臣事略》，目錄後有「元統乙亥余志安刊於勤有堂」牌記。虞平齋務本堂至正元年（1341）刻《趙子昂詩集》，目錄後有墨地白文的「至元辛巳春和建安虞氏務本堂編刊」一行牌記。

元代坊刻書籍內容廣泛，除當時科舉所需要的正經正史外，纂圖互注的經書、子書、字書，以及各種經書新注、史書節本，科舉應試的參考書，模範文章選集等為數最多。此外，類書、詩文集，以及戲曲小說都為數頗多。

元代刻書地點除福建以外，盧陵（在今江西），婺州（在今浙江）也都是刻書出名的地方。北方的平水、平陽（在今山西）也是元代刻書的重要地區。

❖元刻本的版本特點：

　　元代刻書，繼承宋、金傳統，各地官刻本，不惜費用，選擇精良刻工，採用上等紙墨。私家刻書，校勘都很認真。書坊刻本，也多延請名家校訂，為了降低成本，行緊字密，印數較多，流傳較廣。元刻本中有不少精槧佳刻，成為元代刻本的一代風格。

1. 字體

　　主要是趙體（趙孟頫）字。元代初期，書法猶有宋金遺風，在宋元交替時期，刻書字體近似，因此在鑒定版本時，易把元刻誤作宋本。如嘉興路儒學所刻《大戴禮記注》、丁思敬刻《元豐類稿》，字體頗似趙孟頫手筆，神韻俱在。元代後期刻書，書寫起落頓筆多帶回鋒，有時草書上版。如日新堂刻《伯生詩編》和元末刻書《朝野新聲太平樂府》、《古杭新刊關大王單刀會》等，雖無呆滯拘泥之弊，卻嫌草率不夠嚴肅。

2. 多簡體字

　　刻書用簡體字，在南宋已經開始，元時更為通行，尤以坊刻本為最多。羅振玉在日本影印的南宋臨安中瓦子張家雕印的《大唐三藏取經詩話》，就有簡體。元朝中葉以後，坊間使用簡體非常普遍，如「無」作「无」，「馬」作「马」，「雙」作「双」等。建本中《全相平話五種》等書中簡字更多。

3. 版式

　　元初版式上承宋本，字大行疏，寫刻認真，字行疏朗。中期以後，行格漸密。版式由左右雙欄漸趨四周雙欄。目錄和文內篇名上常刻有魚尾。版心多作黑口，雙魚尾，而且多是花魚尾。版心所刻字數，卷數和頁數，多用草書。

4. 無諱字

　　宋刻本多諱字，尤其是官刻本，避諱極嚴，而元刻本沒有諱字是一個最重要的特點。

5. 紙張

元代刻書，早期兼用白麻、黃麻紙，中期以後，多用黃麻紙，也有用竹紙，甚至鼇繭紙。建本書坊刻多質地粗糙，有的呈黑褐色，一般比宋本稍黑。

6. 裝幀

以包背裝為主。

㈣明刻本

明取代元朝之後，生產得到了發展，手工業進一步發展，紙張品種增加，刻印工人技術水平更進一步提高，為書籍的大量生產創造了條件。反映在市民意識的產生，知識分子不滿意科舉制度發生了前後七子的復文化上也出現了新的思想因素，這就是嘉靖時代（1522～1566）古運動，表現在刻書的版本上嘉靖前後也判若兩個時代。

官刻本

明代官刻書，有內府刻本與直省刻本兩種。所謂「內府本」是宮廷所刻的書。內府刻書，由司禮監官主其事。其下設有漢經廠、番經廠、道經廠。漢經廠專刻四部書，番經廠刻佛藏，道經廠刻道藏，後世將司禮監刻書也稱為「經廠本」。也刻宮內所需經史讀本，理學以及國家政令典制等。經廠本刊刻精美，風格獨特，版框寬大，紙墨優良，但因係太監主持，往往不為藏書家所重。

除經廠外，還有國子監，明代南北二京都有國子監。洪武八年（1375）太祖下令把江南各地區的書版都集中到南京國子監，杭州西湖書院的宋元明版也都歸入南監，所以明初南監印書多宋元舊本。南京國子監所存史書，其中各種版本都有，並經宋元明

三代修補，已非宋本，而稱「三朝本」或「邋遢本」，因此，明中葉以後「南監本」不被重視。到神宗萬曆年間馮夢禎提倡重刻，稱「南監本二十一史」。北京國子監又據南監本重刻稱為北監本。清乾隆年間所刻《二十四史》便是根據北監本重刻的。

其次，中央政府各部院，特別是禮部、兵部、工部、都察院等都有刻書。直省所刻，以蘇州府最多，淮安府次之。

明代官刻本以藩府刻本為最好，這是明代刻書的一大特點。明代採取分封皇子到外地為王的制度，這些藩府憑借政治勢力和優越的經濟力量，他們所刻書多據宋元舊本，精加校讎，刊印精良。如明成祖的同母弟周藩定王封於河南開封，刻有醫書《普濟方》、成化十二年（1476）唐藩刻《文選》、嘉靖十三年（1534）秦藩鑒抑道人朱惟焯在西安刻《史記集解索隱正義》、萬曆年間鄭藩朱載堉刻《樂律全書》、崇禎九年（1636）潞藩刻《古今宗藩懿行考》等，多為後世珍視。

地方刻書則有各省布政司、按察司所刻書。明代各府縣都刊刻地方志。各地儒學書院也繼續刻書。

家刻本

明代私人刻書繼承宋元人的風氣，無大變化。弘治以後私刻日益增多，嘉靖以後更為興盛，而且多半集中在江、浙一帶，除刊印古籍外，還翻刻很多宋元本圖書。

早在洪武十年（1377），浦江（今屬浙江金華）鄭濟就刻了劉基編選的《宋學士文粹》。宣德七年（1432）周思德在北京刻《道德經講義》。正德十六年（1521），蘇州陸元大，據紹興十八年（1148）建康「郡齋本」翻刻《花間集》，摹刻極似，後人曾有將書牌挖去冒充宋本的。

嘉靖間私人刻書尤為風行。震澤王延喆以影刻宋本黃善夫

《史記》著名，蘇州嘉趣堂主人袁褧刻書多而精，所刻大字本六臣注《文選》、《世說新語注》、《金聲玉振集》等。沈與文的野竹齋，刻有《韓詩外傳》、《唐荊川集》及《西京雜記》等。吳縣黃魯曾刻有《孔子家語》、《方脈舉要》。吳縣顧春世德堂刻有《六子全書》、《五子拾遺集》。此外較著名的還有蘇獻可通津草堂刻的《論衡》和《韓詩外傳》，郭雲鵬濟美堂刻《柳河東集》等，都是摹刻宋本。

嘉、隆之間，錢塘人洪楩的清平山堂刻的《清平山堂話本》、《雨窗集》、《欹枕集》保存了不少宋元小說。隆慶五年（1571），崑山葉盛的菉竹堂所刻《雲仙雜記》，行書寫刻，極為精雅。

萬曆以後，雕版事業出現新的繁榮局面，一時士大夫以刻書為榮，出現幾個有名的大刻書家，如吳勉學、陳仁錫、胡文煥、汪廷訥和毛晉等。吳勉學，徽州歙縣人，先後刻經史子集一百多種書，如《資治通鑒》、《前四史》、《二十子》。陳仁錫，長州人，曾刻有《古文奇賞》、《蘇文奇賞》等多種。胡文煥，錢塘人，刻有《格致叢書》等。明代後期刻書家以常熟毛晉最著名，他據所藏古本校刻很多書，其中最著名的有《十三經注疏》、《十七史》、《六十種曲》、《津逮祕書》，以及許多唐宋人文集，不僅刻書而且抄書，刻書以「汲古閣」為牌記，毛氏汲古閣的名字馳名海內外。

坊刻本

明代坊刻本，以福建為最盛，杭州仍是刻書的中心。嘉靖以後，湖州歙縣刻書工藝急遽發達，產品精美。萬曆以後歙縣刻工多半移居南京、蘇州一帶，因此，南京、蘇州一帶成為刻書中心。

建陽書坊，明初刻經史，萬曆之後多刻戲曲小說、醫書和類書。如宣德年間的《廣韻》、弘治年間刻的《大廣益會玉篇》、正德年間劉洪刻的《文獻通考》、《山堂考索》、《十七史詳節》等，有元

朝遺風。萬曆以後，建陽書峯堂主人余文臺刻《西漢志傳》。天啓間清白堂刻鄧志漠編輯的《茶酒爭奇》、《山水爭奇》等小說都有代表性。

金陵著名的書坊有富春堂、文林閣、廣慶堂、繼志齋、大業堂、師儉堂等，都以刻戲曲小說和民間需要的類書相互標榜，多帶有插圖，銷路極廣。如富春堂在萬曆年間刻《新刻全像增補搜神記》和《南調西廂記》等，萬卷樓於萬曆年間刻《新全像海峯先生居官公案》，長春堂也在萬曆年間刻《新女貞觀音會玉簪記》等。

北京自永樂定都後，刻書事業飛躍發展，成爲版刻中心之一。北京書坊大都集中在正陽門一帶，比較著名的有岳家書坊、汪氏書肆、葉氏書鋪等。兵家書坊於弘治十一年（1498）新刊大字魁本《全像參增奇妙注釋西廂記》（《古本戲曲叢刊》收入此本）。汪氏書肆主人汪諒刻書極多，於嘉靖年間刻《文選注》等十幾種圖書。

❈　　　❈　　　❈　　　❈

❖明刻本版本特點：

1. 版式

明初上承元制，洪武至弘治一般都是四周雙欄，粗黑口，少數細黑口。經廠本行寬字大，開本也大。從正德起，特別是嘉靖以後，以宋本爲模範，黑口絕無僅有，大多都是白口。版心上刻字數，下刻刻工姓名，卷末書尾或序目之後多有牌記。萬曆以後，白口爲多，黑口較少，單、雙欄兩種都有。

2. 字體

明初洪武至正德間（1368～1521）刻書，沿襲元代遺風，字體多趙孟頫軟體字。明中葉正德嘉隆各朝，不論復刻還是新雕，都極力摹仿宋體，橫平豎直，起筆頓筆有棱角，字形方正，形似宋體，而神韻已失。萬曆以後字形變長，筆劃橫細直粗，即所謂

長宋體。晚明也有一些家刻本和坊刻本是以寫體上版的，如趙均刻的《玉臺新詠》，金陵世德堂的《西遊記》等都流暢自然，生動活潑。

3. 紙張

明初雖有極少數白麻紙，但主要是用白棉紙、黃棉紙（南方稱白皮紙和黃皮紙）、竹紙、羅紋紙、毛邊紙等。官刻本、家刻本多用棉紙，坊刻本多用竹紙。嘉靖以後，多用棉紙，萬曆以後，多用竹紙，少數官刻本或家刻本用棉紙。

4. 裝幀

明朝前期多沿用包背裝，嘉靖以後絕大多數是線裝。

5. 就地區而言

正如胡應麟在《少室山房筆叢》卷4《經籍會通》中所說：「余所見當今刻本，蘇常為上，金陵次之，杭又次之。近湖（浙江湖州）、歙（安徽歙縣）刻驟精，遂與蘇、常爭價，蜀本行世甚寡，閩本最下」。

明代刻本的主要缺點是，校對不夠精審，錯訛遺漏過多，有的印書隨便，妄改書名和任意刪節內容，甚至偽造古書。因而使學術界普遍形成重宋、元本，參考明本的習慣。

(五)清刻本

由於清朝對漢族施行殘暴的高壓政策，迫使許多有氣節的人不願意受清廷的籠絡，但又無力反抗，於是走上鑽研古書、從事著作的道路。由於乾嘉學派的興起，精校精刊之書不勝枚舉。這一特點在圖書刊刻方面表現很突出。

官刻本

清朝初期官刻本（內府刻本）質量高。武英殿就是內府刻書

的地方，它導源於明代的經廠，康熙年間刻有《康熙字典》、《文獻通考》、《大清會典》、《佩文韻府》、《全唐詩》等五十多種。雍正朝刻有《曆象考成》、《數理精蘊》、《硃批諭旨》等六十多種。乾隆年間刻有《十三經注疏》、《二十四史》、《大清一統志》、《九通》、《八旗通志》等百多種，以後歷朝還均有刊刻。所以殿版書就成了清朝內府本的同義語。康熙時，武英殿刻書能力尚小，仍用宋元時代的做法，發到南方揚州，蘇州一帶刻版，然後運歸武英殿。雍正、乾隆時，才真正在武英殿刻印書籍。和五代、北宋國子監一樣，武英殿最初校刻的是《十三經注疏》、《二十四史》。殿版書有一個不同於歷代的現象，就是很多不僅讓文臣編纂，而是皇帝親自出馬，搞「御制」、「御纂」、「御批」和「欽定」之書，見於《四庫全書總目提要》的就達 450 種之多。可見清朝統治者對文化統治的重視。

清代地方官刻本主要是地方志，在刻印技術上沒有什麼創造。

家刻本

清代的雕刻書籍以私家刻書最有價值。徐乾學所主持校刻的《通志堂經解》是清初第一部大書，刻工精緻。清初私人刻書大體上有兩類，一類是著名文人所刻自己的詩文集，往往都很工緻。如侯官名書家林佶手寫汪琬的《堯峯文抄》，陳廷敬的《午亭文編》和王士禎的《古夫於亭稿》、《漁洋精華錄》就是著名的林氏四寫。朱彝尊的《曝書亭集》和他的《經義考》以及《日下舊聞考》也是用精緻的手寫體刊印的。另一類是一些名家的學術著作，如顧炎武的《音學五書》、《日知錄》；黃宗羲的《明儒學案》；閻若璩的《潛邱劄記》等。他們或自己出資刊刻，或由親友代為刻印，這些書雖然刻印紙張比較一般，但學術價值遠遠超過前面那些精刊本。

　　乾隆時代考據學興起之後，刊刻叢書的風氣更爲興盛。一些著名的藏書家以其所藏的宋元善本，或者影摹上版，或者重新校刊付印。前者如黃丕烈的《士禮居叢書》，後者如鮑廷博的《知不足齋叢書》，都很有名。校勘學家也往往將其手校勘正的書開雕付印，如盧文弨《抱經堂叢書》、顧廣圻《思適齋叢書》、孫星衍《平津館叢書》、畢沅的《經訓堂叢書》等。這些校勘家所刻的書，底本優長，校勘精細。嘉慶間，阮元所刻《文選樓叢書》也是很著名的，他們校刻的《皇清經解》，集結了清代漢學家研究儒家經典的大成，校印精審與《通志堂經解》並稱，代表了宋代以後經學上的兩大學派。

　　隨著校勘學的發達，輯佚書的風氣也興盛起來。繼《武英殿聚珍版叢書》之後，黃奭的《漢學堂叢書》（又名《黃氏逸書考》），馬國翰的《玉函山房輯佚書》，嚴可均的《全上古三代兩漢三國兩晉六朝文》，都是著名的輯佚叢書。

坊刻本

　　清代坊刻圖書數量很大，有的書坊經營歷史悠久。最著名的如席氏掃葉山房，相傳創設於明萬曆年間，一直到清末，刻印經、史、子、集、筆記小說、村塾所用經史讀本等等各類書籍達數百種。到民國初年，還出版過《文藝雜志》。還增置鉛印、石印先進技術設備繼續印書，行銷全國一直流傳到現代。

　　清代書坊遍及北京、南京、蘇州、西安、成都等地。清坊刻本有一些共同特點，即在書前冠以封面，封面多用黃、綠、粉色紙印。所採用的紙料不如官刻、家刻精良，但對發展文化教育有積極貢獻。

晚清官書局刻本

太平天國被鎮壓之後，曾國藩以重興文化爲名，於同治三年（1864）進入安慶後，創立治山書局，大量刻印經典書籍。先後有金陵書局、江蘇書局、浙江書局、淮南書局。接著又有福建、江西、河南、山西、山東以及廣東的廣雅書局和湖北的崇文書局等相繼成立。

由於官書局的主持人的文化素養不同，刻書選用底本的優劣有異，所刻的書也就各有特點。比較有影響的如：金陵官書局刻的前四史、《文選》等，都是複刻毛氏汲古閣刻本。設在杭州的浙江官書局，有丁氏八千卷樓善本書室等著名藏書家所藏善本，爲該局選用底本提供了有利條件。其所刻的《二十二子》大都選用名家校本和明代「世德堂」刻本爲底本，被認爲是子書叢刻中最好版本。浙江書局還刻有《十通》、《玉海》等大部頭的政書、類書。在「局本」中，以浙江書局所刻占首要地位。

此外，湖北崇文書局也刻書不少，湖南官書局刻過《王船山遺書》等。光緒年間又設有思賢講舍，刻有王先謙《漢書補注》、孫詒讓《墨子閒詁》、《周禮正義》等近人的著作，比較切合時用，至今尚有流傳。廣雅書局刻的《廣雅叢書》，對研究歷史有一定參考價值的。

❀　　　　❀　　　　❀　　　　❀

❖清刻本的版本特點：

1. 版式

一般左右雙欄，也有四周雙欄或單欄的。一般是白口，但也有黑口，字行排列比較整齊。書前刻封面的較多，封面一般都是三行字，中間一行是書名，字比較大，右側刻編著者，左行記刻家或藏版者。也有背面刻上出版的地址、牌記和開雕年月日的。

2. 字體

清初刻書，仍有明末味道，字體是橫細直粗的長方字，康熙

以後，字體變肥，稱為匠體字。另外興起一種軟體字，由於編寫四庫全書的影響，稱為館閣體。寫刻上版的書，多出名家手筆，比較著名的如前所述「林佶四寫」。

3.紙張

清代印書用紙種類繁多，開花紙（南方叫桃花紙）、開花榜紙、太史連紙等多用在印刷殿版書。各種棉紙、貴州棉紙、雲南棉紙、連史紙、粉連紙、竹連紙、宣紙、棉連紙、毛邊、毛太則用於各種類型的書。

4.裝幀

一般都是線裝。

五、活字本

活字印刷不像雕版印刷那樣在整塊木板上刻字，而是預先刻成單字，印刷時根據書籍的內容將單字逐一排板後印刷。印完之後把單字拆開，準備以後再排印。用活字印成的書，叫做活字本。世界上第一個創製活字印刷術的是十一世紀四十年代我國天才工人畢昇。

雕版印刷書籍，在宋代得到普遍發展，比手抄不僅節約人力和時間，還對讀書人提供了很大的方便。但是雕版印書必須是一葉一版。如果刻印一部大書，往往要花費許多年的工夫，而且費用鉅大，只是儲存版片就需要占很多地方，也不易管理。自從產生了活字排版印刷術，提高了印書效率，減輕了保管的負擔，使書籍的生產技術，進入新的發展階段。活字印刷術是現代印刷術的主要方法。歐美學者把這項技術的發明歸功於十五世紀中葉一個叫谷騰堡的德國人，並且認為發明活字印刷術就是發明了印刷術，這顯然是歪曲歷史事實的。

首先，圖書印刷術不能僅限於活字印刷術，雕版印刷術也是一種主要的方法。雕版印刷術為中國人民所發明是顛撲不破的事實，所以谷騰堡不是「印刷術的發明者」。

其次，儘管谷騰堡是歐洲第一個應用這一技術的人，並對歐洲產生了很大的影響，但確實的證據說明活字印刷術是中國人首先發明的，而且是由中國傳到中東和近東的。谷騰堡（或者別的人）是在這個影響下才發明了拉丁文字的活字印刷術的。

(一)泥活字本

早在十一世紀四十年代，宋朝慶曆年間（1041～1048），畢昇就創造了世界上第一副泥活字。比谷騰堡早四百年。

這項技術發明，沈括在《夢溪筆談》中，把畢昇製作活字和排印的方法作了翔實的記載。根據所記，使我們了解到它的創製和使用程序。

1. 用膠泥即粘土刻成薄得像銅錢那樣厚的單字，在火中煅燒，使之堅硬。

2. 每字按韻排列，用紙包好，存放格子裡。

3. 用時先在一塊鐵板上放置松脂臘和紙灰，然後以韻撿字排好一版，用鐵框圍起來，在火上加熱使松脂臘熔化，冷卻後，字就固定在鐵板上。

4. 施墨印刷，一版印完，將版在火上烘烤，藥物熔化，便可將活字取下，而且不會沾污，以備再用。

畢昇這一印刷技術具備了活字印刷術的三個主要步驟：製活字、排版、印刷。這是繼雕版發明後的又一重大發明。

活字印刷術的優越性始終吸引著一些人。畢昇以後元代人楊古又用沈氏活版印過書。到了清道光年間，安徽涇縣人翟金生又用畢昇遺法印書。

　　翟金生字西園，他和全家的人竭 30 年之力，製造了十萬多泥活字。均爲明體字（俗稱宋字），分大、中、小、次小、最小 5 號，於道光二十四年（1844），試印自己的詩集《泥版試印初編》。隨後道光二十七年又印刷好友黃爵滋的詩集《仙屏書屋初集》。道光二十八年又印了族弟翟廷珍的詩集《修業堂集》。

　　咸豐七年（1857），翟金生 83 歲時，爲出版明代所修的翟氏家譜，叫孫子翟家祥擺印，名爲《水東翟氏宗譜》。此後這些字的下落不明，據說近年北京歷史博物館收集到一些。

　　和翟金生同時試用泥字印書的，還有吳郡（今蘇州）的李瑤，現在安徽省圖書館藏有他印的《校補金石例四種》中的兩三種。印刷地點，據他的自序，似乎是在杭州，他也是實行畢昇遺法的一個人。

(二)木活字本

　　用木活字印書，畢昇雖已試驗過，但把活字印刷術推進一步的，是元代（十三、十四世紀之間）第一個試用木活字印書的王禎。

　　王禎原籍山東東平，元貞元年（1295）做安徽旌德縣尹，在元成宗大德元、二年（1297～1298）創造了一套木活字，約三萬多個。於大德二年用木活字試印自修《旌德縣志》，全書共六萬多字，不到一個月印成一百部。並將用木活字的經驗，寫成《造活字印書法》一書，附在他所著《農書》後面。他首先提出了造活字的規格，並發明了轉輪排字架，將活字排在可以轉動的輪盤內，在檢字的過程中，通過推動輪盤，使字就人，減輕了檢字工人的勞動。他的《造活字印書法》，是世界上最早的活字印書工藝的書。

　　在王禎以後 20 多年，馬稱德也用活字印書。馬氏字致遠，

廣平人。延祐六年（1319）做奉化知州，鏤活書板至 10 萬字，比王氏木字多 3 倍，至治二年（1322）用活字書板印成《大學衍義》等書，可見所印的不止一種。可惜這部《大學衍義》早已失傳，元代木活字流行於皖南、浙東一帶。

木活字不但流行於內地，也流傳到兄弟民族中間。敦煌千佛洞中，曾發現元代維吾爾文的木活字，用硬木鋸開，大小不等。維文雖爲拼音，而這些木字恰不是字母，而是單字，因爲每個單字字母有多有少，所以木字不能大小相同。可惜這幾百個有歷史意義的木字，已被法國伯希和偷走。北京歷史博物館曾從敦煌藝術研究所調來五個，據說用杜木雕成，是伯氏劫餘之物，現陳列在該館中。

明代木活字流行的範圍，顯然比金屬活字爲廣。除南京、四川等處外，又有杭州、浙東、福州，以至雲南，而以蘇州一帶爲盛。

明木活字本內容相當廣泛，有經學、歷史、哲學、文學、小說、科技、藝術，而以詩文集較多。浙江已開始用木字印家譜，至清代則十分之六七的家譜爲木字，更值得注意的是崇禎十一年（1638）起，開始用木字印《邸報》。

清代木活字印本較多，據傳本，早在順治年間就印過《義門鄭氏道山集》，雍正十年（1732）內府活字硃墨套印的《硃批諭旨》。乾隆三十八年（1773），爲了印刷從《永樂大典》中輯出來的圖書，用棗木製活字，排印了 134 種圖書，稱之爲《武英殿聚珍版叢書》。乾隆五十六年（1791）和五十七年，萃文書屋還用木活字排印程甲本程乙本的《紅樓夢》。乾隆以後各朝，也有不少木活字印本，嘉慶二十四年（1819）張氏愛日精廬印的《續資治通鑒長編》，道光十一年（1831）曹榕印的《學海類編》，同治八年（1869）羣玉齋印的《儒林外史》等。許多書坊都用木活字印刷

戲曲、小說、邸鈔、諭摺彙存等。

(三)銅活字本

明代在印刷技術方面，有了很重要的發展。首先就是銅活字的創始和應用。

銅活字出現在明孝宗弘治（1488～1505）初年。弘治三年無錫會通館華燧印的《宋諸臣奏議》，是現在所知最早的銅活字印本。這付銅活字的特點是用模澆鑄而成。是一項非常重要的發明。

明代銅活字印書，從傳本情況來看，盛行於弘治、正德、嘉靖三朝。印書地點主要在江蘇無錫、蘇州、南京一帶，尤以無錫華氏和安氏兩家最爲活躍。萬曆以後銅活字印書逐漸少，僅見有萬曆二年（1574）周堂銅活字本的《太平御覽》等。

弘治年間無錫華氏會通館蘭雪堂和嘉靖年間安氏桂坡館銅活字印本最爲著名。傳世本有弘治五年（1492）印的《錦秀萬花谷》、弘治八年印的宋洪邁《容齋隨筆》和《文苑英華辨證纂要》。弘治十一年印《會通館集九經韻覽》、弘治年間印《記纂淵海》、《會通館印正緝補古今合璧事類》前集、後集、續集、外集等。弘治十五年無錫華珵以銅活字排印《渭南文集》，非常精湛，字體與各家不同，字畫起落轉折有棱角。正德年間，華堅蘭雪堂也用銅活字排印許多書。據所見傳世者有正德八年（1513）排印的《元氏長慶集》60 卷、正德十年排印的《藝文類聚》200 卷，正德十一年排印的《春秋繁露》17 卷，《蔡中郎集》10 卷、外傳 1 卷。弘、正年間，華氏一家首創以銅活字排版印書，爲書籍的出版增添異彩，對於促進出版印刷事業的發展，開拓了一條新的道路。

嘉靖年間，繼華氏而起的是無錫安國。安氏銅活字印本書籍，據知見傳本有嘉靖年間印《吳中水利通志》、《古今合璧事類

備要》、《顏魯公文集》、《重校鶴山先生大全文集》等。

無錫的華氏和安氏，用銅活字印書，種類多、數量大、行銷全國。如古類書、唐宋人詩集和水利專書，被後世藏書家所重視，保存到現在的本子也比較多。

除此之外，明初用銅活字排版印刷古書的，還有金蘭館。金蘭館於弘治十五年（1502）排印了《石湖居士集》34 集。版心印有「弘治癸亥金蘭館刻」一行。弘治十六年排印的明孫賁撰《西庵集》9 卷，字體秀麗，筆畫挺拔，版式疏朗，印製極精。與華氏、安氏所用字體迥然不同。常熟楊儀五川精舍的《王岐公宮詞》、建業張氏的《天寶遺事》、五雲溪館的《玉臺新詠》、嘉靖三十一年（1552）芝城姚奎的《墨子》等等。蘇州地區也排印了一些唐人詩文集。

嘉靖以後，銅活字印本書籍逐漸減少，流行本中只見有隆慶年間新城王材念初堂銅活字印本明鄧元錫撰《函史》；萬曆二年（1574）無錫周堂銅活字印本《太平御覽》，但都是殘帙。

清康熙時編輯了類書《古今圖書集成》，用銅活字排版，插圖用木板刻印。

《古今圖書集成》為清聖祖詔命編撰，原名《彙編》，原纂集人陳夢雷，於康熙四十五年（1706）成書，未刻。到世宗即位，特命蔣廷錫等據《彙編》重新編校，刪去陳夢雷等人的名字，改稱《古今圖書集成》，於雍正四年（1726）用陳夢雷原來計劃鑄成的銅活字排印，共印 64 部，全書一萬卷。據說，這套銅活字，陳夢雷在誠親王府時已經製齊，而且親自參與了製造。此書採集廣泛，而且圖字並舉，鑄造刻印的工程艱巨，是歷史上用銅活字排印的最大的一部類書。

(四)錫活字本

　　十三世紀中國人已發明用錫鑄模澆字。元代王楨前已有人「鑄錫作字」。印書排版時把鑄成的錫字，用鐵條穿起來成行，嵌入板框內。錫熔點低，容易熔化，不過用錫活字印刷，需要好的油墨，當時的條件難以達到，容易印壞，所以不能久行。明朝華燧「范銅板錫字」，銅字之外，會通館似乎也製過錫字印書。

(五)瓷活字本

　　清王士禎《池北偶談》卷 23「瓷易經」條記有益都翟進士集窯戶造青瓷《易經》一部。1961 年北京中國書店訪得山東泰山徐志定於清康熙五十八年（1719）創造瓷版，印刷出版的《周易說略》，山東省圖書館訪得瓷版。《蒿庵閒話》有人認為同是出自徐志定之手的瓷版印本。「瓷活字本」至今既不見藏書家著錄，也未見傳世本。

(六)鉛活字本

　　我國自製鉛活字的最早記載見於明弘治末、正德初年（1505～1508）陸深所著《金臺紀聞》，說：「近日毗陵（今常州）人用銅、鉛為活字，視板印尤巧便」。清道光十四年（1834）魏松的《壹是紀始》中，也曾提到「今又用銅、鉛為活字」。可惜我國古代鉛活字本未能保留下來，至今仍未發現實物。

　　印刷術最初是我國發明的，傳到國外後，不斷得到改進。西歐的活字印刷術，相傳是德國人谷騰堡在 1450 年左右發明了鉛活字和印刷機，1829 年法國人謝羅發明了紙型，印刷機由人力變為電動。他們的印刷術，走在了當時中國的前面，又傳回到中國來了。

　　十九世紀初期，西方印刷術開始傳入我國，並且逐漸發展，代替了雕版印刷術，成爲圖書出版的主要方法。

　　首先將鉛活字印刷術傳入我國的是英國傳教士馬禮遜。馬禮遜於清嘉慶十二年（1807）來澳門，傳布基督教。爲刊印聖經傳教，開始雕刻中文字模，預備鑄造中文鉛字。但是受到當時地方官吏的禁止，於是派美國人米憐及中國刻工蔡高、梁發於 1814 年移到馬六甲設立印刷所，至嘉慶二十四年（1819）才印成第一部中文的《新舊約聖經》。這是第一部用西方鉛活字印刷的書籍。十九世紀三十年代一些西方人在中國買到木刻中文字模，回國澆鑄成中文鉛字。鴉片戰爭後，外國人設立的鉛印機構，陸續遷入我國境內，經營鉛印。這時的鉛印技術在我國已有初步基礎。

　　初期的鉛字印刷所，都掌握在外國人手中。鴉片戰爭後，香港、寧波、上海逐漸成爲帝國主義勢力中心，開展出版工作，鉛印術隨著也就在這些地方，特別是在上海逐漸流傳開來。中國的知識分子紛紛創辦報紙，出版書刊。我國人民陸續採用西方鉛印技術，創辦印刷機構，成立了一些新式的印刷廠。我國人自己的著作和報刊，就逐漸由中國自辦的印刷局承印。當時鉛印書籍和雜誌在形式上仍完全模仿雕版書籍的傳統方式。版面各組成部分、格式與雕版印刷書完全一樣。欄、界、中縫齊全，雙葉單面印刷，線裝。從外形上看，和雕版書沒有什麼區別。到十九世紀後半期和二十世紀初年，書籍形式開始逐漸發生變化。西式裝訂和橫排的中文書開始出現，而雕版印刷術逐漸退居次要地位。

六、套印本

　　中國不但發明雕版與活版，並且也首先發明用彩色印書。普通的書都是白紙黑字，有一種本子的文字是用兩色、三色、四色

或更多種顏色印出的，版本學謂之朱墨本、三色本、四色本等，
這些本子又統稱套印本。套印本的產生標誌著雕版印刷的重大進
步，是我國雕版印刷史的重大事件之一。

(一)套印本的起源

關於套印的起源問題，葉德輝在《書林清話》中說，「顏色套
印書始於明季」。那麼套印到底產生於何時？要從最早的朱墨抄
本說起。漢代我國出現了許多解釋古書的傳注之類的著作，魏晉
以後逐漸發展，如司馬遷的《史記》有劉宋裴駰集解，唐司馬貞索
隱、張守節正義。《春秋左傳》有晉杜預注、唐孔穎達疏。必須想
辦法把這些不同的著作方式用不同顏色標抹圈點區別開來，才便
於人們學習。相傳早在東漢研究《左傳》的賈逵、董迁等人就已經
用朱墨兩色寫《左傳解詁》的傳注。六世紀時，有人將神農《本草
經》和陶宏景《本草集注》合為一書，用紅色抄寫《本草經》，用墨
筆抄寫陶宏景所集注文，後來朱墨二色還是混在一起了。七世紀
初，陸德明撰《經典釋文》時，用墨筆寫經文，朱筆寫音義。敦煌
所出唐寫本佛經也有用朱墨二色分寫經注的。宋代也有朱墨抄本
《太祖紀》。但是印刷技術發明以後，用同一墨色印刷便無法區
別。為了便於學習研究，人們又作了種種嘗試：

1. 是用大字小字將不同著作方式的內容區別開來，如正文作
大字單行，注文作小字雙行。

2. 是用加括號的方法把傳注之類同正文區別開來。

3. 是用陰陽文以示區別，如雕印《本草經》時，用陰文表示神
農經文，用陽文表示名醫傳注。

4. 是把不同著作方式的內容單獨印刷，分開發行，但不便學
習正文。

5. 是用不同符號加以區別。

以上這些方法遠不如寫本紅黑分明。

因此，如何使印本也像寫本那樣表示朱墨等色，就成爲印刷術迫切需要解決的一個難題。宋代隨著商業的繁榮出現一種紙幣「交子」。「交子」是用帶有紅藍黑三種顏色的六顆印記依次蓋在紙上製成的，像彩色印刷品。人們從「交子」受到啓發，經過反覆實踐，到元代，終於發明了套印。我國現存最早的套印作品是元至元六年（1340）湖北江陵資福寺無聞和尙套印的《金剛般若波羅蜜經注解》，經文紅色，注文墨色，是世界上現存最早的套印作品。但是，套印一頁要刻幾次版，要印刷幾次，費工費時，成本較高，一般平民無力購買，書賈亦無利可圖，一般書坊不進行刊印。因此，套印雖然元代就已發明，但在較長時期內並沒有被普遍採用，到了明代中葉，套印才得到廣泛應用。明人胡應麟在《少室山房筆叢》中說：「凡印有朱者，有墨者，有靛者，有雙印者，有單印者，雙印與朱必貴重用之。」此處所謂「雙印」即指套印，這是我國套印見於文字的最早記載。明代套印現存最早作品是萬曆三十一年（1603）至萬曆三十五年刻印的《閨範》。《閨範》的刻工、印工都是安徽歙縣人，所以歙縣很可能就是明代套印的誕生地。

(三)明代套印本

套印雖然在十四世紀已經出現，但到十七世紀才得到廣泛應用。最初的彩色套印，是在一塊版上塗上幾種顏色，然後伏紙刷印。如萬曆年間徽州滋蘭堂刻印的《程氏墨苑》中的「天姥對廷圖」、「巨川舟楫圖」和萬曆刻本《花史》，就是用各種顏色塗在一塊版上刷印的，稍後，很快就發明了用幾種顏色分版套印的方法。

用套印方法印刷古籍，到晚明時期已被廣泛應用。其刻印圖

書流傳既多又廣，要以萬曆天啓年間吳興的閔齊伋和凌濛初兩家
最爲著名。他們用套版印刷的古書，被世稱爲「閔刻本」和「凌
刻本」。

閔、凌兩家都是吳興的望族，刻印了許多帶有批注評點的
經、史、子、集四部古書。爲了使讀者閱讀醒目，將各家批點評
注用朱墨或者幾種顏色套版印刷。不僅在書籍的內容的表達上有
特殊價值，而且將印刷技術提高了一步。最初用朱、墨兩色，正
文用墨，批點用朱。後來發展遞加到朱、墨、黛、紫、黃五種顏
色套印。每種顏色代表一家批注或評點。閔、凌兩家的雕印、版
式、紙墨、顏色大致相同，如無序、跋、識語，很難區分清楚。
兩家比較，閔氏質量較凌氏爲高。兩家版式特點是四周有版框，
中間無行線，是爲了便於在行隔中間套印批點評注。書的每頁雖
然經過數版套印，在技術上掌握非常準確，在傳本中絕少發現參
差錯亂的現象。兩家刻書種類很多，總計約有 130 多種。除四部
之外，還刻了一些戲曲小說。如所刻《西廂記》有圖 20 幅。圖首
頁版心鐫「新安黃一彬刻」。當爲徽州黃氏所刻。其它所見有
《琵琶記》、《明珠記》、《紅拂記》、《虬髯客傳》、《玉茗堂摘評王
弇洲先生艷異編》等。戲曲、小說多有附圖或插圖。

套版印刷應用到圖畫上，就產生了餖版。圖畫最宜於用顏色
套印，但在技術上也最困難。最初在一塊版上分別塗上不同的顏
色。大約在萬曆二十八年（1600）印成的《花史》和萬曆三十三年
印成的程君房《墨苑》，就是用的塗色法。但由於相鄰顏色容易混
淆，並不十分美觀，所以後來不久就出現了分版分色套印的方
法。

餖版發明於明末，天啓七年（1627）南京的胡正言，第一次
用餖版印刷了《十竹齋畫譜》，後來又在崇禎十七年（1644）兼用
餖版和拱花二法，印製了《十竹齋箋譜》。清代只有康熙年間南京

沈友心等在李漁的指導之下，用餖版刊印了《芥子園畫傳》，直到二十世紀三十年代，魯迅、鄭振鐸等爲復興這一藝術，印行了《北平箋譜》和重刊了《十竹齋箋譜》。

㈣清代套印本

套印技術在清代前期是有很大成績的，套印書比明朝多，其中廣東的朱墨套版書最有名。如康熙年間內府刻本五色套印《御製唐宋文醇》、王奕淸等撰《曲譜》、雍正年間所刻朱墨套印的《硃批諭旨》，色調雅緻，刻工精美，在套印技術上達到較高的水平。

乾隆年間內府所刻《昭代簫韻》，朱墨套版，《勸善金科》三色套印。又有《西湖佳話》，附西湖全圖及西湖佳景十圖。此書有乾隆十五年（1750）刻本，乾隆十六年會敬堂刻本，封面題「文翰樓發兌」。又有金閶學耕堂刻本，版式小，裝巾箱本。還有金陵王衙精刻本，用彩色套印，遠近大小、陰陽向背均有分別，極爲精美。

嘉慶年間祝荔亭輯刻之《三圖詩》，寫體精刻。內容爲紀念三圖吟詠之作。三圖是：鹿車、觀碑、老漁各一幅，冠於三册之首。以濃淡墨色套印，分外淡雅，爲套印版畫別開生面之作，但印數不多，傳世極稀。

道光年間，廣東雲葉庵刻本《杜詩》，用五色套印，頗爲精緻。道光十四年（1749）涿州盧坤所刻《杜工部集》，用六色套印，正文墨色，紫色爲明王世貞評語，藍色爲明王愼中評語，綠色爲邵長蘅評語，黃色爲宋犖評語，朱色爲淸王士禎評語。色彩斑斕，娛目怡情。又有安徽黃履昊廣仁義學刻本《御製耕織圖詩》，墨綠兩色套印，裱本折裝，精雅別緻。

套版印刷雖然精美，但價錢昂貴，道光以後，逐漸衰退，尤

其是彩印版畫，除盛行於南方蘇州桃花塢，北方楊柳青和山東的
年畫外，用於套版彩印成書或書中插圖的，很少有佳作。

七、佛道藏版本

㈠佛藏

　　自東漢佛教傳入中國以後，到南北朝時，佛教大盛。造像譯
經，風起雲湧。隋煬帝「大業中，佛經譯成漢文的，已達 6,198
卷。隋文帝享國 24 年，寫經四十六藏，達 13 萬卷；修治舊經四
百部，修治舊像 150 萬；翻譯道僧 24 人，所書經論，垂五百
卷」（《玉芝堂談薈》卷15）。

　　佛經雕版早在七、八世紀唐朝後期，已經流行。如敦煌莫高
窟收藏的唐咸通九年（868）王玠刻的《金剛經》。雕印全藏，應
當以宋開寶四年（971）刻的大藏爲最早。

開寶藏

　　北宋開寶四年，宋太祖趙匡胤派高品、張從信等人主持，在
益州（今成都）監雕大藏經，至太平興國八年（983）大部刻
成，世稱《宋開寶刊蜀本大藏經》，簡稱《開寶藏》，又稱《蜀藏》。
此種佛藏是根據唐代智升和尙的《開元釋教錄》編排，大部分在益
州刊刻，刻成移到汴京。據記錄，全藏有 1076 部，5048 卷，卷
子裝潢共 480 函。經版 13 萬多片。

　　此書現僅有零殘本，北京圖書館藏開寶藏《阿惟越致遮經》上
卷，國內和日本也還存其他零卷。此本字體仿歐書，整齊有棱
角，仍疏落有致。

　　《開寶藏》不僅是佛藏刻印的開始，也爲我國蜀刻圖書的「蜀

版」立下規模。

崇寧萬壽大藏

北宋元豐三年（1080）開始雕版，政和二年（1112）竣工，梵夾裝，佛經從此由卷子改爲梵夾裝。全藏共 6434 卷，580 函。字體仿柳公權，易於鑒別。此本現有零册存北京、南京、上海等圖書館。

契丹藏

與北宋同時，北方契丹族建遼，約在遼興宗至道宗時期（1031～1064）敕令雕造藏經。據日本宓庵丹本記述：「帙簡部經，函未盈於二百，紙薄字密，册不滿於一千」。清王昶《金石萃編》，則記錄有 579 帙。

毗盧大藏

毗盧是佛真身之稱。政和二年（1112）開雕，乾道八年（1172）竣工，刊於福州開元禪寺。全藏共 6,117 卷，567 函，梵夾本。由本明、宗鑒、行崇、了一、蔡俊臣、陳詢、劉漸、馮楖等主持。北京圖書館和日本存有少數零本，字體仿歐陽詢書，爲宋刻標準體。

思溪園覺藏

宋紹興二年（1132）開雕，何時竣工未詳。全藏 5480 卷，548 函。梵夾本。湖州思溪園覺禪院刊板（湖州今浙江省吳興縣），王永從及弟姪眷屬，又沙門宗鑒、淨梵、懷琛等主其事。字體仍仿歐體，但已兼虞世南筆法。北京圖書館有《大智度論》，是清末楊守敬自日本取回的。

思溪資福藏

自宋淳熙二年（1175）開雕，何時竣工不詳。全藏 5740
卷，599 函，梵夾本。雕於安吉州思溪法寶資福禪院。字體與
《思溪圓覺藏》相同，但《思溪資福藏》筆刻較粗，《思溪圓覺藏》較
細。我國現存四千餘卷，藏北京圖書館，爲楊守敬購於日本之
物。

趙城藏

女眞族金朝刻本。以《開寶藏》和另外的官版爲藍本，經過30
年刻成。創刊大約在金皇統九年，即宋紹興十九年（1149），竣
工約在金大定十三年，即宋乾道九年（1182），但有元初太宗時
補雕的。施主大部分是平民，總其成的是解州天寧寺開雕大藏經
版會，主持者爲祖園、性湛、惠深、禪嵩及王德、吳翼等人。因
刻於金代，稱爲《金藏》，又因原藏山西趙城縣東南 40 里的廣勝
寺，又稱「趙城藏」。估計應有七千多卷。1936 年前，在趙城
發現此本，當時計有 4,900 多卷，經葉恭綽等人選取一部分編輯
影印爲《宋藏遺珍》。

1942 年，日本侵略軍進犯趙城，企圖搶走此經，八路軍駐
趙城附近部隊，在陳賡同志等領導下，打退日寇，從廣勝寺搶救
出 4,330 卷，現存北京圖書館。其後北京圖書館又有零星收購，
連前藏共有 4541 卷。此外，上海圖書館等也有少數零卷。

磧砂藏

自宋紹定四年（1231）始工，元至治二年（1322）畢工，歷
時91年。平江府磧砂延聖院大藏經局開版。主持人爲法忠和尚，
功德主清圭，又沙門德璋、志淸、慧琚、慧朗、志明、志蓮、志
昌、行一、惟總、曇瑞、惟吉等。梵夾本，6,362 卷，590 函。

字體初仿柳書，入元後，又兼有趙子昂秀麗的筆意。陝西西安開元、臥龍兩寺，今尚存全藏十分之八（現歸陝西圖書館）。抗日戰爭前影印改梵夾本爲線裝本。雲南省圖書館收藏原刻本曾借以兩百部，成爲全部。

普寧藏

元至元六年（1269）開雕，到至元二十二年完成。杭州路餘杭縣南山大普寧寺主持刊刻，梵夾本，共 6,010 卷，558 函。康有爲藏有 1,200 餘冊，後售於王綏珊。我國太原崇善寺收存全部，北京靈岩寺及北京圖書館有零冊。

明南藏

明太祖敕修，洪武五年（1372）集大德於蔣山校刊，梵夾本，6,331 卷，636 函。版片藏大報恩寺，成化、萬曆年間均有刊補，現山東圖書館藏有全部，浙江圖書館藏有殘本數百冊。

明北藏

明成祖敕修，自永樂八年（1410）開雕，到正統五年（1441）竣工，版藏內庫。梵夾本，6,367 卷，637 函。萬曆十二年（1584），續刊 410 卷，41 函。鎮江超岸寺、南通狼山廣教寺、浙江圖書館均有全部。每冊封面底頁，皆用不同的織錦包裝，每冊織錦花樣顏色多不同，非常美觀。

徑山藏

紫柏禪師創刊於萬曆十七年（1589）直至清康熙十六年（1677）正藏方告完成。在餘杭徑山寺雕版印刷，故稱徑山藏。在嘉興楞嚴寺裝訂發售，故亦稱嘉興藏。方冊本，6,956 卷，678

函。佛經自崇寧萬壽大藏至明南北藏，皆爲梵夾本，紫柏禪師認爲梵夾本閱讀不便，改爲線裝方册本，故佛教大藏方册本，始於徑山藏。

龍藏

　　這是淸朝唯一的漢文佛藏刻版，也是現在還保存版片的唯一的佛藏。

　　雍正十三年（1735）敕命在北京校刻佛教藏經。乾隆初年完成。照歷代封建帝王以「龍」爲象徵，表示尊嚴，故名《龍藏》。梵夾本，7,168卷，718函。版本現存收北京柏林寺，國內各地還有多部印品收存。

(二)道藏

　　唐代宣揚佛教，又因李氏附會道教始祖「李耳」，把道教列爲國教。《道藏》的前身，爲唐開元年間編輯的《三洞瓊綱》，總計3,744卷（見明徐應秋《玉芝堂談薈》）。宋初命徐鉉、王禹偁等人校訂道教圖書，得3,700多卷，繕寫送存宮廷。大中祥符年間，又命王欽若等將道經運到餘杭，依照舊目刊補洞眞部620卷，洞玄部1,013卷，洞神部172卷、太眞部1,470卷，太平部192卷，太淸部576卷，正一部370卷，總計4,395卷，題名《寶文統錄》（參見明胡應麟《少室山房筆叢》）。崇寧年間，又命劉遠道校定《道藏》，增至5,387卷，於政和六、七年（1116～1117）送福州萬壽觀，令福州知州黃裳招工雕版，運送京師汴京，名爲《萬壽大藏》。

　　靖康二年（1127），金人攻陷汴京，擄去徽宗、欽宗，於是汴京的《道藏》版也被金人劫去。金朝命孫道明補刻，是爲《金道藏》。

元在統一全國以前，太宗也倡刻《道藏》，命元人所尊奉的長春眞人丘處機的弟子宋德方在平陽玄都觀根據《金藏》校刻《道藏》。經過七年多時間，至乃馬眞后三年時（相當於宋淳熙四年，1177）完成，計 7,800 餘卷。世稱《玄都寶藏》。又名《宋德方藏》。

宋祥興二年（1279）元滅宋，元世祖忽必烈與佛滅道，下令將一切道教經典、經版全數銷毀（參見明陸容《菽園雜記》）。因此，宋、金、元代所刻《道藏》幾乎滅迹，現僅見北京圖書館收藏的《雲笈七籤》另卷，是《玄都藏》的殘頁（參見《中國版刻圖錄》264）。

明永樂年間（1403～1424），命 43 代天師張宇初纂修《道藏》。直到正統九年（1444）雕版，命邵以正督校，次年完畢。梵夾裝，5,305 卷，480 函，是爲《正統道藏》。到萬曆三十五年（1607），又命 50 代天師張國祥續刊道藏，凡 32 函，是爲《萬曆續道藏》。《正統道藏》共 5,485 卷，520 函，經版 121,500 餘片，直至清代還收藏在宮廷的大光明殿。光緒庚子，被八國侵略軍盡行燒毀，但北京的白雲觀等處還有藏本，曾經商務印書館據以影印。

八、版本名稱釋略

(一)寫本

唐寫本、唐卷子本

唐和唐以前的書籍，因爲雕版印刷術還未發明，所以都靠手寫。凡唐人寫卷，或經生手寫的唐人寫經，統稱爲唐寫本。這種

寫經在敦煌發現約二萬卷，多是卷子裝，故又稱卷子本。

抄本

　　凡雕版印刷發明後的寫本，除原稿和清稿外，統稱抄本。刻版印書，因受社會條件的限制，讀書人不多，所印數量不大，成本也高，所以對某些需要不廣泛的著作，不能刻版印刷，多是互相傳抄。對唐代以前的稱寫本，唐代以後的稱抄本。

稿本

　　稿本是作者的底稿，是書籍的原始形態，通稱稿本。它能如實地表達作者的真實思想，作品經過作者親筆寫的稿子，稱手稿。清稿是將手稿謄清過的，最好的是作者準備發表寫定的清稿本。沒有刻印的稿本，如果沒有副本，它就是唯一的孤本。

影抄

　　藏書家摹寫宋、元舊本，字體點畫，行格款識、分毫不差的，稱為影抄本。影抄本在寫本中占特殊地位，宋版書不容易得到，於是有人借宋本影抄。從前的藏書家遇見稀有的書，往往請有名寫手，用質薄而堅韌的紙，蒙在所據的本子上，照著原來書的式樣一絲不苟的寫，珍重收藏，一般影抄宋本就稱影宋抄本，影抄元本就稱影元抄本。

毛抄

　　晚明藏書家毛晉請人精抄的書世稱毛抄，著名於世。毛抄本多影抄宋刻本，所見毛抄以中國科學院文學研究所藏的《石林奏議》15卷為最精。影抄宋開禧本字畫挺秀，認真不苟，與原本形神酷似，如不細審，幾不辨是刻是寫。公私藏家對毛氏寫本都異

常珍視，給予很高評價。

(二)刻本

監本

由各朝國子監刻的書統稱爲監本。這個名稱開始於五代，國家最高學府國子監設有刻書機構。五代時國子監刻有九經，宋代國子監又翻刻了九經，明代在南北二京都設有國子監，專刻經史。南京國子監刻的稱南監本，北京國子監刻的稱北監本。

興文署本

元代中央機關刻書著名的是興文署，所刻《胡三省音注資治通鑒》刻印俱佳。

經廠本

明設十二監執掌管理宮廷事物，其中司禮監所屬經廠專爲宮廷刻的書叫經廠本。特點是字大紙白，書品寬大，黑口，初印卷首多鈐有「廣運之寶」大朱方印。主持其事的多是宦官，講究形式，不重內容，所刻書不爲人所重視。

殿本

殿本之名始於清朝。清朝刻書機構設在武英殿，所刻各書世稱殿本。清朝的殿本書，是從明朝經廠本發展來的。區別在於明朝經廠本由太監當權，刻印的書質量不高，清朝的殿本書由詞臣主持，注重刊物質量。順治朝，所刊的書籍，全是明朝經廠原有的工匠承辦的，格式和經廠本大同小異。康熙朝，在武英殿初設修書處，刻印極精，紙墨俱佳。乾隆四年（1739）詔刻十三經、

二十一史，仍在武英殿設刻書處，由親王大臣總裁其事，殿本書由此名聲大振。乾隆十二年（1747）刻《明史》、《大清一統志》；又刻《三通》，再刻《舊唐書》。所刻印的書，其寫刻之精緻，紙張選擇之優良，印刷墨色之光澤，校勘之詳確，無不盡善盡美，大有超越前代之勢。因此，殿本書籍，不但可以超越元明，且可與兩宋媲美，今日已不可多得。明清兩朝，宮廷內府刻本，通稱「內府本」。

局本

　　清同治年間，曾國藩以提倡文化為名，在安慶設治山書局。後來許多地方相繼成立書局。如江蘇書局，金陵書局、浙江書局、淮南書局、江西書局、湖北崇文書局等。各書局所刻印的書稱局本。書局刻印的書，以浙江書局為好，崇文書局較差。當時曾國藩與莫友芝友善，官書局創設之初，籌辦事宜委莫友芝主持。

家刻本、家塾本、私刻本

　　是指不以印賣為目的私人出資刻印的書，歷代都有。比較著名的如宋時相臺岳珂所刻《九經三傳》（稱為相臺岳氏家塾本）、元朝平陽府梁宅刻的《論語注疏》、明朝胡文煥刻的《格致叢書》。家刻本中有以室名稱呼的，如世祿堂本、汲古閣本、知不足齋本等。也有以姓氏稱呼的，如黃善夫本、周必大本、丁思敬本等。

坊刻本

　　坊是指書鋪，又稱書棚、書坊、書林、書肆、書堂、書店等。歷朝各地區凡以刻書為商的，不論字號稱為坊刻本。

浙本

　　是指浙江省刻印的書。浙江的杭州是宋代雕版印書的中心，浙本刻印精艮，爲宋本之冠。經國子監校勘的書多在此雕印。浙江刻書除杭州外，還有紹興、吳興、衢州、建德、臺州等地。浙本書，大都字體方整，刀法圓潤，別具風格。

蜀本

　　宋代四川地區所刻的書，稱爲蜀本。因字體較大，又稱蜀大字本。蜀本字大、紙白、字用顏體，刻印認眞。蜀本中又可分爲成都本和眉山本。紹興年間刻的《眉山七史》是其代表作。

麻沙本

　　麻沙是指福建建陽縣的麻沙鎮說的。麻沙鎮多產榕樹，木質鬆軟，多用雕版印書，因此稱爲麻沙本。麻沙本在宋版書中。訛誤較多，不爲世人重視。

(三)活字本

聚珍本

　　清乾隆三十八年(1773)金簡奏請用棗木刻成活字，刻印《四庫全書》中稀見而有益於世道的善本書。高宗弘曆因活字版名稱不雅，改稱聚珍版，世稱武英殿聚珍本。武英殿共刻大小木活字253,500 個，共約印 148 種書，後來因爲需要量較多，各地官書局也仿照聚珍版印書，通稱外聚珍。因此。把武英殿的活字本稱內聚珍，以示區別。

仿宋本

宋元時代刻書，書寫多出自長於書法人之手，字體遒勁秀麗。明代以後刻書，多由一些普通工匠書寫，另創一種橫輕豎重的字體，俗稱為匠體。至清朝，刻寫技術日益精工，刻書時往往摹仿宋版的字體。用仿宋版書字體所刻的書，稱為仿宋本。用仿宋體活字所印的書，則稱為聚珍仿宋本。

㈣孤本、珍本、善本

孤本

指某書的某一刻本，在世界上僅存有一份流傳的書叫孤本。如南宋杭州貓兒橋鍾家紙馬鋪所刻《五臣文選》，北京圖書館收藏的宋本《楚辭集注》等都是。當然有時所說海內孤本未必是只有一本，只是言其稀貴而已。

珍本

古籍中刻印較早，流傳較少，文物價值或學術價值較高的珍貴書稱為珍本。無論宋元舊刻，稿本、抄本、批校本、或有名家題跋的本子，都可以稱為珍本。

善本

凡是內容較好，流傳較少，刻印較精，校勘認真，無錯訛脫漏或具有較高的文物價值和科學研究參考價值的古籍，並在歷史文物性、學術資料性或藝術代表性上，或其中某一方面具有特殊價值的書，均可稱為善本。如乾隆以前流傳較少的刻本、活字本、套印本，以及稿本、抄本、批校本等都是。

（五）近代印本

石印本

用石材製版所印的書，稱爲石印本。方法是用富於膠著性的藥墨，寫原稿於特製的藥紙上。待稍乾後，將藥紙復鋪於石面。揭去藥紙，用水拂拭，趁水未乾，滾上油墨。石面因有水的阻力，不著油墨；其有字畫之處，則著油墨。鋪紙壓之，即印成書。光緒年間，點石齋，同文書局及拜石山房等印的《康熙字典》、《佩文齋書面譜》等都是這樣印成的。

影印本

近代以來，由於印刷術的進步，凡遇古版稀見的珍善佳刻，爲了廣泛流傳，又不失本來面貌，往往影印出版。影印的方法是以原書逐頁照像，用所照的玻璃版曬印在黃膠紙上，再把黃膠紙上的像落到石版上，然後用普通石印方法印製。如商務印書館所印的《四部叢刊》，雙鑒樓印的《百衲本資治通鑒》等都是。影印本有的保持原書大小，有的則縮印。

九、版本款識

（一）行款與版框

行款

行款是指書中正文的行格數和行字數。古書的行款，通常是以半頁爲準。著錄時，多記每半頁若干行，行若干字。也有省去

「每半頁」三字的。如若每行字數不相等時，則著錄最多或最少數，另注「不等」二字加以說明。如「十四行，行二十五六七字不等」，或用「至」字以連接，如「十五行，行二十七字至三十字」。古籍中，同一種書，不同時期不同刻家刻印，行款字數往往不同，所以，行款也是鑒別版本的根據之一。

版框

　　版框是指書版的四周。高廣是指版框的尺寸說的。縱的稱高，橫的稱廣。我國目錄家著錄版框的大小，最早見於瞿中溶《古泉館題跋》。但，每提到一書，只說大版、中版而已。至繆荃孫作《學部圖書館善本書目》，才以尺寸記載版框的高廣。以後，許多版本學家仿效，並以營造尺為標準。如涵芬樓影印《四部叢刊》，在每書的扉頁後邊，特記原書版框，高營造尺若干寸若干分，廣若干寸若干分。但營造尺不如公分精確通行，如今均採用公分為標準。

(二)邊欄與版口

邊欄

　　書版四周的界線，稱為邊欄。上方的叫上欄，下方的叫下欄，兩邊的叫左右欄。四周界線只畫一道粗墨線的，稱為單邊。在粗墨線之內，又附一道細墨線，稱為雙邊。上下兩邊沒有細線，僅在左右兩邊有細線的，稱為左右雙邊。上下左右全有細線，稱為四周雙邊。元代版本，多四周雙邊。這種四周雙邊，俗又稱文武邊欄。有的書為了美觀還有卍字欄（卍俗稱萬字不到頭，又名萬字欄）、竹節欄和博古欄。此外在古刻本中，或有橫分上下兩欄或三欄的，亦有欄外附有耳格的，但不多見。

版口

　　古籍一頁書正中間（中縫）折疊的地方，稱爲版口，亦稱版心或書口。版口中有專爲折疊時作標記用的象鼻和魚尾，刻在上下兩端，分述如下。

1. 象鼻

　　版口上下兩端的界格，稱爲象鼻。它好似象鼻子在胸前，象鼻是以形狀起的名字。象鼻中是空的，稱爲白口。象鼻中有細窄墨線的，稱爲黑口或稱爲細黑口、線黑口。象鼻中有粗黑線或全是黑的，稱爲大黑口或粗黑口。象鼻中間刻有文字的，稱爲花口。宋版多是白口或小黑口，元版多是大黑口或花口。明代則以黑口爲貴。黃丕烈的《藏書題跋續錄》記載：「書籍有明刻而可與宋版埒者，惟明初黑口版爲然。所藏有《周職方詩文集》，所見有天順本《丹崖集》，皆黑口，稱爲珍本。」

2. 魚尾

　　趙愼畛《楡巢雜識》說「書中開縫每畫 ◣◢，名爲魚尾，象形也，始於唐太宗」。魚尾多刻在書頁的版心上節或下節，也是折疊書頁的標記。上下兩魚尾相隨的，稱順魚尾，兩魚尾相向的，稱對魚尾。在版口上邊刻一個魚尾的，稱單魚尾。刻兩個的稱雙魚尾。各時代刻書採用不同種類魚尾，因此對鑒定版本也有一定的幫助。如元末刻本常採用花魚尾。白的稱白魚尾，黑的稱黑魚尾。此外還有線魚尾、花魚尾。白魚尾：◸◹，黑魚尾：◣◢，線魚尾：◸◹，花魚尾：◤◥。

(三)字體

楷書

　　我國書法，自魏晉而後，書法家各形成一體。因此寫書雕

版，亦各仿其家法。宋時刻書的字體，多仿歐陽詢、柳公權、顏真卿三家。而三家之中，顏體最為當時世人所推崇。若論寫刻書版字體，當以歐柳二家為美觀。歐柳二家字體間架波磔，疏密適中，而又毫無跛踦肥瘦之病，如果能再取之其他名家筆法優點，更令人賞心悅目。如松雪齋所藏的《漢書》，字體在歐柳之間，皕宋樓所藏的《宋禮部官書六韜》，有歐顏筆意，北京圖書館所藏的小字本《通鑑紀事本末》，體兼顏柳，都是稀世珍品。元時刻書家又多仿趙體，其中以花溪沈氏所刻的《松雪齋集》最為著名。我們鑒別古書的版本，楷書字體的變化形式和風格上，亦可推知其時代的大概。

匠體

　　匠體是指書工所寫的字，名稱有二：在宋版中有一種整齊方正的字形，雖然不同於楷體，但仍帶有楷書風格，版本家稱為宋匠體；明末開始有專業書工，寫一種橫輕豎重的膚廓字樣，一時頗為流行，版本家稱為明匠體。明匠體因其字體是明朝隆慶、萬曆年間的人所創，所以有人稱之為明朝字。清康熙十二年（1673）。敕廷臣補刊經廠本《文獻通考》脫簡，在卷首的序文中明確規定：「此後刻書，凡方體均稱宋字，楷書均稱軟字。」

古體

　　宋代以來，又有一派刻書的人，好用古體作楷書。宋岳珂《九經三傳沿革例》記載：「其有甚駭俗者，則通之以可識者（注如宜之為宜，晉之為晉之類，皆取之石經遺文）。」「非若近世眉山李肩吾——從周所書《古韻》及《文公孝經刊誤》等書，純用古體。」據此可知，刻書採用古體字已經頗為盛行。到了明代，遺風未衰，如嘉靖年間閩中許宗魯刻書，好用《說文》字寫正楷，就

是顯著的一例。

<u>異體</u>

　　古書輾轉流傳，產生各種版本，字體很難避免訛謬。宋岳珂《九經三傳沿革例》記載：「字學不講久矣。今文非古，訛以傳訛。魏晉以來，則又厭樸拙嗜姿媚，隨意遷改。義訓混淆，漫不可考。重以避就諱名，如操之爲摻，昭之爲佋，此類不可勝舉。唐人繼承西魏，尤爲謬亂。至開元所書《五經》。往往以俗字易舊文，如以頗爲陂，以平爲便之類更多。五季之後，鏤版傳印，經籍之傳雖廣，而點畫義訓訛舛自若。」從中可以了解到宋版書籍中，字體訛謬的現象，也不在少數。雖然後人刻書，多注意正誤，然而版本學家卻可以通過書中異體訛誤痕迹，推斷辨別該書刊刻年代情況。

<u>簡體</u>

　　在舊社會，稱簡筆字爲俗體字。如天祿琳琅所藏的元版《樂書》中，禮字作礼，興字作兴之類，現在我們在著錄古書，遇到有這一類的字體，則應稱爲簡體字。

（四）特殊標誌

　　除象鼻、魚尾等項之外，還有其特殊的標誌，是考究版本的重要因素。

<u>圈發</u>

　　圈發是用以分辨字音的標誌。即在比較難於讀音之字的四角中任何一角，刻上一個小圓圈，用以表示這個字的讀音，應該在平上去入四聲之中發那一聲。這個辦法在宋朝就有。岳珂《九經

三傳沿革例》記載：「音有平上去入之分，則隨圈發。」

句讀

　　句讀是書中文詞休止和停頓的標誌。一般古籍，凡是在文詞應該讀成一句的地方，就在它的旁邊刻上一個點或一個圈，以示讀句。岳珂《九經三傳沿革例》記載：「監蜀諸本，皆無句讀。惟建本始仿館閣校書式，從旁加圈點。開卷了然，於學者爲便。」又元黃公紹《韻會舉要》記載：「凡經書成文語絕處，謂之句。語未絕而點分之，以便誦詠，謂之讀。今祕書省校書式，凡句絕則點於字之旁，讀分則點於字之中間。」

篇章號

　　篇章號是表示書中一篇或一章分段的符號。古書一般是每到一篇或一章時，則提行另寫，在其上端另加一個圓圈。這個例子，可在日本影印的《唐寫本漢書食貨志》上看到。書中凡「漢興宣帝即位」、「元帝即位」、「成帝時」、「哀帝即位」等等，都是提行另寫。清王先謙《漢書補注》記載：「據唐本猶可想見當日《班志》面目，各卷分異。刊本改爲首尾相銜，非復舊觀。」

墨圍

　　墨圍是在書中的某幾個字或某個別字的周圍，用墨線圍起來，以表示注疏和小標題，作用與今天的冒號和破折號相似，有時，亦做表示專名之用。

陰文

　　陰文是書中特別的白文。其作用與墨圍略同，而專用於表示增補的文字。例如唐愼微《證類本草》一書，書中《神農本經》（眞

偽暫不論）有後人增補之文字，即以白文爲別。

缺文

缺文記號，有空白、墨等兩種，表示此書有缺文，待遇善本時，用以校對補刻。

1. 空白

空白亦稱白框，原起於古書抄本，以後刻本，也採用這種辦法。如《穆天子傳》等，其中有許多白框。如當中空白的□形墨圍，就是表示缺文之處。

2. 墨等

墨等亦稱爲墨釘。即用一個和文字大小相似的四方墨塊，以示缺文，並示校勘正確的時候，另行補刊。自南宋時就有這個辦法，如陳道人書棚所刻的《三唐人集》，其中頗多墨等。另外，還有在墨等之上，加刻陰文的，稱爲墨蓋子。

口題

古書有在版口中，刻上書名或卷次的，另外，有刻頁數和字數的，還有刻上刻工的姓名和刊行人的姓名的，統稱爲口題。刻法大抵書名只刻一二字，明萬曆以後才刻全書名。頁數、字數，多刻在白口或小黑口的空白地方。刻工姓名，普遍都刻在下端，刊行人的姓名，大都刻在欄外左下角。例如傅增湘記日本帝室圖書寮藏宋刊《論衡》時載：「版口上記數字，中記《論衡》，下記刻工姓名，刻工之可辨者，有李文、童志諸人。」

耳格和耳題

有的書在邊欄外左上方或右上方，另刻一個小方格，內略記書中篇名，稱爲耳格或書耳。耳格中所刻的文字，稱爲耳題。此

例始於宋岳珂所刻之《九經三傳》。不論有無耳格，凡邊欄外左上角所刻的文字，稱爲左耳題，右上角所刻的文字，稱爲右耳題。

欄外題

凡邊欄外，左下角或右下角有所題字者，稱之爲欄外題。在右方的，稱爲前欄外題，在左方的，稱爲後欄外題。

插圖

插圖是書中最要緊的一項，我國書籍自古已有插圖。葉德輝《書林淸話》記載：「古人以圖書並稱，凡有書必有圖。《漢書・藝文志》論語家，有《孔子徒人圖法》二卷。」《隋書・經籍志》禮類，有「《周官禮圖》十四卷」。由此可知書之有圖，遠在雕版術之前。雕版術興起之後，宋有《繪圖列女傳》，元有《繪像搜神前後集》。至明淸書中的插圖，尤爲精妙。例如明仇英《繪圖列女傳》，顧鼎臣《狀元圖考》以及《三國志演義》、《玉茗堂四夢》，淸內府刊本《避暑山莊圖詠》、《南巡盛典》、《補蕭雲從離騷全圖》等等，實不勝數。

書牌(木記)

宋人刻書，往往在書的卷末，或序文目錄後、封面後，刻印一個墨色圖記或牌記，稱爲書牌或木記。元明以後刻書，也多效仿，文字有長有短，邊框形狀也不一致。有鐘式、爐式及龕式的，如季振宜藏元刊本《集千家注分類杜工部詩》（見《天祿琳琅書目》）。有爵形的或鬲形的，如永樂初朱典精書堂所刊的《大廣會玉篇》（見《皕宋樓書志》）。有亞字形的或沒有邊框而隨行書寫的等等。

古書多是用名手書寫稿本，然後上刻，也有自己書寫的。這種記載，往往見於序跋題識，或簡單的記於版口或卷尾。若記一般人書寫的，如《天祿琳琅後編》十一，元版《文心雕龍》，卷末刻吳人楊鳳繕寫，《續博物志》卷末有開化庠生方衛謹錄字樣。至於刻書人的姓名，則多刻在版心的下側或邊欄之外。如日本靜嘉堂所藏的宋刻孝宗本《說文解字》，刻書人為史伯工、吳玉等。元刻《中州集》，刻書人為仁仲等。近代陶湘所刻的《儒學警悟七集》，在目錄之末刻有黃岡饒星舫寫，京都文楷齋刻。此為刻書人姓名刻在版框內的。

十、版本鑒定

我國古籍不但品種繁多，就是同一種書，根據社會需要也有重刻、翻刻、官刻、私刻、坊刻、甲刻、乙刻；初印、後印、補版的區別。在刻印過程中，由於具體條件不同，寫、刻、印工、用料、校勘精劣，各有差異。也有些刻書家自作聰明，有的書坊主人追求利潤，對原刻增删改動，或不認真校勘，草率從事，以致錯誤百出。因此，正確鑒定版本，識別刻印時代和真偽優劣的工作是十分重要的。

(一)寫本鑒定

古籍中除刻本、活字本外，還流傳著一些手抄本。同是抄本，但時間有早晚，字有精粗，內容有正誤，抄本越古越接近原稿。因此，舊抄價值高，新抄價值差，清代學者注重校勘，很多抄本都是經過校勘，更為可貴。

我國抄本流傳至今，最早的是唐以前的寫經，宋元抄本傳世

極罕，明人抄本也日漸稀少，一般見到的抄本，清朝較多。鑒定抄本雖比較複雜，但可從以下幾方面入手：

第一，掌握各代書法和書寫的風氣。

文字除作爲書寫工具還是一種藝術品。我國歷代都出現了一批書法家，他們的書法藝術往往影響著一個時代。如晉朝的王羲之、王獻之父子，唐朝的虞世南、歐陽詢、顏眞卿、柳公權，宋朝的蘇軾、黃庭堅、米芾、蔡襄，元朝的趙孟頫，明朝的唐寅、董其昌等。

第二，掌握書寫用紙。

書寫用紙，唐以前除少數考古發現之外，傳世不多。現在見到的唐人寫經多用藏經紙，顏色黃褐，略有棉性，質地厚硬，不透明。相傳李後主製有「澄心堂紙」，質細性柔，潔白如玉，惜未見實物。宋元寫本絕少著錄，印本多用白麻紙與黃麻紙。明代代表性的用紙爲棉紙和竹紙，清代爲開化紙和太史連紙。

第三，熟悉名家名號的圖章印色。

明清抄寫的人多是藏書家，除自己親筆手抄，還請人抄寫。如毛晉汲古閣就是請人抄書。清代學者大都精於校勘，如長洲何焯字屺瞻，也稱義門先生，批校至精，故傳本中抄錄他的批校的很多，餘姚盧文弨字召弓，號抱經，晚號弓父，精於校勘，小字勁秀。鮑廷博，字以文，號淥飮，別寫通介叟，字學顏柳，行楷兼用，其所批校汲古閣本陸游《劍南詩稿》據九種本子，花費十幾年功夫，朱黃藍綠，滿卷生輝（今藏北京圖書館）。元和顧廣圻，字千里，號澗賓，畢生精力都用於校勘工作上，校書精當，爲世人所推崇。陽湖孫星衍，字淵如，別號五松居士。海寧陳鱣，字魚仲等都是清代著名校勘者。仁和勞權、勞格兄弟，都長於校勘。權字平甫，號巽卿，鐵劃銀鈎，工楷秀麗，一絲不苟，功力極深。

古籍凡經名家收藏，多在卷首卷尾，前後扉頁，鈐蓋自家圖章，治印多用篆書。藏書用印，明初官家有用水印的，一般用油印，印油用硃砂合油製成。好的印油顏色鮮艷雅緻，經久不變。藏書章除刻姓名外，還多刻齋堂名號，如明代范欽的天一閣，清代黃丕烈的「百宋一廛」，劉世珩因得了元本《玉海》，因此稱其室爲《玉海堂》等。

第四，熟悉藏書家習用的格紙。

明代趙琦美，堂名脈望館，抄書用紙印墨格。

明代吳寬，堂名叢書堂，抄書用紙印紅格。

淸代錢謙益，堂名絳雲樓，抄書用紙印墨格或綠格，版心有絳雲樓三字。崑山徐乾學，堂名傳是樓，抄書用紙版心刻有傳是樓字樣等。

(二)刻本鑒定

第一，根據目錄序跋

判斷圖書版本，首先要根據目錄檢查是否完整。如無目錄，可參考工具書來檢查，隨後要看序跋。書序情況很複雜，分前序後序，有的大部頭的書又分爲大序和小序。撰者自作的稱自序，他人代序稱爲別序。有些書往往翻刻一次就寫一次序，鑒定版本時，要分別那些是翻刻前人的序，那些是最後刻書時的序，只有這樣才能正確的判斷該書的年代。還有注意是否最後的序文被人撤掉，方法是看序文的年代和刻書的時代風格是否矛盾，不能單純以序斷年。

第二，根據封面和牌記

歷代刻本中，往往在序目後或卷尾刊刻牌記，明淸以來也有在書前有封面。這些牌記和封面的記載如不是後人翻刻的，便是判斷圖書版本的重要依據。如宋刻本《周賀詩集》，卷末題有「臨

安府棚北睦親坊南陳宅書籍鋪」一行；元刻本《靜修先生文集》卷末刻有「至順庚午孟秋宗文學刊」雙行牌記；明嘉靖本《大明一統志》後有「大明嘉靖已未孟秋吉旦書林楊氏歸仁齋重梓行」雙行蓮龕式牌記。又如金陵陳氏繼志齋萬曆年刊印《半夜雷轟薦福碑》封面題「繼志齋原版」；清嘉慶年間刊《三星園》封面題「嘉慶庚午鐫，版藏尺木堂」。根據牌記和封面判斷版木時，首先要注意牌記和封面是否翻刻的，其次要注意封面是否舊版重印時改換的。

第三，根據卷端所題著者、注釋者、校勘人

著者、注釋者、校勘者都是同一時代的，一般就是那個時代的版本。如果不一致，只能以最後的時代算。如《資治通鑒》只題宋司馬光撰，加上其它條件，可能是宋版，如果還有「天臺胡三省音注」，這就只能是元以後刻印的。再加王充的《論衡》卷端有程榮校刊字樣，那就只能是明《漢魏叢書》本。

第四，根據版刻特點和字體風格

歷代刻書不管有無序文和年代，只要是原刻本，就可以根據時代風格和地方特點，大致判斷它的版本。要注意同一書不同版本的比較研究，條件不具備者可利用書影解決，如繆荃孫的《宋元書影》，楊守敬的《留眞譜》，翟啓甲《鐵琴銅劍樓宋金元本書影》，潘承弼、顧廷龍《明刻版本圖錄》，北京圖書館《中國版刻圖錄》等。

第五，根據印書用紙

歷代印書用紙，後代人除極少數用舊紙印書的以外，比較難以偽造，因此也是鑒定版本比較可靠的方法之一。如宋元刻本多白麻紙和黃麻紙，明初和中期多爲白棉紙，後期多竹紙。清初多開化紙、開化榜紙、太史連紙，後期多竹紙、毛邊紙、連史紙等。

第六，根據避諱字識別

在封建帝王統治時期，不得直書君主或尊者之名，即所謂避諱。避諱之例始於周朝，行於秦漢，盛行隋唐，嚴於趙宋，直至民國改元才廢除。避諱的方法各朝不盡相同，常用之法有改字、空字和缺筆。如東漢明帝叫劉莊，所以書中的莊字都改成嚴字，魯莊公改爲魯嚴公，楚莊王改爲楚嚴王。又如康熙名玄燁，書中出現三國時劉備字玄德就缺筆刻爲玄德，又如雍正名胤禛，胤字就缺筆寫作𦙍。

第七，根據刻工姓名

歷代刻本中往往在版心下端刻有刻工姓名。這些刻工，既有時代性，又有地方性，因此是鑒別版本的重要根據。如南宋紹興年間杭州刻本的《廣韻》版心有陳錫、包正、陳明仲、孫勉等人。《樂府詩集》雖然沒有序跋牌記，但也同樣有以上這些刻工，就大致可以斷定是南宋杭州刻本。日人長澤規矩也輯有《宋元刊本刻工姓名表》（發表在《書志學雜誌》），我國有鄧衍林譯文，刊於《圖書館學季刊》8卷3期（1934,9），可供參考。

第八，根據行款字數識別

一種古書常有多種刻本，如《楚辭》、《史記》、《陶淵明集》、《杜工部集》等刻本尤多，各家行款字數並不一致。清江標依據各家著錄輯爲《宋元行格表》3卷，可做爲考訂版本的參考。此外還可以利用諸家藏書目及版本目錄進行考訂，如《北京圖書館善本書目》、《上海圖書館善本書目》、《北大圖書館善本書目》等。

(三)活字本鑒定

活字印書，儘管製作活字的原料和方法各異，但檢字、排版、印刷的過程卻基本相同。因此，凡活字印本就具有共同的特點，爲了鑒定活字本，就要弄清活字本和刻本的區別，要掌握活

字本的特點。

第一，欄線或橫線和豎線在四角交接處不那麼合嚴四縫，界行格線兩頭與欄線互不銜接，雕版印本就沒有這種現象。因爲刻本的欄線行格是在上版前事先劃好的，是在一塊整版上刻的，就沒有上述排版的痕迹。

第二，由於古代技術條件的限制，活字本排字的行不整齊，有些字排的歪歪扭扭，還有個別字排倒，如《詩經質疑》卷9「質」字就排倒了。

第三，字的大小不一。活字每字一刻，限於當時的技術水平，字的大小不完全相同。而刻本由於是寫稿上版的，所以字體大小基本一致。刻工一氣呵成，所以字體勻稱。

第四，活字本的筆劃粗細不同。

第五，墨色輕重濃淡不一，因爲活字擺印後凹凸不平，不似刻本的版子是刮平的，所以活字本印出來墨色輕重不一。

第六，活字本印書，每字獨立，字劃絕無交叉，而刻本寫稿上版時爲了行氣整齊，結構美觀，橫豎撇捺均時有交叉。

第七，活字本上下欄線整齊，刻本由於書版漲縮致使版心大小不一，欄線不齊，（主要是上欄明顯不齊，因爲裝訂時按習慣先齊下欄）。

第八，活字本沒有斷裂現象，活字印書，印完就拆版，再印再排，所以不能出現斷裂現象。而刻版則不然，出版年深日久，風吹日曬，後印本往往出現斷裂或修補。

第九，版心魚尾與左右行線有縫隙，這也是因爲魚尾是排上去的，不是像刻本那樣刻在一塊版上的，所以必然不能嚴合。

第十，行線時有時無。因爲行線也是排上去的，因爲不平有的印不淸，和字的輕重濃淡不一的道理是一致的。

各種活字印本之間也有一些區別。泥活字、木活字等非金屬

活字的印本和銅活字、鐵活字、鉛活字等金屬活字的印本比較，非金屬活字印書的字體不如金屬活字尖銳。雖然活字版均有著墨濃淡不一的情況，但金屬活字較非金屬活字印本更爲突出，活字印書的版式、字體等都和時代關聯密切。

活字本是用各種物質材料製成的單字排印的，根據它的特點一般是可以鑒別的，但刻本書中有少數影刻活字本則比較難以鑒別。因爲影刻活字本字體、行格、欄線、行氣、傾斜等情況都和活字本一樣，鑒定時稍一疏忽，就要弄錯，下面就已知的情況敍述如下：

復刻明活字本的有《錦繡萬花谷》，這是明徽藩崇古書院影刻華燧會通館銅活字本的，版心上欄刻有「崇古書院」四字。還有《會通館印正文苑英華辨證》，北京圖書館善本書目著錄爲木刻本（也有人認爲是活字本），《蔡中郎集》影刻華堅蘭雪堂活字本，字體行抉一仍其舊，惟書口「蘭雪堂」三字未刻，書尾「錫山蘭雪堂華堅允剛活字銅版印行」牌記二行未刻，但書中有明顯的斷版處。此書爲誰人所刻未詳，清翻刻活字本有廣東廣雅書局所刻之聚珍版叢書，係影刻武英殿聚珍版叢書本，其他如福建聚珍本、江西書局刻聚珍本等，都是影刻活字本的。

影刻活字本與活字本既然有共同的特點，那麼如何鑒別呢？

❖影刻活字本雖然有活字本的特點，但終究又是刻本，因此必然帶有刻本的一些特點。所以，鑒定影刻活字本時就要從貌似活字本的特點中發現其刻本的痕迹。要注意以下幾點：

第一，注意欄線四角是否嚴合。

第二，字迹著墨輕重濃淡是否均勻。

第三，有無斷版。

第四，版式有無變動，如《錦繡萬花谷》書口上的「會通館」改爲「崇古書院」；《蔡中郎集》書口的「蘭雪堂」三字未刻，書

牌未刻等。

　　第五，用紙不同，如聚珍版叢書，內聚珍爲開化紙或太史連紙印刷，外聚珍爲廣東黃色山貝紙和白色木槽紙印。

（蔡志敏　王繼祥）

4 古籍目錄

一、目錄與目錄學

(一)什麼是目錄

目錄是目與錄的合稱，成詞大約在西漢。

《漢書·敘傳》曰：「劉向司籍，九流以別。爰著目錄，略序洪烈。敘藝文志第十」。

《漢書·藝文志》曰：「每一書已，（劉）向輒條其篇目，撮其旨意，錄而奏之。」

可見，目是指一書的篇目，錄是一書的旨意。劉向校定圖書後，把一書篇目和主旨報告給皇帝，並載在本書，稱之為敘錄。如現存的《戰國策》、《荀子》、《晏子》、《管子》、《鄧析子》、《韓非子》、《列子》、《說苑》、《山海經》等書的敘錄即是。

(二)一書目錄與羣書目錄

梁阮孝緒《七錄序》曰：「昔劉向校書，輒為一錄，論其旨歸，辨其訛謬，隨竟奏上，皆載在本書，時又別集眾錄，謂之別錄。」

劉向校書之後，「條其篇目，撮其旨意。」寫成敘錄，報告給皇帝，並載在本書，這就是一書的目錄。這種目錄是擷取每篇

開頭二三字爲題，或隨事立意，概括一篇之要旨，以做爲篇目。前者如《詩經》的「伐檀」篇，《論語》的「學而」篇，《孟子》的「公孫丑」篇等皆是；後者如《莊子》的「逍遙遊」，《墨子》的「天志」，《荀子》的「勸學」等皆是。

　　一書的目錄可舉《列子敍錄》爲例：

> 天瑞第一。黃帝第二。周穆王第三。仲尼第四。湯問第五。力命第六。楊朱第七。説符第八。右新書定著八篇。護左都水使者，光祿大夫臣向言：所校中書《列子》五篇，臣向謹與長社尉臣參校讎太常書三篇，太史書四篇，臣向書六篇，臣參書二篇，内外書凡二十篇。以校除複重十二篇，定著八篇。中書多、外書少。章亂布在諸篇中。或字誤以「盡」爲「進」，以「賢」爲「形」，如此者衆。及在新書有棧，校讎從中書，已定皆以殺青，書可繕寫。列子者，鄭人也。與鄭繆公同時，蓋有道者也。其學本於黃帝、老子，號日道家。道家者，秉本執要，清虛無爲，及治身接物，務崇不競，合於六經。而《穆王》、《湯問》二篇，迂誕恢詭，非君子之言也。至於《力命》篇，一推分命，《楊子》之篇，惟貴放逸，二義乖背，不似一家之書；然各有所明，亦有可觀者。孝景皇帝時，貴黃老術，此書頗行於世。及後遺落，散在民間，未有傳者。且多寓言，與莊周相類，故太史公司馬遷不爲列傳。謹第錄，臣向昧死上，護左都使者光祿大夫臣向所校《列子書錄》，永始三年八月壬寅上。

　　在劉向校書敍錄中，敍述了校理圖書的版本、依據、錯簡錯字、校讎所定篇目及次第，介紹了作者的姓名籍貫、時代及其生平事跡，分析了書的内容、價值及其優劣之處評述了作者的學術思想，説明了各書的流傳及其影響。

古書的敍錄往往置於書後，《太史公自序》、《漢書‧敍傳》、《論衡序》、《呂氏春秋序言》、《淮南子要略》等是，另外一種單行目錄，如《文選注》引《七略》所載：「尚書有青絲編目錄。」鄭玄《三禮目錄》等是。

所謂「別集眾錄，謂之《別錄》」，即把劉向所寫的各書敍錄，編在一起，就成為有篇目有提要的羣書目錄了。《別錄》20卷是較詳細的有提要的羣書目錄。劉向兒子劉歆就刪繁撮要著為7卷本《七略》。班固又刪取《七略》，做為《漢書》十志之一的《藝文志》。目前《漢書‧藝文志》是現存的最古的綜合性的羣書目錄。此外，已佚楊僕的《兵錄》，是專科性的羣書目錄。

(三)什麼是目錄學

我國有四千年有文字可考的歷史，有豐富的文化典籍，圖書目錄產生的也很早。《隋書經籍志序》曰：「古者史官既司篇籍，蓋有目錄以為綱紀，體制湮滅，不可復知。孔子刪書，別為之序，各陳作者所由。韓、毛二詩，亦皆相類。漢時劉向《別錄》、劉歆《七略》，剖析源流，各有其部，推尋事跡，疑則古之制也。」向歆父子通過20年的目錄工作實踐，又認真總結前人的經驗，編成了大型的國家藏書分類提要目錄，他們在輯略和敍錄中充分闡發他們的目錄學思想，為我國的目錄學奠定了基礎。以後班固《漢書‧藝文志序》、阮孝緒《七錄序》、《隋書經籍志序》等，對他們的目錄學思想又有所發展，但稱之為目錄之學還是宋代以後的事情。

北宋仁宗時，蘇象先在其所著《蘇魏公譚訓》卷4中說：「祖父謁王原叔，固論政事，仲至侍側，原叔令檢書史，指之曰：『此兒有目錄之學。』」這是目錄之學最早的記載。同時在南宋有鄭樵《校讎略》理論著作出現。清代，隨考據學的發展，又有金

榜、王鳴盛、姚振宗、朱一新等著名學者的提倡，使目錄學一時成爲「顯學」，並出現章學誠《校讎通義》目錄學理論著作。

在印刷術發明之前，我國古代典籍都是手寫，經歷了簡牘、帛書、寫卷等多種歷史階段，因此「書缺簡脫」以及書寫訛誤等情況，在所難免。所以，漢唐以來，歷朝無不蒐羅佚書、對政府藏書進行校讎，並在廣羅異本進行校勘的基礎上編寫目錄，所以目錄學、版本學自鄭樵到章學誠都把它們包括在校讎學中。其實版本、校勘、目錄三門學科，雖然在形成和發展過程中互相依賴、互相作用、關係密切，但他們所研究的對象和範圍畢竟不同。所謂校讎、係指「一人讀書、校其上下，得謬誤爲校，一人持本、一人讀書、若怨家相對，故曰讎也」。狹義的校讎工作，就是圖書文字的校勘工作。所謂目錄，是目與錄的合稱，目是指篇目，錄是指篇目和該書旨意的記敘。目錄學則是研究目錄和目錄事業發生發展規律的科學。至於版本學則是記錄圖書各種版本的異同，並研究其鑒定規律的學問。三者互有聯繫又互有區別，正如王鳴盛在《十七史商榷》中所指出的：校勘學要求是「比勘異同，注其錯訛，是正文字」。目錄學要求是「考鏡源流、辨章學術、部次甲乙、條別異同」。版本學則要求：「廣羅異本、審勘異同、考鏡源流、求其祖本、明其是非、鑒別優劣、欲人擇優選本、因書究學。」

我國目錄學史上，形成過各種目錄學的流派：有主張綱紀羣籍、部屬甲乙的所謂：「目錄家的目錄學」；有主張辨章學術、考鏡源流的所謂「史學家的目錄學」；有主張鑒別舊槧、校讎異本的所謂「藏書家的目錄學」；有主張提要鈎玄、治學涉徑的所謂「讀書家的目錄學」。實際上這幾者是很難分開的，往往是各執一偏。

姚名達先生在《目錄學》一書中，認爲：「目錄學者，將羣書

部次甲乙，條別異同，推闡大義，疏通倫類，將以辨章學術，考鏡源流，欲人即類求書、因書究學之專門學術也。」

二、目錄的體例與名稱

(一)目錄體例

我國的目錄學最重視辨章學術，考鏡源流，以指示治學門徑，具體體現在總序、小序、類別和解題上。余嘉錫先生在《目錄學發微》一書中明確提出了目錄的三種體例：

一曰部類之後有小序，書名之下有解題者。

這種體例的目錄有宋晁公武的《郡齋讀書志》、陳振孫《直齋書錄解題》、元馬端臨《文獻通考·經籍考》和清代《四庫全書總目提要》等，這種目錄通過序文、類例和解題，系統完整地體現辨章學術、考鏡源流的任務。章學誠在《校讎通義》序中說：「校讎之義，蓋自劉向父子，部次條別，將以辨章學術、考鏡源流，非深明於道術精微，羣言得失之故者，不足以語此。後世部次甲乙，記錄經史者代有其人，而求能推闡大義，條別學術異同，使人由委溯源，以想見墳籍之初者，千百之中，十不一焉。」

二曰有小序而無解題者。

這種體例的目錄有《漢書·藝文志》、《隋書·經籍志》等。章學誠《校讎通義》曰：「《漢志》最重學術源流，似有太史公敍傳及莊周天下篇、荀卿非十子之意，此敍述著錄，所以有關明道之要，而非後世僅計部目者之所及也。」他之所以竭力稱揚《漢志》是因為「劉氏《七略》亡矣，其義略可見者，班固藝文志注而已。」

三曰小序、解題並無，只著書名者。

這種體例的目錄有《新唐書・藝文志》、《宋史・藝文志》、《明史・藝文志》、《通志・藝文略》和《書目答問》等。這種目錄大約起於《舊唐書・經籍志》，其序文曰：「熙等四部目及釋道目，並有小序及注撰人姓氏，卷軸繁多，今併略之，但記篇部」。至鄭樵作《通志・校讎略》發「泛釋無義論」，因以《崇文總目》為繁文，遂只著書名。

(二)目錄有關名稱

僅就目錄有關名詞分述如下：

⌷ 總序和小序

總序就是各部類之前的總的說明。小序指各種按類編排書目中的部序和類序。

總序和小序具體所指，由於各種目錄的體例不同，編者的理解也不盡相同。如《漢書・藝文志》、《隋書・經籍志》都是前有總序，部、類之後又有部序和類序。而《四庫全書總目提要》前列凡例 20 條，「四部之前各冠以總序」，「四十三類之首亦各冠以小序」，這就是把部序稱為總序，類序稱為小序。按著一般的理解，以前者為是。

❖序是我國目錄的重要組成部分，其作用大致有以下幾點：

第一，可以辨章學術、考鏡源流。

總序可以概述整個學術的源流正變，以挈綱領。如《漢志》總序僅三百多字，概述了孔子以來的學術變化，漢代以來關於典籍的蒐集整理，劉向、劉歆父子整理典籍的過程和分工，《七略》的類目，《漢書・藝文志》與《七略》的關係。《隋志》總序，追述遠古，兼及五代（梁、陳、齊、周、隋），闡明了典籍的發生、發展、流傳、存佚及其意義和作用，說明了歷代對典籍的整理和源

流，最後交待了《隋志》編纂的根據、原則和方法。

小序可以「考一家之源流」。如《漢志》經部詩類序曰：

「《書》曰：『詩言志，歌詠言。』故哀樂之心感，而歌詠之聲發。
誦其言謂之詩，詠其聲謂之歌。故古有采詩之官，王者所以觀風
俗，知得失，自考正也。孔子純取周詩，上采殷，下取魯，凡三
百五篇，遭秦而全者，以其諷誦，不獨在竹帛故也。漢興，魯申
公爲《詩故訓》，而齊轅固、燕韓生皆爲之傳。或取《春秋》，採雜
說，咸非其本義。與不得已，魯最爲近之，三家皆列於學官。又
有毛公之學，自謂子夏所傳，而河間獻王好之，未得立。」

這篇小序說明了詩的產生、作用，詩經的形成，得以流傳的
原因及其師承，一目了然。

第二，可以了解分類的沿革，類目的變化。

《漢書·藝文志》總序曰：「每一書已，向輒條其篇目，撮其
指意，錄而奏之。會向卒，哀帝復使向子侍中奉車都尉歆卒父
業。歆於是總羣書而奏其《七略》，故有《輯略》，有《六藝略》，有
《諸子略》，有《詩賦略》，有《兵書略》，有《術數略》，有《方技
略》，今删其要，以備篇籍」。敍述了《七略》的形成，類目體
系，及《七略》與《漢志》的承襲關係。《隋志》總序也評述了漢魏六
朝以來的分類沿革。其部序交待了由《七略》到四部的變化，如
《隋志·子部》部序說：「《漢書》有《諸子》、《兵書》、《數術》、
《方技》之略，今合而敍之，爲十四種，謂之子部」。《隋志·史
部》序曰：「班固以《史記》附《春秋》，今開其事類，凡13種，別
爲史部。」這就告訴我們，《漢志》中沒有史類，史書附於《六藝
略·春秋》之後，後來史書增加，才有史部之設。

第三，可以了解類目的概念和分類的原則。

《隋志》關於總集、別集的概念及其形成是這樣解釋的：「總集者，以建安之後，辭賦轉繁，衆家之集，日以滋廣，晉代摯虞，苦覽者之勞倦，於是採擷孔翠，芟剪繁蕪，自詩賦下，各爲條貫，合而編之，謂爲《流別》。是後，文集總鈔，作者繼軌，屬辭之士，以爲覃奧，而取則焉」。「別集之名，蓋漢東京之所創也。自靈均以降，屬文之士衆矣，然其志尚不同，風流殊別。後之君子，欲觀其體勢，而見其心靈，故別聚焉，名之爲集。」作者就總集、別集產生的背景、時間、編纂以及它的體制做了明確的闡述。

《四庫全書總目》經部小學類序曰：「古小學所敎，不過六書之類。故《漢志》以弟子職附孝經，而《史籀》等十家四十五篇，列爲小學。《隋志》增以金石刻文，《唐志》增以書法書品，已非初旨。自朱子作小學以配大學，趙希弁《讀書附志》遂以弟子職之類併入小學，又以蒙求之類，相參並列，而小學益多歧矣。考訂源流，惟《漢志》根據經義，要爲近古。今以論幼儀者別入儒家，以論筆法者，別入雜藝（即子部藝術類），以蒙求之屬隸故事，以便記誦者入類書。惟以《爾雅》以下，編爲訓詁；《說文》以下，編爲字書；《廣韻》以下，編爲韻書。庶體例謹嚴，不失古義。」說明了小學類的歷史變遷，小學類的概念以及有關圖書應如何分類。

第四，可以了解編者的學術觀點。

我國自向、歆《別錄》、《七略》以來，均把儒家列爲首位，《漢志》的六藝略，四部的經部等，反映了儒家思想在國家政治生活中的統治地位，諸子略和子部則被解釋爲「異家」，說成是儒家學說的補充。

此外編者也常在序中發表自己的學術見解，論述學術弊端。如《隋志》經部序曰：

「自孔子没而微言絕，七十子喪而大義乖，學者離羣索居，各爲
異說。至於戰國，典文遺棄，六經之儒，不能究其宗旨，多立小
數，一經至數百萬言。致令學者難曉，虛誦問答，脣腐齒落而不
知益……。至後漢好圖讖，晉世重玄言，穿鑿妄作，日益滋生。
先王正典，雜以妖妄，大雅之論，汩之以放誕。陵夷至於近代，
去正轉疎，無復師資之法。學不心解，專以浮華相尚，豫造雜
難，擬爲讎對，遂有芝角、反對、互從等諸翻競之說。馳騁煩
言，以紊彝敍，譊譊成俗，而不知變，此學者之蔽也。」

《隋志》史部序曰：

「夫史官者，必求博聞強識，疏通知遠之士，使居其位……，自
史官廢絕久矣，漢氏頗循其舊，班馬因之。魏晉已來，其道逾
替，南董之位，以祿貴遊，政駿之司，罕因才授。……一代之
記，至數十家，傳說不同，聞見舛駁，理失中庸，辭乖體要。致
令允恭之德，有闕於典墳，忠肅之才，不傳於簡策，斯所以爲蔽
也。」

類例

　　所謂「類例」，就是今天所說的分類，我國古代亦稱爲「種
別」。如《漢書‧劉歆傳》說：「歆力集六藝羣書，種別爲《七
略》。」「類例」一詞，始見於《隋書‧許善心傳》：「善心效阮
孝緒《七錄》更制《七林》，各爲總序，冠於篇首，又於部錄之下，
明作者之意，區分其類例焉。」宋以後，「類例」一詞，始成爲
分類的同義語。

　　研究目錄學，必須了解類例。因爲我國古代的書目基本上是
按分類編排的，我國古代目錄學家十分重視類例，鄭樵在《校讎

略》中說：「學之不專者，爲書之不明也，書之不明者，爲類例之不分也。有專門之書，則有專門之學，有專門之學，則有世守之能。人守其學，學守其書，書守其類，人有存沒，而學不息，世有變故，而書不亡。」鄭樵把圖書分類和辨章學術，考鏡源流聯繫起來，並從學術發展的觀點上把專門之書、專門之學和專門之人聯繫起來，指出「類例分，則百家九流各有條理，雖亡而不能亡也」。

要了解類例，必須了解我國古代圖書分類的發展沿革。

我國第一部圖書分類目錄是漢朝劉向的《別錄》，其子劉歆，又撮《別錄》之要，編成《七略》，就是《輯略》、《六藝略》、《諸子略》、《詩賦略》、《兵書略》、《術數略》、《方技略》。其中《輯略》是「六篇之總最」，並不分書，實際是六類。《七略》是《別錄》的簡編本，兩書雖早已失傳，據《隋志》記載：《別錄》是20卷，《七略》是7卷，而班固在修《漢書・藝文志》時，又「因《七略》之辭」（《七錄》序），「删其（《七略》）要」（《漢志》序）而成，因此，我們從《漢書・藝文志》還可以看出其大概的面貌。

《隋書・經籍志序》說：「魏祕書郎鄭默，始制《中經》，（晉）祕書監荀勖又因《中經》，更著《新簿》，分爲四部，總括羣書。一曰甲部，紀六藝及小學等書；二曰乙部，有古諸子家、近世子家、兵書、兵家、術數；三曰丙部，有史記、舊事、皇覽簿、雜事；四曰丁部，有詩賦、圖贊、《汲冢書》。」值得注意的是：

第一，我國的圖書分類由六分法變爲四分法。

第二，甲乙丙丁分類序數標題的出現。

第三，史部作爲獨立大類的出現。

第四，開始了附志的做法，據《廣弘明集》引《古今書最》知道《中經新簿》附有佛經類。

在荀勗編成《中經新簿》後不久，東晉李充在整理皇家藏書時，編成《晉元帝四部書目》，以五經爲甲部，諸子爲乙部，史記爲丙部，詩賦爲丁部。自此之後，經史子集四分法的次序大體奠定。

四分法受到封建王朝的重視，可是，有些學者，還在《七略》的基礎上進行探索。南北朝時王儉的《七志》和阮孝緒的《七錄》就是代表。劉宋時期王儉在編撰《宋元徽元年四部書目錄》時，又編撰了《七志》，大類是：經典志、諸子志、文翰志、軍書志、陰陽志、術藝志、圖譜志，道佛附後。《七志》的特點是：

第一，由四分改爲七分，名曰《七志》實爲九類。

第二，每志有一篇「條例」共九篇，即爲類序。

第三，「於書名之下，每立一傳」，創立了解題目錄傳錄體。

第四，著錄存佚。據《七錄》序曰，《七志》記錄《七略》、《漢志》、《中經新簿》所缺之書。

阮孝緒的《七錄》是南朝梁一部比較完整的藏書目錄，它雖屬私編目錄，但它比官修書目還多一萬多卷。《七錄》分內外篇。內篇5錄是：經典錄、紀傳錄、子兵錄、文集錄、術技錄；外篇2錄是：佛錄、道錄。其貢獻是：

第一，《七錄》辨章學術，考鏡源流，創立比前人更精細的類目，有類序及提要。

第二，收書完備，《七錄》序說：「總括羣書四萬餘卷，皆討論研核，標判宗旨」。

第三，承前啓後，它上承六分法，下開《隋志》四分法。

其集部所創，楚辭部、別集部、總集部等爲後世不易之目。

我國古代正式用經史子集四部名稱自《隋志》始，它是我國現存最早的一部四分法目錄。四部之後附道佛兩部實爲六分法。它

的四部四十個小類的分類體系，對後世的書目類目有很大的影響。《隋志》以後的史志目錄，官修書目大都沿用，如《舊唐書·經籍志》、《新唐書·藝文志》、《宋史·藝文志》、《明史·藝文志》和《崇文總目》、《四庫全書總目提要》等。就是私人編纂的書目也多所採用，如《郡齋讀書志》、《直齋書錄解題》、《遂初堂書目》、《文獻通考·經籍考》等。

當然，《隋志》以後也有不用經史子集四分法的，如鄭樵《通志·藝文略》創十二分法。其十二大類是：經類、禮類、樂類、小學類、史類、諸子類、天文類、五行類、藝術類、醫方類、類書類、文類。其族孫鄭寅的《鄭氏書目》又改鄭樵十二大類爲七類，併禮、樂、小學入經，併天文、五行、醫方入方技。

明朝官修目錄《文淵閣書目》就不用四分法，其它私家書目也有不少不用四分法，如《菉竹堂書目》全仿《文淵閣書目》，《江東藏書目》創十四分法。其它如《寶文堂書目》、《博雅堂藏書目錄》、《玩易樓藏書目錄》等，也不用四分法。

清代《四庫全書總目提要》採用四分法後，很多書目頗多效法。但也有不用四分法的，如孫星衍的《孫氏祠堂書目》就分經學、小學、諸子學、天文、地理、醫律、史學、金石、類書、詞賦、書畫、說部等十二部。

鴉片戰爭後，西學東來，舊法、無以應付西學，只好改從新法，以適應近代之需要。

著錄

著錄，是按照一定的規則，對文獻的基本特徵進行揭示的方法。

著錄是通過著錄事項來反映的，主要包括書名、篇卷、撰述者和注釋者及其時代、著作方式、出版時間、地點、出版人、版

本類別、函、冊、裝型、紙張、提要、注釋和補充說明等。

著錄要求完備準確、前後一致。

我國古代目錄書大都是分類編排，以書名標目、以著者標目都有，歷史上稱前者爲「以人類書」，稱後者爲「以書類人」。

所謂「以人類書」（以人類於書），就是以書名爲標目，著者放在後面，一般以小字注出。《隋書·經籍志》主要是採用這種方法，如集部著錄「《樂府新歌》十卷。秦王記室崔子發撰。」

所謂「以書類人」（以書類於人），就是以著者爲標目，書名放在後面，《新唐書·藝文志》就是採用這種方法，如集部著錄「曹大家注班固《幽通賦》一卷」。

在以上兩種方法中，「以人類書」的方法爲多，因爲我國目錄大多是分類目錄，以書名標目便於分類。宋人鄭樵在《校讎略》中，提出了以人類書的主張：「古之編書，以人類書，何嘗以書類人哉？人則書於書之下注姓名耳。《唐志》一例削注，一例大書，遂以書類人。」

又說：「按《隋志》，於書則以所作之人，或所解之人，注其姓名於書之下。文集則大書其名於上曰，某人文集，不著注焉。《唐志》因《隋志》，繫人於文集之上，遂以他書一概如是。」

鄭樵主張「以人類書」，而不主張「以書類人」的理由是：

第一，取類於人容易造成分類的混亂

他說：「且如別集類自是一類，總集自是一類，奏集自是一類。《令狐楚集》百三十卷，當入別集類；《表奏》10卷，當入奏集類，如何取類於令狐楚。而別集與奏集不分。皮日休《文藪》十卷，當入總集類，《文集》十八卷，當入別集類，如何取類於皮日休。而總集與別集無別。詩自一類，賦自一類，陸龜蒙有《詩》十卷，《賦》六卷，如何不分詩賦，而取類於陸龜蒙。」

第二，作者標目，容易造成人名書名混淆

他說：「《唐志》以人置於書之上，而不著注，大有相妨。如管辰作《管輅傳》三卷，唐省文例去「作」字，則當曰管辰，管輅傳，是二人共傳也。如李邕作狄仁傑傳三卷，當去「作」字，則當曰李邕狄仁傑傳，是二人共傳也。又如李翰作張巡、姚闓傳三卷，當去「作」字則當曰李翰、張巡、姚闓傳，是三人共傳也。

總之「以人類書」是我國古代目錄著錄的傳統，符合讀者查閱的習慣，便於和他書區別。

互著與別裁

所謂互著，就是將「一書兩義」或「一書兩用」的書，在相關類目中「一書兩載」，重覆著錄。

要重覆著錄是因為書有「易混」和「相資」的情況。章學誠在《校讎通義》中說：「若就書之易混者言之：經部易家與子部之五行陰陽家相出入；小學家之書法與金石之法帖相出入；史部之職官與故事相出入；譜牒與傳記相出入；故事與集部之詔誥奏議相出入；集部之詞曲與史部之小說相出入；子部之儒家與經部之經解相出入；史部之食貨與子部之農家相出入。……若就書之相資而論：《爾雅》與《本草》之書相資為用；地理與兵家之書相資為用；譜牒與曆律之書相資為用。書之易混者，非重覆互著之法，無以免後學之牴牾；書之相資者，非重覆互著，無以究古人之源委。」（《互著》第三）

其次，互著可以辨章學術，考鏡源流，使人即類求書，因書究學。章學誠反覆論述說；「蓋部次流別，申明大道，敍列九流百氏之學，使之繩貫珠聯，無少缺逸，欲人即類求書，因書究學。至理有互通，書有兩用者，未常不兼收並載，初不以重覆為嫌，其於甲乙部次之下，但加互著，以便稽檢而已。」

章學誠還探討了互著的源流。他說：「劉歆《七略》亡矣，其

義例之可見者，班固藝文志注而已（班固自注非顏注也）。《七
略》於兵書權謀家有《伊尹》、《太公》、《管子》、《荀卿子》、《鶡冠
子》、《蘇子》、《蒯通》、《陸賈》、《淮南王》九家之書，而儒家復
有《荀卿子》、《陸賈》二家之書，道家復有《伊尹》、《太公》、《管
子》、《鶡冠子》四家之書，縱橫家復有《蘇子》、《蒯通》二家之
書，雜家復有《淮南王》一家之書。然即此十家一書兩載，則古人
之申明流別，獨重家學，而不避重覆著錄明矣。自班固併省部
次，而後人不復知有家法，乃始以著錄之業，專爲甲乙部次之需
爾。」他批評說：「古人著錄，不徒爲甲乙部次計，如徒爲甲乙
部次計，則一掌故令史足矣！何用父子世業，閱年二紀，僅乃卒
業乎！」（《互著》第三）

　　所謂別裁，即一書中包括數種著作，或一書中的個別篇章與
它類理有相通者裁篇別出，著於相關之類，並注其所出。至於全
書，篇次具存，仍隸本類。

　　對用別裁這種著錄方法，《校讎通義》別裁篇說：「蓋古人著
書，有採取成說，襲用故事者，其所採之書，別有本旨，或歷時
已久，不知所出；又或所著之篇，於全書之內自爲一類者，並得
裁其篇章，補苴部次，別出門類，以辨著述源流。」他舉例說：
《管子》道家之言也，劉歆裁其《弟子職》篇入小學。七十子所記百
三十一篇，《禮經》所部也，劉歆裁其《三朝記》篇入《論語》。」

　　劉向、劉歆父子，是我國目錄學的創始人。正如章學誠所
考，《七略》中已創製互著別裁之法，他批評班固《漢志》「省併部
次」，「專爲甲乙部次之需」，以致後人不知家法。至宋鄭樵在
《通志》《藝文略》和《圖譜略》之間又有所運用。元代馬端臨《文獻
通考·經籍考》，才有意識地運用了互注之法，明代祁承㸁《澹生
堂書目》和清代章學誠《史籍考》才是在明確理論指導下，自覺地
運用互著別裁的著錄方法。

解題與注釋

所謂解題，顧名思義，就是對題目的解釋、品題、介紹和評價。我國目錄學史上正式使用「解題」一詞，是宋代陳振孫的《直齋書錄解題》。在古代，「解題」還稱爲《錄》、《志》、《識》等。

❖解題是我國古代目錄的優良傳統之一，體制大致有三種：

第一是敘錄體。

劉向等校書「每一書已，向輒條其篇目，撮其旨意，錄而奏之」，他記錄「篇目」和「旨意」的工作就是解題。劉向的敘錄內容包括：書名、篇目、著者生平和學術思想、校正錯字和考訂版本、書的內容提要和評價等，也包括解釋題目。如《戰國策敘錄》說：「中書本號或曰國策、或曰國事、或曰短長、或曰事語、或曰長書、或曰修書。臣向以爲戰國時遊士輔所用之國，爲之策謀，宜爲戰國策。」

劉向撰寫的這種敘錄體的解題目錄，被後代不少目錄學家繼承和發揚。如唐代元行沖的《羣書四部錄》、宋代王堯臣等的《崇文總目》、晁公武的《郡齋讀書志》、陳振孫的《直齋書錄解題》，直到清代的《四庫全書總目提要》莫不如此，成爲解題目錄的主流。

第二是傳錄體。

王儉的《七志》是傳錄體的代表。雖然其書已佚，但它的體例，還可以從一些文獻記載中看出來。如《隋書‧經籍志序》說：《七志》「亦不述作者之意，但於書名之下，每立一傳。」《隋書‧經籍志‧簿錄篇序》又說：「王儉作《七志》、阮孝緒作《七錄》，並皆別行。大體雖準向、歆，而遠不逮矣。」可以看出：《七志》的解題「大體雖準向、歆」，由於不述作者之意，不像《別錄》、《七略》那樣全面評介圖書內容，而只是「於書名之下，

每立一傳」，所以和向，歆敍錄體解題比較起來是遠遠不如的。

第三是輯錄體。

這是廣泛輯錄與一書有關資料的一種解題目錄。代表作就是元代馬端臨的《文獻通考‧經籍考》。《經籍考》，除主要依據《郡齋讀書志》與《直齋書錄解題》，還博採《漢書‧藝文志》、《隋書‧經籍志》、《新唐書‧藝文志》、宋代的《國史‧藝文志》、《崇文總目》、《通志‧藝文略》，以及正史列傳，各書序跋和文集，筆記的有關資料，頗似史書的會注體。使與一書有關的資料，彙爲一編，便於考證輯佚與研究。清代朱彝尊的《經義考》、謝啓昆的《小學考》、章學誠的《史籍考》亦採取輯錄體的做法。

注釋是我國目錄學史上創造的一種以簡明扼要的文字，解釋書名、篇卷，或介紹作者時代、官職學派，或注明分合存佚，或辨別眞僞的方法，這是一種文省意多，機動靈活的揭示圖書的方法。

最先創造注釋體的目錄是《漢書‧藝文志》，其後《隋書‧經籍志》、《通志‧藝文略》等也相繼而作。

❖注釋的作用大致分爲三種：

第一介紹作者。

有的是介紹作者姓氏事迹，如《漢書‧藝文志》「《商君》二十九篇」，注曰：「名鞅、姬姓、衞後也，相秦孝公，有列傳」；有的介紹作者的時代官職，如「《急就》一篇」，注曰：「成帝時，黃門令史游作」；有的說明學派，如「《李克》七篇」，注曰：「子夏弟子，爲魏文侯相」；有的解惑，如「《王氏》二篇」，注曰：「名同」，「《張子》十篇」，「名儀」。

第二介紹評價圖書內容。

有的介紹史書的時代斷限，如「《世本》十五篇」，注曰：「古史官記黃帝以來迄春秋諸侯大夫」；有的介紹圖書內容，如

「《奏議》三十九篇」，注曰：「石渠論」；有的評價圖書價值，如「《師曠》六篇」，注曰：「見《春秋》，其言淺薄」；有的解釋書名，如《鶡冠子》一篇」，注曰：「楚人，居深山，以鶡爲冠」；有的注明子目，如「《揚雄所序》三十八篇」，注曰：「《太玄》十九，《法言》十三，《樂》四，《箴》二。」

第三考證圖書的版本、存佚、眞僞。

有的考證版本，如「《古論語》二十一篇」，注曰：「出孔子壁中，兩《子張》」；有的說明存佚，如「《太史公》百三十篇」，注曰：「十篇，有錄無書」；有的辨別眞僞，如「《文子》九篇」，注曰：「老子弟子，與孔子並時，而稱周平王向，似依託者也。」

注釋之體雖始於班固，而論述者卻爲鄭樵，他針對《崇文總目》等書，在《校讎略》中寫了《泛釋無義論》1 篇，《書有不應釋論》3 篇，《書有應釋論》1 篇，這些見解，有的正確，有的不正確，都需要我們認眞地研究，做爲我們編製目錄的借鑒。

三、目錄的作用

目錄的作用，有以下幾個方面：

第一、了解典籍概貌

我國歷史悠久，文化典籍極其豐富。這些典籍分別反映在歷代正史藝文志、經籍志、官修書目、私藏書目，以及各種專科書目之中。通過這些書目，我們可以了解各個歷史時期我國古籍的著作、收藏、流布、存佚的情況，掌握一代典籍的概貌，以便從事整理和研究。

第二、洞察古籍情況

覽錄知旨，觀目悉詞。通過目錄，除能了解具體圖書的書

名、篇卷、作者、版本、函冊、提要等情況，還可以具體考證圖書的眞僞、存佚、篇卷的分合完缺、書名的異同、版刻的源流。

第三、指導治學門徑

我國典籍浩瀚，學術萬端，注疏繁夥，版本眾多，目錄書必須辨章學術、考鏡源流，非徒部次甲乙，使人即類求書，因書究學。所以歷代目錄學者都從讀者需要出發，寫敍錄，著解題，辨類例，詳版本，以爲治學之助，近代以來更有《經籍舉要》、《書目答問》之作，以津逮後學。

歷代學者，特別是清代學者對目錄學的重要性十分強調。王鳴盛在《十七史商榷》卷 1 中強調目錄學的重要性說：「目錄之學，學中第一緊要事，必從此問途，方能得其門而入。」他在卷 2《漢書藝文志考證》條中引用金榜的話說：「不通《漢書·藝文志》，不可以讀天下書。藝文志者，學問之眉目，著述之門戶也。」卷 7《漢書敍例》條更進一步說：「凡讀書最切要者，目錄之學。目錄明，方可讀書；不明，終是亂讀。」

張之洞在《書目答問略例》中說：「讀書不知要領，勞而無功；知某書宜讀，而不得精校精注本，事倍功半。」在《輶軒語》「語學」論讀書宜有門徑條指出：「泛濫無歸，終身無得，得門而入，事半功倍。……今爲諸君指一良師，將《四庫全書總目提要》讀一遍，即略知學術門徑矣。」

現代目錄學家姚名達在《目錄學》一書中說：「目錄是開放人類知識結晶的鑰匙，假設沒有鑰匙，吾人就不容易得門而入。」

第四、用作檢索文獻的工具

目錄書既是綱紀羣籍、辨章學術之著作，又是檢索文獻的工具，所以古代目錄可以即類以求，近代所編目錄多附以索引，以供檢索文獻之需。

需要檢索的文獻是大量的，不僅涉及經史子集，還涉及大部

頭的叢書、類書、彙編之類。因此，必須掌握圖書的分類沿革、
目錄的編制體例、目錄的種類和索引的使用方法，只有這樣，才
能得心應手地去泛舟書海，達到目的。

四、目錄的種類

我國目錄學歷史悠久，書目遺產內容豐富，種類繁多，關於
書目的分類問題歷來主張不一、劃法不同。如有的按體例分，將
書目分成三大類：即部類下有小序，書名下有解題者；有小序無
解者；只有書名而無小序解題者。有的按編者分，可分為國家書
目，私人書目和史志書目。有的按學術內容分，可分為專科目錄
和綜合性目錄。有的按編纂目的分，可分為舉要目錄、缺書目
錄、辨偽目錄。有的按收錄範圍分，可分為叢書書目、地方書
目、禁毀書目、善本書目、知見書目等。由於書目的複雜情況，
想用一個標準來區分書目種類都是不可能的。

關於按體例劃分目錄，我們在解題目錄一節中已經講過，不
再贅述。

(一)按編者

我國書目按編者可分為國家目錄、私家目錄和史志目錄。

國家目錄

也稱作官修目錄，是由政府組織編纂的。如漢代的《別錄》、
《七略》，魏的《中經》，晉的《中經新簿》，隋的《開皇四部目錄》、
《大業正御書目錄》，唐的《羣書四錄》，宋的《崇文總目》、《中興
館閣書目》，明的《文淵閣書目》，清的《四庫全書總目》等。

私家目錄

即私人藏書家所編的藏書目錄，始於南朝宋王儉的《七志》和梁阮孝緒的《七錄》。隋唐續有所作，宋元以來，直到明清，私家藏書最盛，流傳下來的目錄最多。據葉昌熾《藏書紀事詩》的統計，自宋至明藏書家達 1,100 多家。現存宋代私家目錄僅有《郡齋讀書志》、《直齋書錄解題》、《遂初堂書目》等。明代私家書目較多，如《百川書志》、《萬卷樓書目》、《紅雨樓書目》、《澹生堂藏書目》、《菉竹堂書目》、《寶文堂書目》等。清代私家目錄最多，如《絳雲樓書目》、《也是園書目》、《傳是樓書目》、《汲古閣珍藏祕本書目》、《千頃堂書目》等。此外，還有不少人編寫題跋，如《思適齋書跋》、《士禮居藏書題跋記》等。

史志目錄

即歷朝修史時編纂的《藝文志》、《經籍志》和宋朝《國史經籍志》，以及政書中的目錄書，其中大部分屬於官修書目，也有少數屬於私修的。二十四史中有《漢書‧藝文志》、《隋書‧經籍志》、《舊唐書‧經籍志》、《新唐書‧藝文志》、《宋史‧藝文志》、《明史‧藝文志》等。政書中的目錄書如鄭樵《通志‧藝文略》、馬端臨《文獻通考‧經籍考》等。此外，清代興起的補志高潮中，二十四史中所缺史志多有補撰。如姚振宗的《後漢書‧藝文志》、《三國志‧藝文志》等。

(二)按學術內容

我國書目按學術內容分為綜合性目錄與專科目錄。

綜合性目錄

前述公私藏書目錄等是。

專科目錄

即以某種學科門類為收書範圍所編纂的目錄。如經部，宋歐陽坤《經書目錄》、清朱彝尊《經義考》。史部，劉宋裴松之《史目》、唐代宗諫的《十三代史目》，清趙士煒《實錄考》、章學誠的《史籍考》。子部，宋高似孫的《子略》、清張鶴齡《子籍考》稿本、黃以周《周子敍》、王仁俊《周秦諸子敍錄》等。集部，最早為晉荀勗的《雜撰文章家集敍》，其他有摯虞的《文章志》、晉末顧愷之撰《晉文章紀》、明代《國朝各家文集目》等。

專科目錄除經史子集外，還有按小類編纂者，如謝啓昆《小學考》、葉銘的《金石書目》、田士懿的《金石名著彙目》、陳振東《殷契書錄》、朱士嘉《中國方志綜錄》、瞿宣穎《方志考稿》、孫楷第《中國通俗小說書目》等。

(三)按編纂目的

我國目錄按編纂目的，可分為舉要目錄、缺書目錄和辨偽目錄。

舉要目錄

即指導閱讀用的推薦目錄，如清代龍啓瑞的《經籍舉要》、張之洞的《書目答問》、梁啓超的《國學入門書要目及其讀法》等。

缺書目錄

即由於典籍散佚，歷朝政府為補館閣缺藏所編的補缺目錄，如《隋志》載有《魏缺書目錄》、《宋志》載有《唐四庫搜訪圖書目》、《直齋書錄解題》所載《祕書省四庫缺書目》、清代有劉世瑗《徵訪明季遺書目》、楊守敬的《日本訪書志》等。

辨偽目錄

是用以考辨古籍眞僞的，有元末宋濂撰《諸子辨》、明胡應麟的《四部正譌》、淸姚際恆的《古今僞書考》、崔述的《考信錄》等。

(四)按收錄範圍

我國目錄按收錄範圍可分爲叢書目錄、地方目錄、個人著述目錄、善本目錄、知見目錄等。

叢書目錄

最早爲淸嘉慶年間顧修所編《彙刻書目》，後一再續編。現在，上海圖書館所編《中國叢書綜錄》收錄最多，體例也最完善。

地方目錄

是記載地方著作的目錄，始於北齊、北周間。如宋孝王撰《關東風俗傳》，內有《墳籍志》一篇，專記「鄴下（今洛陽）文儒之士，讎校之司，所列書名，惟取當時撰者。」《宋志》載有《川中書籍目錄》、明代萬曆年間祁承㸁有《兩浙著作考》、明末曹學佺有《蜀中著作記》。淸代邢澍的《關右經籍考》、鄭元慶《湖州經籍考》以及孫詒讓的《溫州經籍志》等。

個人著述目錄

始於曹植，如《晉書‧曹志傳》曾記載曹植的兒子曹志說。「先王（指曹植）有手所作目錄」。《三國志‧王粲傳注》曾引《嵇康集目錄》，宋鄭樵有《夾漈書目》、明楊愼有《著述目錄》、淸錢大昭有《可廬著述十種敍例》等。此外，學者對先哲撰述考錄，從淸王昶《鄭氏書目考》開其風。嗣後，有梁啓超《戴東原著述纂校書目考》、顧頡剛《鄭樵著述考》、容肇祖《韓非著作考》、吳其

昌《米子著述考》等。其他在歷代作家別集中所附年譜亦載有作者的著作考，均可供參考。

善本書目

　　南宋初尤袤撰《遂初堂書目》，雖記版本，但往往兼備衆本。清初錢曾《讀書敏求記》，獨載其述古堂最佳版本，始開善本著錄之風。不久，曹溶《靜惕堂書目》、朱彝尊《潛采堂宋金元人集目錄》、徐乾學《傳是樓宋元本書目錄》接踵問世，於是形成風氣，影響很大。私人藏書家所得善本，大多編纂目錄，如黃丕烈的《百宋一廛書錄》、孫星衍的《廉石居藏書記》、張金吾《愛日精廬藏書志》等不一而足。

知見目錄

　　為研究版本目錄者就其見聞所及，錄而成書，如邵懿辰《四庫簡明目錄標注》、莫友芝的《郘亭知見傳本書目》、《宋元舊本書經眼錄》、王初桐《羣書經眼錄》、孫殿起《販書偶記》等。

五、古典目錄簡介

(一)兩漢魏晉南北朝目錄

1.《別錄》與《七略》

　　劉向、劉歆父子校書，是中國文化史上和中國目錄學史上的空前創舉；《別錄》是我國古典目錄的典範，也是世界上第一部圖書分類目錄。

　　漢初經過七八十年的恢復經濟和加強思想統治，漢武帝時，

楊僕奏《兵錄》，另一方面「廣開獻書之路，百年之間，書積如丘山」（《文選》注引《七略》）。「至成帝時，以書頗散亡，使謁者陳農求遺書於天下。詔光祿大夫劉向校經傳諸子詩賦，步兵校尉任宏校兵書，太史令尹咸校數術，侍醫李柱國校方技。每一書已，向輒條其篇目，撮其旨意，錄而奏之。會向卒，哀帝復使向子侍中奉車都尉歆卒父業，歆於是總羣書而奏其《七略》。」（《漢書·藝文志序》）

「條其篇目」只是校勘圖書的結果之一，另一個就是「撮其旨意」寫成敘錄。劉向敘錄現存者有《管子》、《晏子》、《鄧析子》、《列子》、《荀子》、《韓非子》、《戰國策》、《說苑》等8篇，劉歆有《山海經敘錄》1篇，共9篇。

❖劉向編寫的敘錄大體包括以下內容：

第一是記敘校訂過程，即所掌握的版本、篇數、重覆錯漏以及經過校勘之後所定著的篇章名稱等。

第二是介紹和評述作者生平事迹和學術思想。

第三是對於圖書內容的介紹和評價，包括書名釋義，著作要旨，學術價值等。

第四是注意圖書眞偽。劉向整理典籍對偽托之書，注意辨別，開後世辨偽之先河。

總之，「敘錄」，是他把每種書整理結果向皇帝作的報告。這種體裁吸收了儒家經典寫大序小序的傳統，也吸收了先秦諸子寫自序的經驗，對後世產生了深遠的影響。後來的「解題」、「提要」、「書評」都導源於此。

關於《別錄》和《七略》的關係，阮孝緒的《七錄序》說：「劉向校書輒爲一錄，論其旨歸，辨其訛謬，隨竟奏上，皆載在本書。時又別集衆錄，謂之《別錄》，即今之《別錄》是也。子歆撮其旨要，著爲《七略》。」從這段記載中可以看出：

第一，《別錄》是劉向所校各書敍錄的彙編本。

第二，「時又別集衆錄」，當是在校書基本完成時進行彙編。

第三，《七略》是撮《別錄》之要，也就是說《七略》是《別錄》的簡編本。

《漢書藝文志序》說：劉歆總羣書而奏《七略》。「故有輯略，有六藝略，有諸子略，有詩賦略，有兵書略，有數術略，有方技略」。就是說《七略》是一部分類目錄。《別錄》自然也是分類目錄。

《七略》實際上是六大類，因爲輯略是各類序文的彙編，專門闡明各類的學術源流，實際並不類分圖書。《七錄序》曰：「歆撮其旨要，著爲《七略》，其一篇即六略之總最，故以《輯略》爲名。」

《別錄》、《七略》這兩部開創性的目錄鉅著沒有流傳到今天，亡於唐末五代之亂。淸代學者做了很多輯佚工作，現存輯本有六七種之多，如洪頤煊《問經堂叢書》本，陶浚宣的《稷山館輯補書》本，馬國翰的《玉函山房輯佚書》本，嚴可均的《全漢文編》本，姚振宗的《快閣師石山房叢書》本，以及王仁俊、顧觀光、章宗源的未刊本等。

《別錄》、《七略》已久佚，但對後世的影響是巨大的。歷代無不以《別錄》、《七略》爲楷模，加以增刪、分合、變通而逐步發展。范文瀾先生在評價《別錄》、《七略》時說：「《七略》綜合了西周以來主要是戰國以來的文化遺產，把不值得保存的書籍都廢棄了，例如經學博士的講義一篇也不錄取。它經過選擇、校勘、分類、編目、寫成定本等程序，並寫出學術性的總論和分論，是一部完整的巨著。它不只是目錄學、校勘學的開端，更重要的還在於它是一部極可珍貴的古代文化史。西漢有《史記》、《七略》兩大

著作，在史學史上是輝煌的成就。」（《中國通史簡編・第二編》1964 年第二版 126 頁）

2.班固的《漢書・藝文志》

《漢書》是我國第一部紀傳體的斷代史，《藝文志》爲其十志之一，開創了史志目錄的先河，成爲史志的鼻祖。

《漢志》也是我國現存第一部最古老的目錄著作，在序文、分類、著錄等方面，爲我國古典目錄學奠定了基礎。

東漢一代的目錄學成就，集中表現在班固的《漢志》上。他繼承發展了向、歆父子目錄學事業。

《漢志》總序是一篇重要的歷史文獻，僅三百多字便敍述了西漢以前簡明學術史、目錄學史和文獻學史；說明了向、歆父子整理祕書的過程和分工，以及劉向《別錄》和劉歆《七略》的分類體系；交待了《漢志》與《七略》的因襲關係。這篇總序和各略的類序，每種種序以及各家著作的內容和注釋，構成了西漢以前完整的學術體系，是一部完整的學術鉅著。每略之序除學術上論辨流別和師承之外，《諸子略》並評論諸家得失，《詩賦略》論述了文學作品的社會作用等。

《漢志》分類體系，因襲《七略》類目，並有所變通和調整，反映了西漢以前的文化學術歷史面貌，充分反映了西漢政治、經濟和科學文化事業的發達。

❖《漢志》的著錄項目，大致分爲書名、篇卷、撰著者和附注等四項，表達方式有以下幾種：

第一，書名、篇數、作者依次著錄。如「《國語》二十一篇，左丘明著」，「《凡將》一篇，司馬相如作」。

第二，撰者、書名、篇數連續著錄。如「劉向《五行傳記》，十一篇」、「《蒼頡傳》一篇」。

第三，以撰者爲書名，次記篇卷。如「《董仲舒》百二十三篇」、「《賈誼》五十八篇」。

第四，以撰者官爵爲書名，次記篇卷。如「《太史公》百三十篇」、「《尹都尉》十四篇」。

第五，以撰者加文體爲書名，次記篇卷。如「《陸賈賦》三篇」、「《高祖歌詩》二篇」。

第六，只著書名、篇數，無作者。如「《魯說》二十八卷」、「《孔子家語》二十七卷」。

第七，並列書名篇卷。如「《古雜》八十篇，《雜災異》三十五篇，《神輪》五篇、圖一」、「《大、小夏侯章句》各二十九卷」。

第八，先著總書名總篇數，次記分書名分篇數。如「《太公》二百三十七篇。《謀》八十一篇，《言》七十一篇，《兵》八十五篇」。

第九，先著書名，次篇卷並列著錄。如「《楚兵法》七篇。圖四卷」。「《風后》十三篇。圖二卷」。

第十，先著書名篇卷，次分別著錄作者。如「《蒼頡》一篇。上七章，秦丞相李斯作：《爰歷》六章，車府令趙高作；《博學》七章，太史令胡毋敬作」。

關於注釋大體是刪節《七略》提要而成，往往有畫龍點睛之妙。特別是關於作者的注釋較多，其它介紹圖書內容、篇目、眞僞等，也都非常重要。

對於《漢志》應加以科學地分析評價，我們不能苛求於古人，承認班固刪《七略》之要的歷史事實，同時也要看到他對《七略》的調整和補充。班固把 7 卷本的《七略》刪成《漢書》的 1 志，將《輯略》分入各略之中，刪去各家著作的提要，以注釋形式保存了它的精華。他還在《漢志》中運用「入」、「出入」、「省」等方式，標明對《七略》所收著作的調整。「入」就是增入《七略》沒有

的書，如《書》類「入劉向《稽疑》一篇。」《小學》類「入揚雄《蒼頡訓纂》1 篇，杜林《蒼頡訓纂》、《蒼頡故》各 1 篇」。《儒學》類「入《揚雄所序》38 篇」。《賦》類「入《揚雄》8 篇」，總計 3 家50 篇。所謂「出入」就是調整類屬。如《兵書略‧權謀》就有「出《司馬法》入《禮》也」。所謂「省」就是刪去重覆入類。《兵書略》總計「省十家二百七十一篇重」，如《伊伊》、《太公》、《管子》、《鶡冠子》和道家重；《孫卿》、《陸賈》二家和儒家重；《蘇子》、《蒯通》和縱橫家重；《淮南王》和雜家重；《墨子》和墨家重等。

所以《漢志》的客觀價值有以下三項：

第一，《漢志》保存了《別錄》、《七略》的基本內容。劉向著《別錄》20 卷，「子歆撮其（《別錄》）指要，著爲《七略》」7 卷，現在兩書並亡，而《漢書‧藝文志》則是刪《七略》之要而成，所以它保存了兩部名著的基本內容。

第二，《漢志》開創了正史藝文志的先例，保存了漢以前全部重要典籍的目錄，敍錄是西漢以前珍貴文化史綱，對後世史志編纂影響是巨大的。

第三，《漢志》是現存最古老的目錄，在敍錄、分類、著錄及理論和方法等方面都爲中國古典目錄學奠定了基礎，影響延續到今天。

3.《中經》與《中經新簿》

《隋書‧經籍志》序曰：「魏氏代漢，採掇遺亡，藏在祕書、中、外三閣。魏祕書郎鄭默始制《中經》」。即鄭默將魏內府藏書進行了分類工作，編成了國家藏書目錄《中經》，此書已佚。梁阮孝緒《七錄》序說：「荀勖因魏《中經》更著《新簿》」。《新簿》是按四部分類，那麼作爲它主要依據的《中經》大致也是採用四部分類

的。可見，《中經》是最早採用四部分類法的。

荀勖字公曾，潁川潁陽人（今河南許昌），初仕魏爲從事中郎。入晉後，歷官中書監、祕書監，至尚書令。他在文學、音樂和目錄學方面都有較高的造詣，爲時人所推重。

荀勖根據魏鄭默《中經》，編製了一部綜合性的國家藏書目錄《中經新簿》。

關於《新簿》的卷數。隋唐各志均作 14 卷，實爲 16 卷。

《新簿》分類。梁阮孝緒《七錄》序中說是「以四部別之」。《隋志》序又記載四部的體制和內容說：「一曰甲部，紀六藝及小學等書；二曰乙部，有古諸子家、近世子家、兵書、兵家、術數；三曰丙部，有史記、舊事、皇覽簿、雜事；四曰丁部，有詩賦、圖贊、汲冢書。大凡四部，合二萬九千九百四十五卷，但錄題及言，……至於作者之意，無所論辯。」據此我們知道：

第一，《中經新簿》是將全部書目正式分成甲乙丙丁四部，甲部即《七略》、《漢志》之六藝類，後世之經部。乙部則合《漢志》之諸子、兵書、數術各略爲一部，爲後世子部之祖。丙部爲後世史部，史書《漢志》以前附於春秋類之後，《中經新簿》從六藝類析出獨立，這是史書發展的必然反映，亦爲《新簿》所獨創。《皇覽》是類書之祖，當時尚未成類，其撰集目的，是便於魏文帝觀覽，以爲借鑒，故列於史部。丁部即《漢志》詩賦略，爲後世之集部。至於《汲冢書》列於集部似不妥當，按其內容宜入史部。但《汲冢書》是荀勖奉命單編的專門目錄。而《新簿》是在此以前編好的綜合目錄，很可能是把《汲冢書》目錄附在《新簿》之後，後誤爲丁部亦未可知。

第二，《中經新簿》的體制是「但錄題及言……至於作者之意無所論辯」。也就是說，只著錄書名、卷數和撰人，並有簡略說明，刪除敍錄，缺乏對圖書內容的評述和論辨。

第三，《中經新簿》著錄從春秋戰國到晉統一存在的文化典籍29945卷，爲東晉至唐代學者，考證古代典籍的存佚，辨別眞僞，提供了可靠的根據。

《中經新簿》完成不久，遭「八王之亂」、「永嘉之亂」，祕閣藏書，銷毀殆盡。晉元帝偏安江左，才重新搜集。《隋志》序說：「著作郎李充以勘舊《簿》校之，其見存者，但三千零一十四卷。充遂總設衆篇之名，但以甲乙爲次」。至於「甲乙爲次」的內容，《文選‧任彥升王文憲集序》注引臧榮緒《晉書》說它是「五經爲甲部，史記爲乙部，諸子爲丙部，詩賦爲丁部」。經史子集四部之法自此始定。

李充字弘度，江夏（今湖北安陸）人，其書因晉元帝所遺書而編目，故名《元帝四部書目》。其後南朝宋謝靈運所編的《元嘉八年四部目錄》，王儉編的《元徽四年四部書目錄》，殷淳編的《祕閣四部書目》，王亮等編的《永明元年四部書目》，梁殷均編的《天監六年四部書目錄》，劉遵編的《東宮四部目錄》，劉杳編的《古今四部書目》，以及陳《天嘉六年壽安殿四部目錄》、《德教殿四部目錄》、隋《開皇八年四部書目錄》、《香廚四部目錄》均受其影響。

4.《七志》與《七錄》

目錄學事業在齊梁時極盛，私人藏書也較爲興盛。王儉、劉杳、阮孝緒等目錄學家用畢生精力從事這一工作。王儉的《七志》和阮孝緒的《七錄》是這一時期的代表。

王儉，字仲寶，琅琊臨沂（今山東）人，官至祕書郎、太子舍人，超遷祕書丞。他依《七略》撰《七志》40卷。又撰定《元徽元年四部書目錄》。《七志》是私人目錄。《元徽元年四部書目錄》是國家目錄。

《元徽書目》，據清人章宗源考證有4卷，全目按四部分類

編次，共收書 2,020 帙，15,074 卷。據推測可能就是當時國家藏書的登記簿。

《七志》的成就超過《元徽書目》。不僅開私人編製目錄的先河，而且還爲目錄學增添了新的內容。據《隋志》序記敘其體制，可知《七志》有以下特點：

第一，在分類方面由四分改爲七分，有意改變魏晉以來的四分法，上承《七略》遺規。又附錄道、佛二部，實爲九分。

第二，《七志》有九篇條例。「條例」即爲類序，每志一篇，共九篇，論述各志學術源流，不是散見各志之後，而是「編乎首卷之中」。這也是仿效《七略》、《輯略》的作法。王儉改變東漢以來目錄書無小序的狀況，恢復向、歆父子辨章學術的傳統，是應該肯定的。

第三，《七志》所載各書，「於書名之下，每立一傳」，創立目錄解題中的傳錄體。改變《中經新簿》以後，各種官修目錄只記書名，不寫敘錄，便於了解作者。

第四，著錄存佚情況。梁阮孝緒《七錄序》說王儉於《七志》之外，「又條《七略》及二漢《藝文志》、《中經簿》所缺之書，並方外之經，佛經、道經各爲一錄。」可見《七志》除附錄道佛之書，還搜集了《漢志》以來缺漏之書。所以，《隋志》著錄此書爲《今書七志》。所謂「今書」，即指當代著作，擴大了著錄範圍，著錄缺漏有助於考證羣書的流變。

私人目錄至梁已較普遍，梁最早的私人目錄是任昉的目錄。任昉是梁初著名學者，藏書萬餘卷，並「率多異本。」死後梁武帝派沈約、賀蹤「勘其書目」，把國家藏書所沒有的一部分圖書取走。可惜此書目未能流傳後世。其後影響較大的私人目錄則首推阮孝緒的《七錄》。

阮孝緒字士宗，河南尉氏人。生於劉宋末年，卒於梁大同二

年（536）。他為編好《七錄》，窮於搜集，他和過去的目錄學家不同，沒有重要的政治地位，只能靠個人的力量，利用前人成果，加以概括總結，他的目錄學成就是難能可貴的。

❖阮孝緒的《七錄》作出了重要貢獻，這主要表現在以下幾個方面：

第一，創立了比前人更詳細的類目。《七錄》改正了書分四部，不再細分的毛病，比較並總結了六分法、七分法和四分法的短長，按照當時圖書實際情況，創立了新的七分法。

《七錄》的分類是內篇5錄：《經典錄》分為9部，《紀傳錄》分為12部，《子兵錄》分為11部，《文集錄》分為4部，《術技錄》分為10部。外篇2錄：《佛法錄》分為5部，《仙道錄》分為4部。合為七錄，分為55部，著錄書6,288種，44,520卷。部類的分合，各類的名稱，在《七錄》序中都有說明。分類明細，銓配洽當。對後世影響很大，起到了承前啟後的作用。《七錄》還改正了《七略》將史部附於經部《春秋》之後的作法，專門設立了《紀傳錄》。

第二，繼承發揚了《別錄》、《七略》辨章學術的優良傳統。《七錄序》說：「總括羣書四萬餘卷，皆討論研核，標判宗旨」。這就是說《七錄》有對羣書「討論研核，標判宗旨」的總序和小序。

第三，收錄圖書完備。《七錄》收書44,000餘卷，較之當時國家所編《文德殿書目》增加近一倍。而且兼收古、今、有、無，全備本末。不僅收錄所見之書，而且收錄所聞之書。《七錄序》所稱「天下之遺書祕記，庶幾窮於是矣！」並非自詡之詞。

(二)隋唐五代目錄

1.《隋書・經籍志》

《隋書·經籍志》是我國現存第二部最古的史志目錄，完整地反映了我國中古時期文化典籍情況，繼承發展了《漢志》的優良傳統，在分類和著錄方面都有新的創造，確立了四分法的體制，對後世產生了重大的影響。

《隋志》在分類體制方面，雖號稱四部，實為六部。即除經史子集四部之外還附有道、佛兩部，這種將道佛之書作為附錄的做法是西晉荀勗以來的傳統做法。

《隋志》的總序是我國目錄學史上的重要文獻。內容不僅兼及五代（梁、陳、齊、周、隋），而且追敘遠古。對於典籍的意義和作用，產生發展和流傳存佚的情況，以及歷代典籍的整理與分類源流均有論述，最後還交待了《隋志》編纂的根據、原則和方法。僅用三千多字，描寫了我國古代的目錄學和文獻發展的歷史，價值是非常重大的。

其次《隋志》4部40類（加附錄為42類），每類之末，各具小序，雖參考前志，但接其後事，議論精賅，往往針砭時弊，發人所未發，使讀者從學術史的角度，綜觀全局，了解和掌握該類圖書，不特為目錄之學，亦為學術之史。

關於每類圖書的排列，井然有序，如春秋三傳，雖不分三家，卻先左氏，次公羊，再次穀梁。據姚振宗考證，《隋志》著錄各書詳為條別，並於類目之下注明，如經部小學類注曰：「類中分類凡七」；雜傳類注曰：「類中分類凡十五」；最多的為五行家，注曰「類中分類凡三十三」；每一家中再按作者時代先後排列，是超過《漢志》之處。

《隋志》所收錄的圖書，都是唐初所存的隋代藏書，編者對照《七錄》等書，於各書之下往往注明「梁有若干卷，今亡」或「今殘缺」。所以，每類之末，除通計存書之外，還通記亡書，最後總計存書與亡書總數。

《隋志》的注釋，為了區別殘缺與未完成之書，以免後人誤解，故標明「未成」，以資識別。

《隋志》史部圖書也有注明起訖時間者，對後世讀史的人是很方便的。如史部正史類的《東觀漢記》143 卷，注曰：「起光武記注，至靈帝」。《通史》480 卷，注曰「梁武帝撰。起三皇，訖梁。」

《隋志》著錄圖書，凡有懷疑，或涉及傳本的真偽，以及關於作者生平，都加以注明。如經部孝經類《古文孝經》1 卷，注曰：「孔安國傳，梁末亡佚，今疑非古本」；又如子部道家類《廣成子》13 卷，注曰：「商洛公撰，張大衡注，疑近人作」。

關於《隋志》的提要項，雖不甚多，但也有敍述原委，明其大旨者，雖然比較簡略，亦有提綱挈領的效果。如經部小學類《三蒼》3 卷，注曰「秦相李斯作《蒼頡篇》，漢揚雄作《訓纂篇》，後漢郎中賈魴作《滂喜篇》，故曰《三蒼》」。史部雜史類《史要》10 卷，注曰：「漢桂陽太守衞颯撰。約《史記》要言，以類相從」。史部地理類《地理書》149 卷，注曰：「陸澄合《山海經》以來一百六十家為此書，澄本之外，其舊事並多零失。見存別部自行者，唯四十二家，今列之於上。」

關於《隋志》的評價，唐宋以來褒貶不一。說它好的如唐代劉知幾的《史通‧書志》篇：「廣包眾作，勒成二志，騁其繁富，百倍前修」；宋代鄭樵的《校讎略》說它「高於古今」；清代姚振宗在《隋書經籍志考證》序例中也說它「上下千餘年，網羅十幾代，古人製作之道，胥在乎是」。說它壞的以《四庫提要》為代表說：「編次無法」、「志中為最下」。王重民先生的評價是公允的。他說：「《隋書‧經籍志》是隋代政府藏書目錄，著錄了隋代現存圖書 3,127 部，36,708 卷，又從隋以前舊目錄，特別是梁代舊目錄，在注文內附載了隋代已佚之書，1064 部 12,759 卷，總現存

和亡佚，共 4,191 部，49,467 卷，成爲總結我國中古時期一部劃時代的全國綜合性的圖書目錄，其重要意義與《漢書‧藝文志》是相同的，而其參考使用價值之廣泛，在某些地方又超於《漢書‧藝文志》之上。自從《四庫全書總目提要》根據一點『小疵』，低估了它的價值，後人不加考索，就隨聲應合，是不正確的」。（見《對〈隋書‧經籍志〉初步探討》一文）。

2.《舊唐書‧經籍志》與《新唐書‧藝文志》

　　《舊唐書‧經籍志》，五代後晉劉昫等撰。《新唐書‧藝文志》，北宋歐陽修所撰，兩書都是以《古今書錄》爲藍本，刪去其說明學術源流的各類小序。《舊唐志》根據《古今書錄》所著錄，只「錄開元盛時四部諸書，以表藝文之盛。天寶以後，名公各著文章，儒者多有撰述」，但它只「據所聞，附撰人等傳。其諸公文集，亦見本傳，此並不錄」（均見《舊唐志》序），這樣做的結果，就使很多書不能收入目錄，特別是別集類，很多名家集子不見著錄。

　　《新唐書‧藝文志》的作者歐陽修奉詔修唐書的紀、表、志，力求「事增文省」，也確有疏於考證之處。如《漢志》說：「序六藝爲九種」。而《新唐志》序說：「《漢志》以爲六藝九種七略」，不成文理。余嘉錫《目錄學發微》批評《新唐志》說：「全篇僅敍唐人繕寫書籍之事，於馬懷素之續《七志》，元行沖之《羣書四錄》，毋煚之《古今書錄》，皆無一言及之。尙不如《舊志》能錄《開元四部類例》及毋煚《書錄序》爲足備考證也。」

　　《新唐志》在著錄方面也有其優點，如每一類目，都分「著錄」、「不著錄」兩部分。《著錄》指《古今書錄》原有之書；「不著錄」指新增入的唐代著作。但它是根據宋代藏書，而不是根據唐代藏書，這樣區別著錄的結果，給後人補正史藝文志提供了方

便，實際上已開後代補志之先河。

《新唐志》比《舊唐志》增補唐人著作 27127 卷，分類編次亦有改進之處。清沈炳震爲方便讀者，編爲《新舊唐書合鈔》，全書體制雖不統一，但對《經籍志》以《舊唐志》爲主，其《舊志》所無，則注「從《新書》增」。文有不同，則注「從《新書》增」等。也有直接改從《新書》之處。《新志》所不著錄之書，則用雙行小字排在最後。對兩志所收部數、卷數都重新核算，並加按語，頗便研習。

(三)宋元目錄

1. 宋代官修書目與《宋史‧藝文志》

宋代官修目錄以仁宗時所修《崇文總目》爲最著名。這部書目總括昭文、史館、集賢三館及祕閣藏書加以著錄，共成 66 卷。分爲 4 部，45 類，收書 30669 卷。採用四分法分類，具體類目是：

• 經部：易類、書類、詩類、禮類、樂類、春秋類、孝經類、論語類、小學類。

• 史部：正史類、編年類、實錄類、雜史類、僞史類、職官類、儀注類、刑法類、地理類、氏族類、歲時類、傳記類、目錄類。

• 子部：儒家類、道家類、法家類、名家類、墨家類、縱橫家類、雜家類、農家類、小說家類、兵家類、類書類、算術類、藝術類、醫書類、卜筮類、天文占書類、五行類、道書類、辭書類。

• 集部：總集類、別集類、文史類。

《崇文總目》的編纂體例是各類都有序，各書都有提要。可惜南宋鄭樵作《通志》，謂其「文繁無用」，刪去《崇文總目》序釋，僅有書名，元初已無完本，明清僅有簡目。直到嘉慶四年

（1799）始由錢侗等人從《歐陽文忠公集》、《玉海》、《文獻通考》等書中得原序 30 篇，原釋 980 條，成書 5 卷。《崇文總目》雖然缺失，但在總括宋以前圖書，便於後人查驗存佚等方面還是有貢獻的。

　　具體著錄的體制是首著書名，次著卷數，後著撰人或注釋者的姓名、時代及官職。如「易類《歸藏》三卷，晉太尉參軍薛正經注，《隋書》有十三篇。今但存《初經》《齊母》《本著》三篇。文多缺亂，不可詳解」。也有的對書名、作者略加說明，如「《周易言象外傳》十卷，皇朝王洙原叔撰。洙以通經侍講天章閣，鳩集前世諸儒易說，折衷其理，依卦變爲類。共論以王弼傳爲內，故自名曰外傳」。

　　北宋政局相對穩定，經濟繁榮，雕版技術進步，公私刻印書籍範圍擴大，數量激增。政府注意訪求圖書，經史之外，兵、醫、天、算、詩文、書畫、花、木、茶、酒、佛、道、類書都大量增加。徽宗政和七年（1119）孫覿、汪藻等撰《祕書總目》，著錄圖書達 55,923 卷，爲宋代藏書最高記錄。靖康之難，散失無遺。

　　南渡之後，高宗又訪求遺書，國家藏書得到一定恢復。當時祕書省編有《續編四庫缺書目》2 卷，以經史子集爲序，凡缺書便在書名下注明。孝宗淳熙四年（1177）十月，祕書少監陳騤要求編撰書目。次年五月編成《中興館閣書目》70 卷，序例 1 卷，凡 52 門，著錄現存圖書 44,486 卷，比《崇文總目》所載多 13,817 卷，但還沒有達到北宋徽宗時的藏書量。從高宗紹興到寧宗嘉定（1131～1222）將近一百年間，由於圖書大量增加，到嘉定十三年（1220）祕書丞張攀受命編撰《中興館閣續書目》30 卷，比正目增加了 14,943 卷，使南宋的藏書量達到了 59,429 卷，不僅恢復了徽宗時的盛況，還增加了 3,500 多卷。

《中興館閣書目》正續二目，反映了南宋政府藏書的概況。正續二目今皆亡佚，僅存有趙士煒《中興館閣書目輯考》5卷，《中興館閣續書目》1卷。

宋朝十分重視修撰本朝的「國史」，而每種國史又都有《藝文志》，這在目錄事業發展史上開創了修當代史志目錄的先例。宋朝的《國史藝文志》據記載有7種之多，但其中3種南宋已廢佚，僅餘4種，即呂夷簡等撰（太祖、太宗、真宗）《三朝國史藝文志》；王珪等撰（仁宗、英宗）《兩朝國史藝文志》；李燾等撰（神宗、哲宗、徽宗、欽宗）《四朝國史藝文志》；不著撰人（高宗、孝宗、光宗、寧宗）《中興國史藝文志》。這些史志目錄都已亡佚，根據記載還能略知其大概。

元朝脫脫等所修《宋史・藝文志》主要依據宋代四部《國史藝文志》，刪去重覆，並採用《新唐書・藝文志》加注不著提要的方法，增補了一些宋寧宗嘉定以後的新書，仿照前史經史子集的四分法類分圖書，共著錄宋代藏書9,819部，119,972卷，成為宋代藏書及著述的史志目錄。《四庫全書總目》雖認為《宋史・藝文志》在史志目錄中最為雜亂，但由於它是依據宋《國史藝文志》編成，而宋《國史藝文志》又都亡佚，因而《宋史・藝文志》的文獻價值是不容忽視的。

2.《郡齋讀書志》、《直齋書錄解題》、《遂初堂書目》

唐宋時期，私人藏書目錄空前繁榮，南宋私人目錄竟然超過官修目錄。據周密《齊東野語》記載，當時藏書豐富者多達20餘家，多者達五萬餘卷。他們的藏書目錄在參考使用價值上，有的和官修目錄並行，有的在分類、著錄、考訂上提出了新的理論方法，可以補官修目錄之不足，在目錄發展史上起促進和改革的作用。現在保存下來的只有晁公武的《郡齋讀書志》、陳振孫的《直齋書錄解題》和尤袤的《遂初堂書目》。

《郡齋讀書志》

晁公武（約1105～1180）字子止，澶州清豐（今山東鉅野）人。世居汴京昭德坊，又稱昭德先生，是宋代著名的藏書家。金人南侵，公武隨父沖之避亂入蜀，居嘉定（今樂山）。不久中進士，任四川轉運使井度的屬官。井度好聚書，後來全部贈送公武。連原有家藏，除其重覆，有書 24,500 多卷，公武親自讎校，撰寫提要，於紹興三十一年（1161）成書。他在四川做了二十多年地方官，其間正守榮州（今四川榮縣）。南宋稱榮州為義郡，故稱為《郡齋讀書志》。

晁公武對圖書分類，大體上是繼承隋唐以來的四分法，並根據實際情況做了一些改進。共分為 4 部 43 類。經部 10 類，他將「《論語》、《孝經》皆附經類」，小學類按《漢志》附於經部、經解類，他認為「有補於經而無所繫屬」。所以只好附於經部、經解類。史部 13 類，參酌《崇文總目》，並作了一些修訂，如取消《崇文總目》的民族類和歲時類，增加史評類和譜牒類。子部 17 類，與《崇文總目》不同的地方是，刪去藝術類、卜筮類和道書類，合併算術類、天文占書類和曆數類為天文卜算類，增加了神仙類和雜藝術類。集部分為 3 類，認為楚辭為「百代文章之祖」設楚辭類，而把文史類去掉，因為別集數量很大，分為上、中、下三部。

《郡齋讀書志》在經史子集四部之首各有總序，敘述學術源流。每書都有提要，或述作者略歷，或論書中要旨，或明學派淵源，或列不同觀點，並詳加考證。

《郡齋讀書志》有衢本和袁本兩種。衢本 29 卷，宋理宗淳祐九年衢州刻，收書 1,461 部。其後傳本甚罕。清代嘉慶中，始有李富孫詳校本。袁本4卷，淳祐十年袁州刻，收書 1,033 部。趙希弁增補晁公武以後百年間新書 486 種為附志 1 卷，共 5 卷。再

加衢本的多於袁本的 435 部，為後志 2 卷，附於 5 卷之後。現在
通行本，有清王先謙合二本校刻的 20 卷本，及《四部叢刊》三編
影印宋袁州刻本。

晁公武的《郡齋讀書志》是我國現存最早的一部有提要的私家
書目，對後世的影響很大。雖然《讀書志》所載圖書多已失傳，後
人還可以從此書考見其大概。

《直齋書錄解題》

陳振孫（1185～？）字伯玉，浙江吉安人。曾在江西南城、
福建莆田和浙江等地做過二十多年的地方官，官至國子監司業，
寶章閣待制。由於他長期生活在圖書事業比較發達的地區，先後
四十年間不斷購置或傳抄，藏書日富。理宗嘉熙二年（1258）任
國子監司業後，又得博覽公私藏書，成為當時頗負盛名的藏書
家。晚年用近二十年時間，仿照《郡齋讀書志》撰成《直齋書錄解
題》56 卷，著錄圖書 3,096 種 51,180 卷，僅比《中興館閣書目》及
《續目》的總和少八千餘卷。但它在分類、著錄和內容提要方面都
作出了新的貢獻。

《直齋書錄解題》分為經史子集四錄，故曰「書錄」，首創了
「解題」目錄。原有敍例和部序，明初已亡佚，全書分為 53
類，只有 9 類存有小序，皆為不得不有所說明的類目。如《論
語》、《孟子》合為語孟類，是因為哲宗元祐年間，《孟子》列為經
書，是為《十三經》之始，並把《孟子》做為開科取士的考試科目，
因此必須寫小序加以說明。其他如小學、起居注、時令、章奏、
農家、陰陽、音樂、詩集各類，也都因實際需要而寫小序。其它
無新意可陳者，則不寫小序。

《直齋書錄解題》最值得注意的是解題部分，不僅著錄書名、
卷數、作者、評論圖書內容，而且還著錄版本類別、款式、版

刻、得書經過等版本事項，內容極爲豐富。

《直齋書錄解題》當時並未引起重視，《宋史・藝文志》未加著錄。直至修《四庫全書》時，才從《永樂大典》中輯出，校定爲 22 卷，後用木活字排印爲《武英殿聚珍版叢書》本。它除分卷和文字與 56 卷本略有差異外，內容基本一致，雙行小字注是四庫館校補時所加，後世通行本都是據此翻印的。

[《遂初堂書目》]

《遂初堂書目》作者是尤袤。尤袤字延之，無錫人，官至禮部尙書。《遂初堂書目》著錄之書，都是親見。按四部分類，經分爲 9 類、史 18 類、子 12 類、集 5 類。其史部在正史、雜史、故事、雜傳之外，又有國史、本朝雜史、本朝故事、本朝雜傳等。

《遂初堂書目》是著錄版本的濫觴，「往往一書而兼數本」，如成都石經本、祕閣本、舊監本、京本、江西本、吉州本、杭本、舊杭本、嚴州本、越州本、湖北本、川本、川大字本、川小字本、高麗本等。但僅記書名，不撰解題。現通行本尙缺卷數、撰者，對於考證古代典籍不無缺憾，但《四庫全書總目》說「疑傳寫者所刪，非其原書耳」，也不是不可能的。

3.《藝文略》

鄭樵（1104～1162）字漁仲，興化軍莆田（今福建莆田縣）人，是宋代著名的史學家和目錄學家。

鄭樵著書可考者達 84 種，但流傳下來的只有《通志》、《夾漈遺稿》、《六經奧論》、《爾雅注》、《詩辨妄》以及一些零散遺文。他從求實與會通思想出發，立志要「集天下之書爲一書」，撰《通志》200 卷，其中最重要的是 20 略，其中《圖譜略》、《金石略》擴大了史料的範疇。《藝文略》創立了新的分類法，通錄了古今存佚文獻；《校讎略》則是前三略的理論說明，是我國目錄學和

圖書館學的第一部較系統的理論著作。

《藝文略》

鄭樵收錄古今書目所載編成《藝文略》，企圖反映出古今文化典籍流變的概貌。根據「紀百代之有無」，「廣古今而無異」的收書原則，共著錄圖書 10,912 部，合為 110,972 卷。這種史無前例的巨著，打破歷史傳統，創製了一部 12 大類的新分類法。12 大類是：經、禮、樂、小學、史、諸子、天文、五行、藝術、醫方、類書、文（一級位類）。類下又分為 157 家（二級位類），家下又分為 283 種（三級位類）。（見《通志‧藝文略》）鄭樵《藝文略》十二分法的創製是我國分類史上的重大改革。

當然《藝文略》的分類也有一些缺點和疏漏，由於歷史的局限，鄭樵竟把宣揚封建迷信的五行類列為一級類。又因《通志》成書草率，也有一些疏漏，如《藝文略》記載家數為 157，而《校讎略》卻為 100；《藝文略》記載種數為 282，而《校讎略》卻為 422。

《藝文略》中既有《班昭集》，又有《班大家集》，一人誤為二人。又如佛教經典《淨土論》，而誤入道家；《吳興人物志》和《河曲人物志》是地理類圖書，而誤分入名家等。

總之，從鄭樵就新法的創製、類例與學術盛衰、文獻存亡關係看法；以及目錄要起辨章學術源流的作用，就必須通錄古今，兼記有無，全備本末；乃至對著錄的要求、解題的作法，圖書搜求、校書制度等都提出了許多新見解，發前人之所未發。

4.《經籍考》

馬端臨是宋末元初的史學家，他所著的《文獻通考》是史學史上的鴻篇鉅製。

《文獻通考》分 24 門，共 348 卷。《經籍考》是第 18 考，76 卷，約 80 萬字，將占全書四分之一。按傳統的四分法分類，前

有總序，類有類序，各書詳列解題，首創了輯錄體，是我國目錄學史上的重要里程碑。

《經籍考》

《經籍考》的總序是一篇重要文獻，兩萬餘言，按著「會通」思想，總結了我國古代到南宋《中興館閣書目》及《續目》整個文獻目錄的發展過程，可以說是一部系統的目錄學和文獻學的發展簡史。

《經籍考》雖然採用傳統的四分法，但其具體類目和《隋書‧經籍志》、《崇文總目》、《郡齋讀書志》、《直齋書錄解題》等卻不盡相同。

❖《經籍考》所分 4 部 57 類如下：

‧經部：易、書、詩、禮、春秋、論語、孟子、孝經、經解、樂、儀注、諡法、讖緯、小學。

‧史部：正史、編年、起居注、雜史、雜傳、偽史、霸史、史評、史鈔、故事、職官、刑法、地理、時令、譜牒、目錄。

‧子部：儒家、道家、法家、名家、墨家、縱橫家、雜家、小說家、農家、天文、曆算、五行、占筮、刑法、兵書、醫家、房中、神仙、釋民、類書、雜藝術。

‧集部：楚辭、別集、詩集、歌辭、章奏、文史。

《經籍考》各類類序大都輯自歷代史志及其他官私書目，按歷史順序排列，各類沿革及學術源流一目了然。關於類目設置及其說明也兼注己意。

關於對《文獻通考》的評價，歷來有兩種不同的看法。肯定他的主要著眼於材料詳贍，否定它的主要說它無創造精神。如章學誠在《文史通義‧釋通》篇中就譏貶它「雖仿《通典》而分析次比，實為類數之學，書無別識通裁，便於對策敷陳之用」。章氏這種

看法很片面。馬氏雖然採用輯錄體方法，並不等於類書之學，也不足以說明他無獨斷，無創造精神。比如《通典》的字數僅爲《通考》的六分之一，可見《通考》比《通典》有很大的發展。僅就《經籍考》來說，輯錄體的創造就很說明問題。他對很多問題的看法，雖然限於體例，多引成說，但他在按語中對很多問題的看法很有見地，更不要說，他的很多觀點是寓於材料之中的。

至於輯錄體這種目錄學方法，不獨後代公私書目起而效法，就是章學誠自己的《史籍考》也是追步其跡。

㈣明代目錄

1.《文淵閣書目》

明滅元後，徐達盡收元都藏書運往南京。這些圖書是合宋金元三朝的舊藏，所以多是宋元刻本和鈔本。永樂遷都北京，派人取書百櫃移置新都，又遣官四出搜集，使閣藏達兩萬餘部，近百萬卷，但未進行整理。正統六年（1441），大學士楊士奇、學士馬愉、侍講曹鼎等奏請登錄編目，於是編成明代的國家目錄《文淵閣書目》。這部目錄反映了明前期國家藏書情況，有很高的文獻價值。

《文淵閣書目》

《文淵閣書目》不分經史子集，以千字文排次爲序，自天字至往字，凡二十號，故亦訂爲 20 卷。

《文淵閣書目》每書不列卷數及作者，僅記册數，下注完缺，一書多部者也一併著錄。錢大昕在《舊鈔本文淵閣書目跋》中認爲《文淵閣書目》不過是官藏圖書的登錄簿，不必按目錄學著作要求，對清初朱彝尊《經義考》中所說：「《文淵閣書目》有册而無卷，兼多不著撰人姓氏，致覽者茫然若失」的批評，認爲過苛。

朱錢二家，各執一偏，不如《四庫全書總目》能持平而論得失。《總目》既批評其「不能考訂撰次，勒爲成書，而徒草率以塞責，較劉向之編《七略》，荀勗之紋《中經》，誠爲有愧」。同時，又肯定它對考證方面的貢獻說：「今閱百載，已散失無餘，惟藉此編之存，尙得略見一代祕書之名數，則亦考古所不廢也。」

繼《文淵閣書目》以後的國家目錄，據《千頃堂書目》所載尙有馬愉的《祕閣書目》2卷、錢博的《內閣書目》1卷、張萱的《新定內閣藏書目錄》8卷、《內府經廠書目》2卷、《國子監書目》1卷、《南雍總目》1卷、《御書樓藏書目》1卷、《都察院書目》1卷、《寧獻王書目》1卷、《行人司書目》2卷等。

這些書目，有存有佚，其中以張萱等所撰《內閣藏書目錄》爲最著名。此目爲萬曆三十三年（1605），中書舍人張萱等人奉命校理內閣藏書時所撰。全目8卷，以聖制、典制二部居首，然後於經史子集四部之外，增置類錄、金石、圖經、樂律、宋學、理學、奏疏、傳記、技藝、志乘、雜部等。各書略注撰人姓名、官職及書的全缺，並兼有解題，雖文字簡略，原書卷數也未全著，體例不夠完善，但比《文淵閣書目》要好的多，成爲考求明代官藏的重要目錄之一。此書南京圖書館藏有鈔本，《適園叢書》有刊本。

2. 明代私家目錄擧要

《百川書志》，20卷。

高儒撰，儒字子醇，自號百川子，涿州（今河北涿縣）人。他雖是一位武官，卻嗜書成癖，藏書豐富，在嘉靖年間，經「六年考索，三易成編，損益古志，大分四部，細列九十三門」（《百川書志》序），編成《百川書志》。其書錄注厚今薄古，著錄撰人有關資料。分類大膽衝破舊有藩籬，於野史、外史、小史等

目，編入演義、戲曲、傳奇等文學作品。提要撰寫以自己讀書心得為主，別出心裁不事抄錄。其缺點主要在分類方面，如周中孚在《鄭堂讀書記》中指出：「以道學編入經志，以傳奇編入外史，瑣語為小史，俱編入史志。」又如史志有文史類，集志復有文史類，異實同名。但瑕不掩瑜，不能因為有缺點就否定他在收錄、分類、著錄和撰寫提要方面的創造。

$\boxed{\text{《寶文堂書目》}}$，3卷。

晁瑮撰，瑮字石君，號春陵，開洲（今河南濮陽）人，官至國子監司業。藏書宏富，嘉靖間撰《寶文堂書目》，所收圖書多有它目所不載者。分類獨具一格，以御書為首，上卷分諸經總錄、五經、四書、性理、史、子、文集、詩詞等十二目（五經分為五目）。中卷分類書、子雜、樂府、四六、經濟、學業等六目。下卷分韻書、政書、兵書、刑書、陰陽、醫書、農譜、藝圃、算法、圖志、年譜、姓氏、佛藏、道藏、法帖等十五目。於子雜門和樂府門中多著錄小說、戲曲類圖書，為文學史研究提供了重要史料。該書著錄版本，足以考見明代版刻源流，為版本學家所重視。

$\boxed{\text{《紅雨樓書目》}}$，徐𤊹撰。

𤊹字惟遲，更字興公，閩縣（今福州市）人。積書達三萬餘卷。仿《通志・藝文略》與《文獻通考・經籍考》的體例，於明神宗萬曆三十年（1602），撰成《紅雨樓書目》4卷。雖分四部，但細目多有創新。著錄文藝類圖書較多，卷3子部傳奇類收錄有元明雜劇和傳奇140種之多。集部收集明代集目較多，《明詩選》部分，更詳注作者履歷，是有關明代藝文的重要史料，可與《千頃堂書目》明集部分互為補充。

 《趙定宇書目》 ，趙用賢撰。

　　用賢字汝師，號定宇，常熟人。萬曆初，官檢討，疏論張居正奪情，與吳中行同遭杖戍。張居正死後，任吏部侍郎，諡文毅。剛直嫉惡，議論風發，爲後五子之一，著有文集等多種。此目以簿錄形式自記所藏，故類例極不精密，編次也無順序。其長子趙琦美撰有《脈望館書目》傳世。趙氏父子注重圖書收藏，實開常熟藏書家輩出之先河。

 《萬卷堂書目》 ，朱睦㮮撰。

　　睦㮮字灌夫，自號東陂居士，明宗室，學識淵博，勤於著述，性好聚書。在自序中說「於余宅西建堂五楹，儲書其中，仿唐人法，分經史子集，編爲四部」。在隆慶四年（1570）撰成《萬卷堂書目》。

 《澹生堂書目》 ，祁承㸁撰。

　　承㸁字爾光，山陰（今浙江紹興）人，官至江西布政使司參政，是浙東藏書世家。他效鄭樵求書之法。窮搜博採，聚書十萬餘卷，撰成《澹生堂書目》。原寫本未分卷，採用表格式，清人邵懿辰謂其書可分 47 卷。略仿鄭樵、焦竑，分 46 類，雖不標經、史、子、集之名，仍以四部爲歸宿，其類目的增減，細目之詳分，均對《隋志》多所修正。其《整書略例》推究分類方法有四：一曰因、一曰益、一曰通、一曰互。所謂「因」，即因四部之成例，所謂「益」，即對四部類目的調整補充，所謂「通」，即別裁之法，所謂「互」，即互見之法。四論是祁氏對圖書分類理論的貢獻。在著錄方面，書同卷册不同者，則另行著錄，上下編或續編也分別著錄，都體現了編者的目錄學思想。

|《古今書刻》|，2卷，周弘祖撰。

　　弘祖，湖廣（在今湖北）人，官至福建提學副使，謫安順判官。書分上下兩編，上編收錄各直省所刊古籍，下編收各直省所存石刻。保存的版刻資料對考求版刻源流及圖書存佚提供了依據。

|《曲品》|，2卷，呂天成撰。

　　天成明萬曆時人，該書自稱仿鍾嶸《詩品》、庾肩吾《書品》和謝赫《畫品》體例而撰，評論明傳奇及其作者。卷上品評作者，卷下品評作品。作品附簡要解題，包括作者簡介、內容要旨、版本、評論等，是明代一部傳奇專目。

3.《明史‧藝文志》的編纂與《千頃堂書目》

|《國史經籍志》|

　　焦竑字弱侯，山東日照人，官翰林院修撰。與修《國史》，負責《經籍志》的修撰 。

　　焦竑纂修《國史經籍志》是以鄭樵《通志‧藝文略》作基礎，增補南宋、遼、金、元和明代人的著作，萬曆三十年（1602）成書。《通志‧藝文略》並不是宋代的現實藏書，焦竑所補宋末到明末的著作，也僅是根據各家書目，因此該志內容，大部分不是根據現實藏書，而是走向「紀百代之有無」，「廣古今而無遺」的作法。所以《四庫全書總目》批評它：「叢鈔舊目，無所考核，不論存亡，率爾濫載。古來目錄，惟是書最不足憑。」而姚名達先生在《中國目錄學史》一書中則認為：「在目錄學史中，惟竑能繼鄭樵之志，包舉千古，而力不足勝其任，故為《四庫》所譏也。」

|《明書經籍志》|

　　清初順治四年（1648）纂修《明史》，但這次沒有成功。參加纂修的傅維鱗，在稍後的時間內，以個人力量編成《明書》171卷，第 75 到 77 卷是《經籍志》。

　　傅維鱗的《明書經籍志》是採用記當代藏書的傳統做法，主要是根據《文淵閣書目》的著錄。他認爲《文淵閣書目》著錄的圖書藏在明王朝的殿閣和皇史宬內，所以在《經籍志》中題爲《殿閣皇史宬內通籍庫藏書》，後附載劉若愚《酌中志》內的《內板經書紀略》。因爲劉若愚所記的都是內府刻書的書版，所以改題爲《內府經籍板》。此外，僅在製書類的末尾補入了從洪武到天啓的歷朝《實錄》。文淵閣藏書是 1421 年從南京搬來的，那些圖書是明初搜集的政府藏書，大部分是宋元舊藏，基本上沒有明人的著作。所以，纂修《明志》沒有一部好的官修目錄做基礎是行不通的，所以《明書經籍志》無法包括明代典籍。

《明史藝文志》

　　黃虞稷字俞邰，上元（今南京市）人。康熙十八年（1679）詔開博學鴻詞科，重開明史館，虞稷康熙二十二年入明史館，分纂《藝文志》。入館之前，已開始收集有關《明史‧藝文志》的材料，到館後，考慮《宋史‧藝文志》所載止於咸淳，擬把《宋志》咸淳以後和遼、金、元三代的著作，補於明志之後，以塡補史志目錄中的空白。

　　黃氏經過十年搜求，終於編成一部比較翔實的《明史‧藝文志》稿，著錄圖書超過焦竑《國史‧經籍志》一倍。從此由宋末到明末的著作，有了一部較爲完整的目錄。

　　由於《明史‧藝文志》稿，不是根據現實藏書，多是從書目、史傳、方志和其他私人記載中鈔來的，又未核對原書，著錄不統一，有的連卷數和撰人都沒有，書名著者亦有錯誤，更無內容提

要，後來此稿單獨刊行名爲《千頃堂書目》。

《明史稿藝文志》

唐熙三十三年（1694）明史館的纂修領導工作，由王鴻緒、張玉書、陳廷敬分擔。張、陳去世後，才由王鴻緒總校諸稿，改編成爲《明史稿》。《明史稿‧藝文志》對黃氏原稿做了較大的修改，刪去宋遼金元四朝著作。對經部的書籍，根據《經義考》做了補充和修正，名副其實地成爲「著一代之盛」的著作。

《明史藝文志》

今本《明史》是由張廷玉領修，是用王鴻緒的《明史稿》爲底稿。但《藝文志》改動不大，兩志相校，只有十六處改動。

《明史藝文志》分爲 4 部：經部 10 類，史部 10 類，子部 12 類，集部 3 類，共 35 類，著錄明人著作 4,633 種，105,970 卷。最大的貢獻是編纂方法上的改革，即由記一代藏書之盛改爲記一代著作之盛，眞正反映一代藝文。《明史‧藝文志》的缺點是：

首先，雖然收錄圖書宏富，但仍有缺漏。對黃書「無卷帙氏里可考」者及「書不甚著者」一概刪除，使《明史‧藝文志》只有黃書初稿的六七成，降低了該書的文獻價值。

其次，分類比較粗略，歸類失當之處也時有所見。例如把編年類、紀事本末等都併入正史類，不倫不類。在子部，墨、名、法、縱橫各家都歸入雜家中，混淆了學術類別。

再次，《明志》還存在著著錄重覆，撰人著於書名之前等缺點。

(五)清代目錄

1.《四庫全書總目》及胡玉縉《補正》、余嘉錫《辨證》

根據前人的約略統計，從漢魏到明末，共有各種目錄著作151種，而清卻有155種，超過了歷代的總和。而且就收錄範圍、編製的體例、體裁的多樣化和內容的科學價值，都有總結前代、開啓後代的特色。

⑴《四庫全書總目》的成就

《總目》200卷，凡著錄圖書共 10,231 種，171,003 卷（內《全書》著錄 3,448 種，78,726 卷；《存目》著錄 6,283 種，92,241 卷）。參加纂修工作的前後不少於三百位著名學者和目錄學專家。如戴震、邵晉涵、周永年、翁方綱、朱筠、姚鼐、王念孫、任大椿、金榜等，最後由紀昀總其成，成爲我國最大的一部官修目錄，也是現存古典目錄中規模最大的一部，該書在凡例中自稱爲「卷帙浩博，爲亘古所無。」要「定千載之是非，決百家之疑似」，雖爲自詡，但它的歷史地位是不容否定的。具體成就，可概括爲以下幾點：

第一，辨章學術，高挹羣言

《四庫提要》繼承《別錄》、《七略》以來的中國目錄學優良傳統，於「四部之首，各冠以總序，撮述其源流正變，以挈綱領。四十三（實爲四十四）類之首，亦各冠以小序，詳述其分倂改隸，以析條目。如其義有未盡，例有未該，則或於子目之末，或於本條之下，附注按語，以明通變之由」。（《四庫全書總目‧凡例》）

余嘉錫先生評價其「剖析條流，斟酌古今，辨章學術，高挹羣言」，「自劉向《別錄》以來，才有此書」。確非過譽之辭。

第二，剖析源流，斟酌古今

《四庫全書總目》全書分經史子集四部，提綱列目，經部分10類，史部分15類，子部分14類，集部分5類，共44類。其流別繁細者，又各分子目，如分小學爲3目，地理爲9目，傳記

為 5 目，政書為 6 目，數術為 7 目，藝術為 4 目，雜家為 6 目，詞曲為 5 目。又經部之禮類，史部之詔令奏議類、目錄類，子部之天文算法類、小說家類亦約分子目，條理分明。所錄各書均以時代為次，歷代帝王著作，冠各代之首，甚便尋檢。總之，在總結前代目錄得失，使類目更加細緻，分類原則更加明確，超越了前代公私書目，對後代產生了深遠影響。

第三，詳典藉源流，別白是非

《四庫全書總目》是一部廣泛而系統地評價我國古籍的書目，總結了漢代劉向、劉歆以下，特別是唐宋以來魏徵、曾鞏、梅堯臣、晁公武、陳振孫、馬端臨等公私目錄提要的撰寫方法，並參考了明末清初錢曾、毛晉、朱彝尊等人撰寫提要的經驗，形成了自己撰寫提要的形式。就是「每書先列作者之爵里，以論世知人；次考本書之得失，權眾說之異同，以及文字增刪，篇帙分合，皆詳為訂辨，鉅細不遺。」

在版本的選擇方面，刊寫之本「擇其善本錄之」，增刪之本「謹擇足本錄之」，並注某家所藏，以明所自。

《四庫全書總目》的編纂，不僅總結了我國目錄學的理論方法和經驗，整理著錄了豐富的文化典籍，重新建立了系統的分類體系，而且對當代和後世都產生了巨大的影響。

(2)《四庫全書總目》存在的問題及後人的補充糾正。

《四庫全書總目》產生在封建社會後期。修《四庫全書》名曰：「稽古右文」，而實際施行「寓禁於徵」的政策。凡不利於統治的書籍，或有反封建進步思想的書籍，都視為「違礙」，加以刪節、竄改、重編，甚至抽毀和全毀。姚覲元的《清代禁燬書目（補遺）》所錄禁書達三千餘種，幾乎和四庫所收書相等。

胡玉縉撰《四庫全書總目提要補正》，輯錄清人至近人校訂《四庫提要》錯漏之處，訂正書籍 2,300 餘種。

余嘉錫撰《四庫提要辨證》24 卷，作者窮畢生精力於此，徵引繁富，考證精詳。

2. 正史藝文志的補撰與清代版本目錄、專科目錄的興盛

❖正史藝文志的補撰

「二十四史」中，有《藝文志》或《經籍志》的，只有前漢、隋、兩唐、宋、明六部。康熙十八年（1679）開館修《明史》，館臣在草擬《明史‧藝文志》時，深感《宋志》咸淳以後多缺，遼、金、元三史都沒有《藝文志》，幾百年間的文化典籍被割斷，給闡述明代文化的繼承造成了困難。於是努力搜採宋、遼、金、元各朝文獻典籍，補撰藝文志。康熙年間，倪燦首先輯有《補遼金元藝文志》，乾隆中，盧文弨又有《補遼金元藝文志》，同時，錢大昕撰《補元史藝文志》。學者踵繼，由遼金元而推及歷代，由代有人補，發展到一代有數家補撰。如遼金元藝文志，既有倪、盧、錢三家之作，又有金門詔《補三史藝文志》、黃任恆《補遼史藝文志》、王仁俊《遼史藝文志補證》、鄭文焯《金史補藝文志》、繆荃孫《遼藝文志》、孫德謙《金史藝文略》，計遼金元三志，前後共有九家。撰《後漢書藝文志》的有錢大昭、侯康、顧櫰三、陶憲曾、姚振宗、曾樸六家。補《三國藝文志》的有侯康、陶憲曾、姚振宗三家。補《晉書藝文志》的有丁國鈞、文廷式、秦榮光、吳士鑒、黃逢元五家。補《隋書經籍志》者，有張鵬一，補《五代史藝文志》的有顧櫰三、宋祖駿二家。補《宋史藝文志》的有黃虞稷、盧文弨及宋文藻兩種。尤侗《明史‧藝文志》之外，又有金門詔《明史經籍志》、王仁俊《西夏藝文志》。現代還有陳漢章《南北史合八代史錄目》、徐崇《補南北史藝文志》、陳述《補南齊書藝文志》、聶崇岐《補宋史藝文志》、李正奮《補後魏書藝文志》、《隋代藝文志》，至此，歷代正史藝文志，已基本貫通。

❖清代版本目錄

《讀書敏求記》

錢曾（1629～1701）字遵王，自號也是翁，江蘇常熟人，清初著名藏書家，版本學家。家富藏書，多蓄舊籍，名藏書室爲述古堂及也是園。自編書目三種。

一是《也是園藏書目》，收藏 3,800 餘種，略多於後來《四庫全書》著錄之書，分類登記書名、卷數，以便稽查。

二是《述古堂書目》，收書 2,200 餘種，在書名、卷數之外，有的注明册數和版本，以便求書。

三是除在《述古堂書目》後列出《述古堂宋版書目》外，又選其藏書之精華，親手題識，作《讀書敏求記》，考訂宋元精刻善本的篇目完缺、授受源流、刻工異同，從版式、行款、字體、刻工，以及紙墨顏色，判斷雕印年代。從祖本、子本、原版、修版來斷定版本的價值，因見聞旣博，鑒別尤精，不僅是一部學術水平很高的目錄學專著，也開清代注重版本的風氣。章鈺的《錢遵王讀書敏求記校證》一書，徵引各家批注，使此書更爲完備。

《士禮居藏書題跋記》

黃丕烈（1763～1825）號蕘圃，晚號復翁，吳縣人，清代著名藏家書，校勘學、版本學家。自號「佞宋主人」，藏宋版書百餘種，建專室儲藏，題曰：「百宋一廛」。通過鑒定古書，考訂版本，以題跋的形式，寫出《士禮居藏書題跋記》6 卷，是版本目錄學上有較高學術價值的專著，在一定程度上推動了目錄、校勘、版本學的發展。在《士禮居藏書題跋》之外，清末學者繆荃孫輯其散記題跋爲《蕘圃藏書題識》10 卷。今人王大隆又輯有《蕘圃藏書題識續錄》4 卷，也都有較高的學術價值。

《愛日精廬藏書志》

張金吾（1787～1829）字慎旃，號月霄，江蘇常熟人，清代著名藏書家。選擇藏書中金元舊槧及鈔本之有關實學而世鮮傳者，著其版式，錄其序跋，於文之常見者，只舉其題目。並對《四庫全書》之後所出之書，或四庫未收之書，略加解題，以識流別，撰《愛日精廬藏書志》36卷，《續志》4卷。

《思適齋集》

顧廣圻（1766～1835）字千里，號澗薲，又號思適居士，吳縣人，清代著名校勘家。他的基本方法是「多留重本」、「借他書證明」，「忌以新版填補」。主張：「惟無自欺，亦無書欺，存其眞面，以傳來茲」。由於校勘的態度認眞、方法科學，他校刻的古籍，普遍受到學術界重視。所著《思適齋集》18卷，收錄了他幫助孫星衍、秦恩復、張敦仁等藏書家校刻古籍所寫序跋、札記，其後王大隆又輯有《思適齋跋》4卷。

《天祿琳琅書目》

乾隆九年(1744)，乾隆帝選擇內府宋元明版書，有宋版書71種、金版1種、元版86種、明版251種，共429種，藏在乾清宮昭明殿，題藏書處曰：「天祿琳琅」。由於敏中等編《天祿琳琅書目》前編10卷。嘉慶二年（1798），乾清宮失火，「天祿琳琅」善本被焚。以後重建，又檢善本入藏，由彭元瑞等編爲《天祿琳琅書目》後編20卷，收宋遼金元明版本及影宋抄本明抄本663部。每書有解題、詳載版本年月、收藏家時代爵里、題識印記、授受源流，實爲淸代國家版本目錄。解題詳備，奠定了版本目錄學的基礎。今人施廷鏞、張允亮檢實存書編爲《天祿琳琅查存書目》和《天祿琳琅現存書目》。

《四庫簡明目錄標注》

邵懿辰（1810～1861），字位西，浙江仁和人。該書記錄了
《四庫簡明目錄》所收各書的版本，綜括了已有的目錄，校勘和版
本的研究成果，簡明扼要，是一本很有用版本目錄書。邵章仿
《標注》的體例，編成《續錄》，錄《標注》成書後出的各種版本，補
充了《標注》和邵友誠《附錄》之不足，1955 年中華書局出版增訂
本，附有索引。

《宋元舊本書經眼錄》、《邵亭知見傳本書目》

莫友芝（1811～1871）字子偲，貴州獨山人。有《宋元舊書
經眼錄》3 卷，收錄宋金元明刊本 93 種，舊鈔本 38 種。或記其
版刻，論其優劣，或錄其序跋及藏書印記，按版刻時代編排，是
考訂古籍善本的重要參考書。

《邵亭知見傳本書目》16 卷，以邵懿辰書爲底本，收書有在
《四庫全書》以後所出者。每書詳載版本，間或注明以何本爲善，
有上海掃葉山房石印本。

清末楊守敬有《日本訪書志》，講究版本之風擴展到海外，日
本森立之《經籍訪古志》、島田翰《古文舊書考》都是很有名的。

❖清代專科目錄

《經義考》

朱彝尊（1629～1709）字錫鬯，號竹坨，浙江秀水（今浙江
嘉興）人，博通經學、史學、文學，著述甚多。康熙十八年
（1679），以布衣舉博學鴻儒，參與修《明史》。晚年家居，以經
學家拘守一家之言，致說經之書多失傳，乃搜集歷代經學書籍，
仿馬端臨《文獻通考‧經籍考》體制，採朱睦㮮《授經圖》之說，作
《經義存亡考》。刊刻以後，又不斷修改補充，死後 46 年，盧見

曾刊印其全書爲《經義考》300 卷，是經學第一部專科目錄。

《經義考》以書名爲綱，凡歷代目錄所著錄的說經之書，先著卷數、著者或注疏者，考其爵里。書下各注存、佚、缺、未見，輯錄原書序跋及古今學者論述之文，原文照錄，不附己見，也有偶加按語者，讀者一覽，可盡知歷來各家論述。其書網羅宏富，爲兩千年來說經之書的總彙。

小學一類，未能遍考諸書，僅列《爾雅》一書，元明以下，有的只據書選錄，未載序跋，所列缺佚各書，有的尚存。且全書最後五門有目無書，是尚未最後完成的表現。乾隆末年，翁方綱撰《經義考補正》12 卷，共補正 1,088 條。

《史籍考》

章學誠（1738～1801）字實齋，號少岩，浙江會稽（今紹興）人。曾歷主幾處書院講席，著《文史通義》，編修《和州志》、《永清縣志》、《亳州志》，爲三通館作《續通志校讎略》，後改寫爲《校讎通義》。主編《史籍考》，並參加《湖北通志》、《續資治通鑒》編寫工作。死後 120 年《章氏遺書》才得刊行。

章氏在批判繼承鄭樵「會通」、「全備」的目錄學思想時，在朱彝尊《經義考》的啓發下，提出編寫貫通古今，全備本末的專科目錄《史籍考》的建議，並提出編寫原則十五項，得到河南巡撫畢沅的同意。於乾隆五十三年（1783）聘請當時學者洪亮吉、凌廷堪、武億等開局編撰，由章學誠任主編。不久，因畢沅調任湖廣總督而停頓，五十五年，在武昌繼續編撰，至五十九年，因沅去官停編。至嘉慶三年（1789）又得到浙江巡撫謝啓昆的支持，在杭州補修《史籍考》。助手袁鈞、胡虔等重訂凡例，章氏作《史考釋例》，對經、子、集三部之書，凡有與史書相關之處，運用互著法和別裁法，著錄一切與歷史有關的著作，使《史籍考》成爲

一部具有很高學術水平的歷史專科參考目錄。

這部三百卷的鉅著，原稿未及刊行，不幸於咸豐六年（1856）毀之於火。現在只能從《論修史籍考要略》和《史考釋例》中窺見其大要。

《小學考》

謝啓昆（1737～1802）字蘊山，號蘇潭，江西南康人，乾隆末，爲浙江巡撫。以朱彝尊《經義考》小學類，僅有《爾雅》，而未言及《說文解字》以下，翁方綱《經義考補正》對此也未及補。乃採杭州文瀾閣藏書補其缺，作《小學考》50卷，由當時學者陳鱣、胡虔等助編而成。

《小學考》卷首題「敕撰」之書。下分四類：訓詁6卷、文字20卷，聲韻16卷，音義6卷。他認爲「訓詁、文字、聲韻者，體也，音義者，用也。體用具，而後小學全焉」。錢大昕《小學考序》認爲，《小學考》較《經義考》小學類，「精博實有過之」。

《古今僞書考》

姚際恆（1647～1717？）字立方，號首源，又號善夫，安徽休寧人，寄居杭州。《古今僞書考》是專門辨僞的目錄學著作，該書辨僞文字簡略，判斷雖不完全可靠，但它對清代辨僞之風，不無影響。今天黃雲眉撰有《古今僞書通考補正》。

3.《書目答問》與《書目答問補正》

《書目答問》

張之洞的《書目答問》是一部指導治學門徑的舉要書目，受到當時學者的普遍重視，開闢了我國目錄學的新領域。直到今天，還是人們學習目錄版本的重要參考書。

張之洞（1837～1909）字孝達，又字香濤，號壺公，直隸（今河北）南皮人。久官貴州。張之洞是繼劉向、劉歆、鄭樵、章學誠之後的一位傑出的目錄學家。既繼承前人成法，又有所創新，既注意讀書治學與目錄學的關係，又重視版本學與目錄學的關係，並在分類著錄方面又有所改進，創立了自己目錄學的理論和方法，爲目錄學建設做出了貢獻。

第一，編纂目的是爲了培養人才。

光緒元年（1875），張之洞在四川學政任內，爲諸生撰《輶軒語》和《書目答問》二書。《輶軒語》是告誡諸生立身行事之道（《語行》），論治學方法（《語學》）、時文寫作方法（《語文》）；《書目答問》是爲回答諸生來問「應讀何書，書以何本爲善？」兩書互爲表裡，但目的都是爲了培養人才。他認識到目錄學在指導讀書和培養人才方面的作用。

第二，重視版本的選擇。

《書目答問》在指導青年選擇圖書時，告訴讀者，一書有什麼版本，何者爲優，何者爲劣，何人何地出版，是單行本還是叢書本，怎樣能找到這種版本。關於善本也超越古代藏書家鑒賞派追求古本的作法，強調研究版本要和治學聯繫起來。他在《輶軒語》中說：「善本非紙白版新之謂，謂其爲前輩通人，用古刻數本，精校細勘付刊，不僞不缺之本也」。說「善本之義有三：一足本，無闕卷，未刪削；二精本，一精校，一精注；三舊本，一舊刻，一舊鈔」。

第三，分類方面的改革。

在分類方面敢於突破四庫法的樊籬，主要是在經史子集之外，增加了叢書一部，實際是變四分爲五分。對經史子集四部也有改革和創新。如經部分「正經正注」、「列朝經注經說經本考證」和「小學」三大類。清代考據的重要成就主要表現在經學方

面，如整理、考訂、集注、疏釋、精校、重刊等，頒發給學官，在羣書中地位尊顯。《答問》特列「正經正注」一類，是正統觀念的反映，也是清代經學興盛的表現。

《答問》著重區別古今學術，因此史部列「古史」類，說：「古無史例，故周、秦傳紀體例，與經、子、史相出入，散歸史部，派別過繁，今彙聚一所，爲『古史』」。地理類也分「古地志」、「今地志」。政書類也分「古制」、「今制」。都是爲了區別古今，明辨源流。西漢以後的諸子，已與先秦的諸子有別。因而在子部專立「周秦諸子」類，也稱「古子」以別後世諸子，是取意於晉荀勖《中經新簿》的「古諸子家」和「近世子家」之分。

明清之際，西方科學技術輸入中國，張之洞主張「中學爲體，西學爲用」。《答問》在天文算法類，分爲「中法」、「西法」、「兼用中西法」三類。

集部別集除按時代細分之外，還對清代別集再加細分。

第四，注釋簡明切要。

《答問》不作較長的提要，而是以注文的形式，進行指示性的說明，如經部郝懿行的《爾雅義疏》，下注「郝勝於邵」，邵晉涵有《爾雅正義》此即比較言之。《說文解字》下注「孫本最善，陳本最便」。又如史部《紀元通考》下注「此書最詳」。畢沅的《續資治通鑒》下注「宋元明人續通鑒甚多，有此皆可廢」。《答問》這些指示讀書門徑的注文或論流別，或論版本，或論內容優劣，或論用途，皆簡賅切要。

第五，注意詳今略古。

《答問》一書把眼光放在當代，注意收錄中外科技圖書，有些按語體現了「今勝於古」的思想。如史部「地理外紀」類注：「古略今詳者，錄今人書」。子部「天文算法」，類注曰：「推

步須憑實測，地理須憑目驗。此兩家之書，皆今勝於古」。在《國朝（清）著述諸家姓名略》下說：「大抵徵實之學，今勝於古」。這種順應事物發展趨勢的思想，有實事求是之意。

《書目答問》是一部舊時代的目錄著作，也有糟粕、錯誤與疏漏之處。光緒五年（1879），王秉恩（張之洞的高材生）的貴陽本，已考證校改280餘處，其後周星治，葉德輝、倫明諸人也進行過訂正。范希曾的《補正》，對《書目答問》進行全面補充，後來陳垣、李慈銘也有訂正，袁行雲對《國朝（清）著述家姓名略》也作過補正。

《書目答問補正》

《答問》刊行後數十年間，學術新著，數量驟增。又加宋元珍本叢書的校刊，如遵義黎氏、貴陽陳氏、常熟瞿氏、貴池劉氏、南陵徐氏、武進董氏和陶氏的影刻本，和《四部叢刊》、《續古逸叢書》等影印善本，都是必須補錄的。加以敦煌文物古籍和殷墟甲骨的發現，學者的眼界，已從古籍擴展到地下考古。凡此種種，都使學者感到《答問》需要修訂，所以，改編者有之，補正者有之，但都沒有達到較完善的程度，范希曾的《補正》基本上完成了這一歷史任務。

《補正》雖然保持《答問》的體例，但補錄的書籍有所側重。《補正》不錄與古籍無關的新書，對《答問》所收的冷僻書，或在歷史上重要，當時認為不重要的書（如宋以來的理學書、清代古文家書）一般都不再補充。

《補正》所錄書約1,200種，一部分屬於《答問》漏收，大部分是《答問》刊行後幾十年來整理研究古籍的新成果。包括俞樾、周壽昌、李慈銘、陸心源、楊守敬、王先謙、李文田、葉昌熾、孫詒讓、皮錫瑞、章炳麟、劉師培等許多近代學者的專著，盡量收

錄對一些重要典籍做過輯補和校注的本子。

《補正》還做了不少糾誤補闕的工作。如糾正《答問》中一些書名、卷數、作者的錯誤，補充原書漏記的版本和卷數，補足《答問》當時所稱「今人」的姓名。

《補正》還仿《答問》體例，對某些書加了按語，稍舉利弊。

(六)解放前後古籍目錄

《販書偶記》

孫殿起在北京經營通學齋書店收錄的清代及辛亥革命後至抗戰以前（約止於 1935）的有關古代文化著作，撰《販書偶記》。《偶記》的作用，相當於《四庫全書總目》的續編。但無提要，只有書名、卷數、著者籍貫、姓名、版本等項。該書有兩個主要特點：一是已見於《四庫全書總目》的書，不再收錄（除非是卷數、版本不同的），因此就成為補充《四庫全書》著錄的一部版本目錄學專著。二是只收錄單刻本，間有在叢書中者，必係初刊的單行本，或者是抽印本。因此它不具有「叢書子目索引」的作用，但恰可擔負起「叢書子目索引」所欠缺的一種功能。此外，本書對清代以前的善本，曾目睹者，亦稍有著錄，還記錄了近代作家的一些稿本、鈔本。

《販書偶記續編》

上海古籍出版社 1980 年版，精裝一冊，附索引。孫殿起的《販書偶記》於 1936 年刊印以後，又於販書過程中積得資料 6,000 餘條。孫氏 1958 年去世，近年來由他的助手雷夢水將這些資料整理出版。

（王繼祥）

5 古籍校勘

一、校勘與校勘學

(一)何謂校勘

所謂校勘，是指以比較推理的方法校正古籍中文字和記事錯誤的工作。相傳春秋時代孔子刪詩書時就有校勘活動了，漢代劉向、劉歆父子校書始具規模，稱爲「校讎」。南北朝時又出現校勘一詞，泛指審定某事，後來成爲整理古籍的專業術語，與「校讎」一詞並用。但校讎含義較廣，「自其廣義言之，則搜集圖書，辨別眞僞，考訂誤謬，釐次部類，暨於裝潢保存，舉凡一切治書事業均在校讎學範圍之內」。（見胡樸安、胡道靜合著的《校讎學》上卷）所以，現在我們爲避免大而無當之失，將比勘古籍文字異同而求其正，稱爲校勘，不稱校讎。

校勘作爲整理古籍的一種方式，是由古籍流傳的客觀情況決定的。所謂古籍，是指清末以前的所有古人的著作和作品，距今少則百年，多則兩千多年，幾經傳抄轉刻，流傳至今，具有許多特點。

1. 大部分原稿已佚，唯個別的明清人著作還保留了原稿。

2. 抄刻過程中出現不少文字、記事的舛訛，如誤字、衍文、脫文、錯簡等。

3. 一書多種版本，各本之間又有異同。

這樣，某一部古籍往往因文字的錯誤，改變了作者原意，給閱讀古籍或利用古籍從事科學研究的人帶來很大不便。找出古籍中的文字錯誤並訂正過來，使其恢復或接近作者原意，無疑是十分必要的，於是就形成了校勘。

• 校勘是以古籍中的誤字、衍字、脫文、錯簡作為工作的對象。

• 誤字，是指以形似音同代替本字的字，或因書寫誤將一字分為兩字、兩字合為一字的字。

• 衍文，是指原文以外多出的詞句和字。

• 脫文，是指原文無故被捨去的詞句和字。

• 錯簡，是指原文前後倒置或正文或注文舛誤的現象。

要想將這些錯誤找出來，定其是非，必須經過一番分析和研究。因此，校勘與工作形式相近的校對有很大區別。校對一般以原稿為底本校正抄搞或校樣中的文字錯誤，使抄稿、校樣與原稿文字一致即可，不用作任何分析與研究。校勘則不同，它所用的底本，不是原稿，而是諸版本中所謂善本，本身也有相當多的訛誤。以此與其他本子或有關資料比勘，經常會出現彼以為是，此以為非，或諸本皆存在缺欠的情況，必須經過考證、分析，方能判斷是非，糾謬正誤，達到校勘的目的。

❖校勘同其他整理古籍方式一樣，也有一定的工作程序。包括：

1. 搜集各種版本和有關資料，通過借閱、影印、複印等方式，搜集所要校勘的古籍現存各種版本、資料，以備比勘。

2. 比較各本及有關資料，找出異同。即選一部較好的本子為底本，與其他本子或有關書籍、資料對比，查出它們之間的差異。

3. 審校舛訛，定其是非。即對比諸本之間、本書與他書之間的差異，根據文義，判斷是非。

4. 撰寫校記，以一定文字表達形式把校勘成果記下並顯示出來，備讀者查閱。

現代校勘工作基本是按上述四個程序進行的。

校勘從古至今，經久不衰。這是因爲通過校勘能校正誤字，刪去衍文，增補脫文，更正誤簡，疏通文義，恢復古籍原來面目，方便讀者，有利於古代文化的研究和繼承。

(二)何謂校勘學

校勘學，是以校勘工作爲研究對象的一門學科。它通過對校勘工作歷史、工作內容的研究，總結概括校勘工作中帶有規律性的東西，形成理論體系，去指導校勘工作。

過去人們將校勘學與目錄學、文獻學混同起來。隨著科學的發展，各學科之間的界限愈劃愈清，校勘學逐漸成爲一個獨立的學科，其內容大致包括：校勘起源和發展的研究，校勘工作橫向研究，校勘與其他學科交叉關係的研究，校勘學流派研究等等。

我國校勘學晚於校勘工作，一般認爲較正規的校勘工作始於西漢，而校勘學專書，卻以宋代鄭樵《校讎略》爲最早。其後歷代都有水平不同的校勘學論著問世，不斷地豐富校勘學內容，完善其體制，使之逐漸成爲一門獨立的學科。

二、校勘工作要求

校勘是一項嚴肅的工作，既有一般工作要求，又有專業要求，不是任何人都可以做的。必須經過專門訓練，或具有相當的文史知識，才能勝任這項工作。

（一）要有嚴謹的科學態度

校勘，不但要發現異同，還要校正舛訛，定其是非。無論是發現異同，還是校正舛訛，定其是非，都要有嚴謹的科學態度。校勘工作昔若無嚴謹的科學態度，很容易犯遺漏、妄改、以訛傳訛的錯誤，貽誤後人。

校好一部古籍，要注意下列問題：

1. 注意形似音同義非的字。

1972 年中華書局出版的標點本《陳書‧章昭達傳》：

「於漢上橫引大索，編葦爲橋，以度軍糧」。
　　　　　　　　　　　　·　·

其中「度」字，顯然是「渡」字之誤，即使爲通假字也應注明「度」通「渡」字樣。而且本書《列傳》第七校勘四，記有：古書「鋒起」、「烽起」往往互出。爲何「度」與「渡」就不言互出，實屬忽略。

2. 注意多筆缺筆字。

1973 年中華書局出版的標點本《隋書‧禮儀六》：

「後衣十二等……採桑則服鞠衣。」

作「鞠衣」正確。但「鞠衣」二字，明監本作「鞠衣」，清殿本據宋本校勘，宋本殘缺，又參明監本，爲監本所誤，也作鞠衣。此標點本出版說明校點時，參校了明監本和殿本，可是校記並沒有指出明監本、殿本之誤，大概校點者在校勘時沒有發現「鞠」與「鞠」的一點之差，將此忽略。

爲了避免遺漏，將古籍中的各種舛訛全部檢出，必須一絲不

苟地校對每一個字，要有認眞負責的精神。

其次，「不妄改」也體現某一校勘者應具有的謹愼工作態度，歷代著名校勘家都十分注意這個問題。清代劉文淇提出「改字」的原則，認爲：「實屬承訛，在所當改；別有依據，不可妄改；義可兩存，不必遽改。」（見《宋元鎭江志》校勘記序）劉氏這種愼重態度，很值得我們借鑒。妄改是校勘一大禁忌，它不僅降低校勘的作用，而且貽誤後人。相傳唐代大文豪韓愈之子韓昶，嘗任集賢殿校理。昶孤陋寡聞，不知史書上的「金根」爲秦時車名，臆斷改爲「金銀」，爲後人譏笑。那麼怎樣才能做到不妄改呢？以現代校勘成果看，不外乎以下幾種作法：

(1)諸本異同，難定是非者兩存之。如《漢書·天文志》有：「日出房北。」景祐本、殿本皆作「月出房北」，王先謙也說作「月」，而局本則作「日」。孰是孰非，一時難定。1962年中華書局標點本的校勘者沒有輕易改「日」爲「月」，而兩存之。

(2)本書誤，又無他證，則疑之。《隋書·帝紀四》：「河南贊務裴弘策拒之。」其中「務」字校勘者認爲是「治」字，唐人諱改，但因無佐證，只記「務應爲治」，也未改。

總之，要想不妄改，就必須謹愼，不能有絲毫的臆斷。諸本解決不了問題，就找他書爲證，實在沒有證據，提出疑問，留給後人去解決，千萬不可妄下雌黃。

再次，嚴謹的科學態度還體現在不輕信前人之言，大膽地更改「實屬承訛」的字，避免以訛傳訛。如《魏書·司馬楚之傳》：「永平元年，城人自早謀爲叛逆」。其中「平」字，諸本皆作「元」，不僅淸殿本校勘時未疑，就是張元濟、張森楷兩大校勘家也未發現此誤。查北魏年號確實沒有「永元」。1973年中華書局標點本的校勘者據《北史》卷29《司馬悅傳》改「元」爲「平」。所以，校勘工作者嚴謹的科學態度，決不是因循守舊，

而是敢於糾正前人之誤。

(二)要有相當水平的文化知識

鄭振鐸曾說過，做校勘工作，「淺薄而少讀書的人永遠做不好。」（見《魯迅先生的輯佚工作》）這句話千真萬確。因爲古籍不僅內容十分豐富，而且有著複雜的經歷和多種多樣的文字表達形式，只有多讀書、多積累有關的文化知識，才能查找出古籍中的文字錯誤。所以，具有相當水平的文化知識則成爲對校勘工作者的一個要求。那麼，這些文化知識包括那幾個方面呢？

1.古籍目錄知識

一部古籍拿來，首先要弄清這部古籍的經歷如何，就是說要了解這部古籍問世後經幾次傳抄或轉刻，現存有那些本子，是否有人校勘過，校者是誰，有無校記保存下來等等。掌握這些知識，主要靠古籍目錄獲得。因此，掌握古籍目錄知識是校勘工作者必備條件之一。

古籍目錄知識，主要包括：了解現存各種古籍目錄的收書範圍、種類、著錄內容；掌握使用古籍目錄的方法。

2.版本學知識

與校勘工作有關係的不是各種版本的文物價值，而是版本文字的正確與否。如一部唐人文集，可能有宋本（或手抄宋本）、明本、清本等等。從時間上說，宋本距唐代較近，傳抄轉刻次數少，因抄寫刻印產生的舛訛自然也少些。從古籍整理角度來說，明本雖然可能有校本，但受當時妄改之風影響，有妄改之嫌。清本中以武英殿本爲佳。一般都是經專門人員校勘的，訛誤少一些。可見，不了解版本學知識，不知道各種版本的特點，很難做

好校勘工作。

3. 文字知識

　　我國漢字是由形、音、義三部分組成，古籍中字的訛誤，也多因這三方面引起。要想做好校勘工作，不能不掌握文字知識，如漢字形體結構和演變等等。

　　⑴**校正誤字，需要文字知識。**

　　古籍中文字因字形、音而誤者甚多，往往諸本不一。孰是孰非，光靠比較是解決不了問題的。如《尚書・大誥》：「天休於寧王興我小邦周」。其中「寧」為「文」字之誤。文的古字寫作「文」，（見河南洛陽出土的西周成王時的保卣器文）與小篆中的「寧」字形相似，「漢代經師不識古文之『文』字，遂誤以為『寧』字」。（見趙仲邑《校勘學史略》）校勘者若無文字形體演變的知識，就不知道「文」為何誤為「寧」字。

　　⑵**刪衍補缺，也需要文字知識。**

　　古籍中常有衍字、缺字。判斷某字是否為衍、某句是否有缺字，僅憑對比諸本或他書恐怕難以解決問題。如《隋書・骨儀傳》：

　　　　「於時朝政漸亂濁貨公行」。

自清以來，很少有人懷疑這句話裡有衍字，各本皆讀為「於時朝政漸亂。濁貨公行」。似乎文通理順，也很符合唐初文體。如果細讀上下文，「濁貨公行」就講不通了。於是 1973 年中華書局出版的標點本《隋書》，校勘者據《册府元龜》卷 462、《太平御覽》卷 23，在貨字下補一「賂」字，將「濁」屬上文，讀為「於時朝政漸亂濁，貨賂公行」，文義也能說得過去。但是，「賂」字

為何能缺，前代校勘家又無發現，可能因「濁」字下屬，上文義順，而沒有仔細推敲下文的結果。若在「貨」字下補一個「賂」字，下文讀成「貨賂公行」，文通義順。而上文則顯得有點彆扭。「朝政漸亂」足以說明問題，再加上一個「濁」字，似乎畫蛇添足。實際上，古漢語中，一般亂字下不加同義詞，「亂濁」違背語言習慣。所以「濁」字應為衍字。這個例子說明校勘古籍中的衍、缺字也是離不開文字知識的。

4. 文體知識

古代有各種文體，如詩歌、小說、筆記、書信、奏章、行狀等等，每一種文體都有一定的格式和句式習慣。掌握某古書所屬的文體，是校勘這部古書不可缺少的知識。如：

《說文解字》是一部字典，它的文體與詩歌、小說不同，解釋形聲字採用「✕、✕也。从✕、✕聲」的句式，解釋象形字則用「✕，✕✕者也」的句式。丁福保的《說文解字詁林》，即以《說文》中各種句式的特點，校正了《說文》中的不少訛誤。

《玉谿生詩集》卷 2《五月六日，夜憶往歲秋與澈師同宿》一首：「紫閣相逢處，丹岩託宿時」。其中「託」字，有的本子作「議」或「記」。「記宿」文義不通，可能是「託」字形誤，或「議」字音訛。「託」和「議」在詩中文義皆通。但僅以字義不好判斷孰是孰非，若知道五言律詩的格律，即可確定「議」是本字。因為五言律詩句式排列關係可分為：「五言仄起不入韻式」、「五言平起不入韻式」、「五言仄起入韻式」、「五言平起入韻式」等四種。李商隱的這首詩是「五言仄起不入韻式」。第一句為「仄仄平平仄」，第二句必須為「平平仄仄平」。「議」是仄聲，符合詩律。

以上說明，校勘不僅需要目錄、版本、文字等方面的知識，

還需要了解各種文體。在以諸本、他書無法定是非時，借助於文體，可以解決一些難題。

除了上述四個方面知識而外，校勘還要求其它一些古代歷史、文化方面的知識，如行政機構，職官制度、疆域沿革、宗法制度、宗教信仰、天文曆法、建築、文學藝術以及生活習俗等。

三、校勘方法

校勘作爲古籍整理的一項工作，有著一整套的工作方法。陳垣在《校勘學釋例》卷6中，總結了歷代校勘方法，概括爲四種，即對校、本校、他校、理校，被公認爲正規方法。目前，尚無人提出異議，只是作了些補充說明。

(一)對校

所謂對校，按陳垣的解釋是「即以同書之祖本或別本對讀，遇不同之處，則注於其旁。劉向《別錄》所謂『一人持本，一人讀書，若怨家相對』者，即此法也。此法最簡便，最穩當，純屬機械法。其主旨在校異同，不校是非，故其短處在不負責任，雖祖本或別本有訛，亦照式錄之；而其長處則在不參己見，得此校本，可知祖本或別本之本來面目。故凡校一書，必須先用對校法，然後再用其他校法。」黃永年又在《古籍整理概論》一書中補充了對校時的底本要不要用善本，如何處理對校本，對校本是否不校是非不參己見，古抄本石刻本在對校中的作用等問題。認爲：對校用的底本應以善本爲好，對校可以定是非參己見，一些古抄本、石刻本可以在古籍對校上起有益的作用。黃永年的論斷很精闢，豐富了陳氏之說。

一部古籍流傳至今往往有許多版本，少則四、五種，多則幾

十種，雖說不能全部對校，至少也得對校主要的本子。如，莊藏校《兩般秋雨盦隨筆》時，根據諸本淵源關係，只對校了傳世諸本中的振綺堂本、文德堂本、文明書局《清代筆記叢刊》本。個別古籍可能會找到原稿定本，對校一遍即可。但是這畢竟是個別情況，絕大多數的古籍原稿已佚，版本眾多，對校時往往要校幾種本子以上。這就涉及到如何在底本上標記諸本異同的問題。從現代多數校勘者的習慣作法看，可以概述如下：

1. 底本錯字諸本不錯，用朱色×號將錯字畫去，在其側用朱色〕號寫出正字，並作記號，另記校語。

2. 底本缺字諸本有，可在上字下用朱色＜號添寫。若容不下，也可以用朱色□號，寫在本行上下空紙處，另記校語。

3. 底本衍字諸本不衍，用朱色〇號表示刪節，另記校語。

4. 底本倒字諸本不倒，用朱色己號表示更換，另記校語。

5. 底本不誤諸本誤者，只記序號，在校記中說明×本作×。

以上標記法不是正視條例，只是絕大多數人的習慣作法。因此，有些人並不按此行事，自創方法，也無人非議。我們建議，爲了使校勘工作規範化，便於傳閱，應當使用統一的標記符號。

(二)本校

所謂本校，陳垣解釋說：「以本書前後互證，而抉摘其異同，則知其中之謬誤。吳縝之《新唐書糾謬》、汪輝祖之《元史本證》即用此法。此法於未得祖本或別本以前，最宜用之。予於《元典章》曾以綱目校目錄，以目錄校書，以書校表，以正集校新集，得其訛目訛誤者若干條。至於字句之間，則循覽上下文義，近而數葉，遠而數卷，屬詞比事，牴牾自見，不必盡據異本也」。黃永年又補充了古籍不出一手不能本校，史源不同不能本校等問題。

1. 本校的範圍

一部古籍流傳至今，雖然有數種以上的不同版本，但是這些版本之間不是各自完全獨立，而是有版本淵源的。倘若初本有誤，歷來傳抄翻刻者沒有進行嚴肅認眞的校勘工作，就會以訛傳訛。初本若佚，剩下來的諸本互相對校解決不了問題，這樣就要進行本校。但是，本校也不一定解決全部問題，因爲本校是有局限的，就是說本校法所校出古籍中的訛誤是有一定範圍的。

(1)異篇同事中的錯誤

包括誤字、脫字、倒字等。如《陳書・宣帝紀》說：「太建元年秋七月辛卯，宣太子納妃沈氏。」而《後主沈皇后傳》則說：「太建三年納爲皇太子妃。」《沈君理傳》又說：「太建二年高宗以君理女爲皇太子妃。」又同書《儒林・全緩傳》有：「累遷南始興王府咨議參軍」，而《始興王叔陵傳》則說：「叔陵於太建四年遷鎮南將軍」。通過本校，我們可以發現，「太建三年」和「太建二年」是「太建元年」之誤。《全緩傳》累遷下脫一鎮字。

(2)同一種句式中的錯誤

在一部古籍中作者經常習慣用同一種句式敍事論說。倘若有人加上一字，或減去一字，都顯得彆扭。如《墨子・尚賢》中篇有「豈必智且有慧哉」。在其前後有：「自貴且智者爲政乎，愚且賤者則治」句，顯然「智且有慧」多了一個「有」字。此類事例古籍中不少，只有通過本校才能發現。

(3)同義句中的互文

古籍中往往有許多同義句，但有些字則爲互文。如《潛夫論・讚學》有「必無幾矣」。《潛嘆篇》有「亦必不幾矣」兩句意義完全相同。只有「無幾」與「不幾」之別。證明此書「無」與「不」爲互文。

(4)異篇相同名詞的訛誤

古籍諸篇（卷）中都有相同的名詞出現。如人名、官名、書名、地名、年號和其他物產名稱等等，其中若有訛誤，也可以本校法校出。

總之，本校由於是將本書中的前後文互證而查出訛誤，就局限了所要校的文字必須形、義相同，否則不能互證。

2.本校的具體作法

陳垣的本校釋例只對本校的基本方式、作用等問題作了解釋，黃永年也只講了什麼書不可本校，都未談及本校的具體作法，其他學者也無論述。可能是因為「幕後工作」，又無統一規範，不好說明。為了方便學者，現將絕大多數校勘者的習慣作法，概述如下：

(1)邊讀邊作筆記

每讀一卷（或篇），即將其中的主要事件、名詞、句式在另一張紙上記下來，然後比較相同者，即可發現有無訛誤，這種作法很適用一般的校勘工作者，也是常用的作法。

(2)憑記憶校錯訛

通讀全書時，發現此篇（卷）與上篇有相同者，就回過頭進行比較，記憶力好的，可以這樣作。否則容易出現遺漏，達不到本校目的。

上述兩種作法，(1)者較穩妥，不容易出差錯，只是作筆記時顯得有點麻煩。(2)者容易遺漏，但速度快，適用一些專家校勘本專業的書，因為他們對所校的書都很熟悉，甚至有的已閱讀數遍，所以我們建議初學者要採用(1)的作法。

(三)他校

所謂他校，陳垣解釋為「以他書校本書。凡其書有採自前人

者，可以前人之書校之，有爲後人所引用者，可以後人之書校之，其史料有爲同時之書所並載者，可以同時之書校之。此等校法，範圍較廣，用力較勞，而有時非此不能證明其訛誤。丁國鈞之《晉書校文》，岑（建功）刻之《舊唐書校勘記》，皆此法也」。黃永年又補充了他校法與目錄學，類書舊注和他校，古人引書不謹嚴不能輕易據改，同時之書他校以校名詞術語爲主，原本引書差錯應如何處理等問題。條理清楚，論斷得當。

1.「他書」之分類

所謂「他書」，陳垣概括爲「前人之書」、「後人之書」、「同時之書」，這是從時間上分析「他書」。我們認爲從「本書」與「他書」的關係去分，可將「他書」劃分爲如下幾種類型：

(1)**引用之書**。即本書所所引用的書，包括前人之書，同時人之書，以及前人、同時人的文章、書信、碑誌等等。如宋邵博的《邵氏聞見後錄》引用了許多同時人和前人的著述，有《史記》、《漢書》、《晉書》、《新唐書》和韓愈的《論佛骨》、《國史補》、《聚星堂燕集》等前人之書。又有同時代的奏書，像范直方的《誦忠宣答德孺論邊事書》等。這些皆可稱《邵氏聞見後錄》所引用的書，以此來校《後錄》。

(2)**引本書之書**。古籍中有許多書爲同時人或後人之書所引用。尤其經典之書，被引用的次數甚多。時代較早影響較大的一些書，也常爲人所利用，形成了引本書之書。如《玄怪錄》就被《太平廣記》大段地引用，校勘《玄怪錄》必須他校《太平廣記》。

(3)**同引一書之書**。古籍中還有這樣一種情況，某書與同時人，或後人的著作引用過同一部書，引語相同。但是被引之書已失傳，或只有後人輯本。如元代盧摯的《盧疏齋集》，元代就有抄

本。可是都沒有流傳下來，而盧氏的作品，卻被《天下同文集》、《元文類》、《永樂大典》、《元詩選·疏齋集》等書引用。若校《元詩選》，不能不參校《天下同文集》、《元文類》等書。它們就是同引一書之書，可以互校。

---

2. 採用他校法所要注意的問題

(1)**弄清原書所引之書是否現存，若失傳，何書引用過此文。**這就要求校勘工作者平時博覽強記，多請教專家學者，掌握原書的資料來源，學術相承及其影響，熟悉古籍流傳情況，否則，他校時就會困難重重。

(2)**要知道古人引文方法。**我們今天寫文章著書時，引用他人論斷必須注明引文具體出處，一是爲了編輯同志校查時方便，二是維護版權法。而古代則不同，古人表示引文的方法很簡單，又不記出處。如《風俗通義》中的引文只記「謹按詩雲苑苑棫樸薪之橢之」，或「尚書以殷仲春厥民析」，或「靑史子書說雞者東方之牲也歲終更始辨秩東作萬物觸戶而出故以雞祀祭也」；若不了解這一點，他校時也會產生一些誤解。

(四)理校

所謂理校，陳垣解釋說：「段玉裁曰：『校書之難，非照本改字，不譌不漏之難，定其是非之難』。所謂理校法也，遇無古本可據，或數本互異，而無所適從之時，則須用此法。此法須通識爲之，否則鹵莽滅裂，以不誤爲誤，而糾紛愈甚矣。故最高妙者此法，最危險者亦此法」。黃永年在《古籍整理概論》又補充說：「(1)在有古本可據時，當然要根據古本，或如陳垣所用的辦法用古本來對校通行本，這當然比捨古本而理校要穩當得多。(2)在找不到古本，只有幾種非古之本相對校，決不定是非，無所適

從之時，或根本無別本可供對校之時，則只能用本校、他校或理校。如本校、他校也用不上，更只能惟理校是賴。」「至於通識的含義……一是常識，當然不是指一般人的常識，而是從事文史教學研究工作者的常識……二是各種有關的專門知識」。他還就文學文字音韻訓詁學，經傳諸子之書，史學目錄學碑刻學與理校的關係作了論述，進一步豐富了理校的內容。認為用理校法者，「本身就先得通文理，有一定的文學修養，主要是古典文學的修養」。「文字、音韻、訓詁等知識也要有一些」。其次，要讀一讀經傳諸子之書，以便熟悉西漢以來古人著作中所引用經傳諸子之書中詞彙故實，有利於理校，同時還有古代職官、地理、典章制度、人物避諱、書名、碑刻等方面的知識。

❖楊樹達的《淮南子證聞》，其中應用了理校法，現列舉如下：

(1)「無味而五味形焉」，高注云：「形」或作「和」字，樹達以《淮南子》中多用韻句，判定「形」字是「和」字誤也。此文自上文「是故視之不見其形」以下凡七句，以形、聲、身、生、鳴、形、成為韻，作「和」則失其韻矣。這是以韻腳進行理校者。

(2)「夫與歧燒同剌天機，受形於一圈，飛輕微細者猶足以脫其命，又況未有類也。」其中「脫」字，楊樹達認為文理不通，當為「託」字。這是以音韻進行理校者。

(3)「其所守者不定，而外淫於世俗之風所斷差跌者。」楊樹達認為「斷」字在文句中不通，疑因「所」字形近而衍。這是以字訓進行理校者。

四、校記

　　黃永年在《古籍整理概論》中，對校記的名稱和體裁、如何撰寫校記、校記的作用等問題作了論述。

(一)校記的體裁

　　1. 校語夾在正文之中，用小字排雙行，如古籍舊注文式，有困難也可排成單行。

　　2. 每卷校語彙總，放在該卷之後，成爲校記。

　　3. 校記放在每篇之後，多用於詩文集或筆記分條撰寫之書。

(二)撰寫校記的注意事項

　　1. 除記自己的校勘成果外，校記要充分吸收前人及同時代人的校勘成果。

　　2. 把自己的校勘成果寫在人家的後面。

　　3. 校記的文筆，體例一定要統一，不能前後不一。

(三)校記的作用

　　(1)說明校改的依據和理由，以加強讀者對這個新校本的信任。

　　(2)備列異同，使讀者可以從中抉擇。

　　黃先生所說皆是，下面僅就校記的其他幾個問題，作以下補充說明。

1. 校語與注文之間的處理方法

　　(1)校語與注文合在一起，放在卷、篇的後面，校語和注文按

先後同排序號，其前標校注（校釋）字樣或不標。這是將校勘成果與注釋成果相結合的一種方法。其特點是校注文與原文涇渭分明，避免校注文與原文混淆。袁珂校注《山海經》、吳樹平校釋《風俗通義》即用此法。

(2)校記與注文分別表示法，包括兩種形式。

一是將校語夾在正文之中，注文放在卷、篇的後面，校語寫在被校的字句下面，寫成雙行小字，前面標一校字，校字要用圓圈或方框圈起來，區別原文。注文前面標注（釋）字，注文用數字排列序號。這種方法，往往在某一字下加許多校語，閱讀原文時很彆扭，豎排版似乎好一些，如橫排版就不太適合一般讀者的閱讀習慣。范祥雍校注《洛陽伽藍記》、趙呂甫校釋《雲南志》即用這種方法。

二是校語、注文分別記在卷、篇之後。先寫校語，冠校記字樣，後寫注文（釋文）冠注釋字樣，以相區別，用兩種寫法數字分別排列序號。郭紹虞校釋《滄浪詩話》用的就是這種方法。

上述兩種校記注文表述法，哪種方法更好，目前不好斷定。不過，校語較少的古籍，採用 2. 種方法中的第一種形式爲好。校語較多的古籍應當用 1. 種或 2. 種中的第二種形式較適宜。總之，目的只有一個，即校語注文之間，校語與原文之間界限清楚，方便讀者閱讀。

2. 校記所用的符號和數字

記述校勘成果，爲了避免校語之間的混亂，減少不必要的文字說明，往往用一定的數字、符號表明校語的先後次序和校改的字。常用數字有漢字小寫數字和阿拉伯數字，符號有圓括號和方括號。

用數字排列校語的先後次序，要注意：用漢字小寫數字，必

須以方括號括上，如〔一〕〔二〕……形式，若用阿拉伯數字，以圓括號括上或以圓圈圈上，如(1)(2)或①②……形式。另外，校記與原文要用同一種數字，一部書要用同一種數字。在若干人校一部書時，事先要擬好凡例，作出具體要求，保證數字統一，避免校語之間，校語和原文之間的混亂。

用圓括號和方括號分別表示底本原字，更改之字的方法，目前，尚未普及，有相當一部分校記不採用這種表示法。我們認爲，校記是古籍整理的副產品，在能說明問題的前提下，文字不宜過多。以最簡單的語言、符號表達複雜的內容，應成爲校勘工作的一個準則。中華書局出版的「二十四史」標點本，即用圓括號、方括號表示原字和更改的字，簡單明瞭。希望今後校勘古籍都要使用這種表示方法。

3. 校語句式與常用詞

校記撰寫的基本要求是語言簡練，義理清楚。爲此，人們在長期的校勘工作中，創造了一些習慣句式和固定詞彙。我們概括列出，供學校勘者參考。

(1)句式

表示諸本異同的句式：×字、原本作×，×本同（或無）；×字，×本作×。這裡的×本，可以是一種或兩種以上的本子。如《風俗通義》第八祀典校釋⑤「之神」，「吳本、遺編本同，殘本、胡本、道光本無。」

表示本書與他書異同的句式：×字，×書作×，或×書引作×。這裡的×書，也可以是一種或兩種以上的書，如，《山海經校注》卷七有：「名曰吉量」。校記說：「郭璞云『一作㹵』。珂案：《文選東京賦》李善注引此經正作吉㹵。」

表示倒字的句式：×字原倒（或誤倒）作×，×書爲×（或

×本爲×），如《風俗通義》第八先農有：「今民間名曰官田」，校記說：「『官田』，原誤倒作『田官』，《拾補》乙爲『官田』，今據改正。」

表示誤字的句式：×字爲×字之誤（或訛）。如《朱舜水集》中《書簡六》有「必於泮官」。校記說：「泮字，水戶本誤作半，據享保本、馬浮本改」。又有『恐台臺欲用令幅。」校記說：「令字疑係『全』字之訛」。

表示補字（或增字）的句式：×原無，據×書補（或增）。

表示改字的句式：據×書改，×書（本）作×，今從正（今據改正，今據改）。

上述各種句式不是法定的，純屬習慣用法。有些校記並不使用這些句式。但是絕大多數的校記，都程度不同地採用上述五種句式。所以，爲了使校記簡單化、規範化，我們應當提倡使用這些習慣句式。

(2)**常用詞**

原本：簡稱原，指某書最初的抄本或刻印本。

底本：以此本爲主參校其他各種本子。

諸本：底本以外的各種版本。

均作：（或皆作、並作）表示某字諸本相同。

形誤：因字形而誤。

音誤：因字音而誤。

疑誤：懷疑某字爲某字之誤。

疑倒：懷疑某詞倒置。

疑衍：懷疑某字爲衍字。

疑脫：懷疑某句有脫字。

上讀：某一字歸上句，稱上讀。

下讀：某一字歸下句，稱下讀。

引作：指某書引此文作……。

當衍：某字應該爲衍字。

當是：應該以某字爲是。

據改：據××改×字。

從正：從××爲正字。

今正：現在更正。

今從：現在從××本。

五、歷代校勘成果簡介

我國古籍校勘工作出現得比較早，相傳孔子時代就有文字比勘活動，漢代始具規模，後來歷代官私校書不乏其例，取得了相當多的成果。

(一)鄭玄的羣經箋注

漢代校勘成果保留下來的不多，劉向、劉歆父子的《別錄》、《七略》均已失傳，隨個別古籍傳下來的幾篇序文，可靠性又不大。所以，漢代校勘成果只能從一些古籍注文中窺見一斑，其中東漢人鄭玄的羣經箋注爲漢代校勘成果最大者。

鄭玄（127～200）字康成，北海高密人（今屬山東），精通古今文經學、是東漢著名的經學家。他的大半生是「括囊大典，網羅衆家，刪裁繁誣，刊改漏失」。（見《後漢書·鄭玄傳》）對羣經作了許多校勘工作，博得後人「千古之大業，未有盛於鄭康成者也」的讚譽。他的校勘成果散見於羣經注文裡，這裡僅舉凡例說其概略。

(1)指出古今文經之不同。如校《儀禮》時，以今文經爲底本，遇到與古文本異同，則注：古文某作某。

(2)**以本字破誤字**。如《毛詩・豳風・東山》不可畏也，伊可懷也」，鄭箋：「伊當作緊，緊猶是也。」

(3)**指明錯簡**。從正移換。諸經中有許多錯簡，如《儀禮・喪服》、《禮記・樂記・玉藻》等篇，錯簡很多，鄭玄皆一一指明。所以，鄭玄的校勘成果對後人讀羣經有很大幫助，我們應當總結鄭玄的成績。繼承這一文化遺產，爲整理現有古籍服務。

(二)《春秋左氏傳集解》和《書證》

有人說，南北朝至隋爲校勘史上的衰落時期，從總體上看，的確如此。但西晉人杜預的《春秋左氏傳集解》，北齊人顏之推的《書證》則是值得肯定和稱道的校勘成果。對現有古籍的整理亦有相當大的作用。

《春秋左氏傳集解》

《春秋左氏傳集解》是杜預一生治經學的成果。他專修左丘明之傳以釋經，經之條貫，必出於傳，傳之義例，總歸於凡，推變例以正褒貶，去其異端，復丘明之原意。並備列劉歆、賈逵、許淑、穎容諸家之說，以見其異同。撰成《左傳集解》30卷，《釋例》15卷，其中以校正《經傳》中曆數之訛爲精，如《左傳・襄公九年》有：

「十二月癸亥，門其三門。閏月戊寅，濟於陰阪，侵鄭。」

杜預以長曆參校上下，認爲這一年不當有閏月戊寅，戊寅爲十二月二十日，疑閏月爲「門五日」之訛。今天讀《春秋左氏傳》者，須參讀杜氏集解爲宜。

《書證》

《書證》，是顏之推所著《顏氏家訓》中一篇，保存了他在校勘《詩》、《書》、《禮記》、《左傳》、《六韜》、《史記》、《漢書》、《風俗通義》、《後漢書》、《三輔決錄》、《古樂府》、《爾雅》等書的部分成果，概述如下：

1. **明諸本異同**，如《詩・唐風・杕杜》：「有杕之杜」。之推說：「江南本並木傍施大，《傳》曰：『杕・獨貌也』，徐仙民音徒計反，《說文》曰：『杕・樹貌也』在木部，《韻集》音次第之第，而河北本皆爲夷狄之狄，讀亦如字，此大誤也。」

2. **以文義辨誤字**，《詩・小雅・大田》有：「有渰萋萋，興雲祁祁，」之推說：「渰已是陰雲，何勞復云，『興雲祁祁』，邪？雲當爲雨，俗寫誤耳。」

3. **以他書正本書**，《史記・蘇秦傳》有：「寧爲雞口，無爲牛後。」之推說：延篤《戰國策音義》曰：『尸、雞中之主，從、牛子。』然則『口』當爲『尸』，『後』當爲『從』，俗寫誤也」。

觀上述諸例可知，顏氏校勘書籍是十分嚴謹的，有理有據，成果豐碩。今初學校勘者讀一讀《書證》篇，獲益非淺。

(三)《匡謬正俗》和《經典釋文》

《匡謬正俗》和《經典釋文》爲唐代較有成績的校勘成果。

《匡謬正俗》

《匡謬正俗》是著名經學家顏師古音釋諸經，及諸書字音與俗語之異而作，共 8 卷 175 條。前 55 條，爲諸經訓詁音釋，後 120 條爲經書字音與俗語相承之異，即校勘成果部分。考辨極精，校正了經書中的許多錯字。如《詩・鄭風・野有蔓草》有「野有蔓草，零露溥兮」。師古說：「（溥字）《詩》古本有水旁作

『溥』字者，亦有單作『專』字者，後人輒改之爲『溥』字。讀爲『團圓』之『溥』，作辭賦篇什用之。遞相因襲，曾無疑者，按《呂氏字林》：『雨』下作「專」，訓云：露貌。音上兗反。此字本作「霸」，或作溥耳。單作『專』者，古字從省，又上兗之音，與『婉』相類，益知呂氏之說可依，本非團義矣」。總之，師古對諸經的字音義，引經據典，究其根源，辨其訛誤。既訓詁、又校勘。

師古除對諸經之字如此下功夫外，在注《漢書》時，對《漢書》也進行了校勘。據古本、復古字，刪穢濫，正科條，也取得不少成果。

《經典釋文》

《經典釋文》是唐初國子博士陸德明撰。他鑒於經典舊音太簡，後人又穿鑿異端，於是博採衆說，條其異同，總其樞要，成書 30 卷。內容主要是對經典中的字，作訓詁，並備各家之說。從訓詁方面，校正經典中的不少誤字。同時，對經典中的一些人名、氏族名、國名、地名，也作了考證。此書雖然不是純粹校勘成果，但他以解文字之音訓來注異文方法，也可以用來校勘古籍。故舉出供讀者參考。

四《文苑英華辨證》和《相臺書塾刊正九經三傳沿革例》

宋代校勘成果與唐以前的校勘成果不同之處，是已不再與注文、釋文、訓詁等結合在一起，而成爲純粹的校勘成果著述。如張淳撰《儀禮識誤》、方崧卿撰《韓集舉正》、毛居正撰《六經正誤》、劉攽撰《西漢書刊誤》、岳珂撰《相臺書塾刊正九經三傳沿革例》、吳縝撰《新唐書糾謬》、《五代史纂誤》、錢佃撰《荀子考

異》、朱熹撰《周易參同契考異》、《陰符經考異》、黃伯思撰《校定楚辭》、《校定杜工部集》、彭叔夏撰《文苑英華辨證》等，其中以《文苑英華辨證》、《相臺書塾刊正九經三傳沿革例》爲佳。

《文苑英華辨證》

《文苑英華辨證》是彭叔夏根據周必大所校《文苑英華》而作，叔夏曾與周必大同校其書。刊刻後，認爲必大校語皆散在本文裡，不便閱讀，即分類輯出，分爲二十類；一曰用字、二曰用韻、三曰事證、四曰事錄、五曰事疑、六曰人名、七曰官爵、八曰郡縣、九曰年月、十曰名氏、十一曰題目、十二曰門類、十三曰脫文、十四曰同異，十五曰離合、十六曰避諱、十七曰異域、十八曰鳥獸、十九曰草木、二十曰雜錄。《四庫全書總目提要》謂：「叔夏此書，考核精密，大抵分承訛當改，別有依據不可妄改，義可兩存不必遽改三例。……用意謹嚴，不輕點竄古書」，可供今天整理《文苑英華》之用。

《相臺書塾刊正九經三傳沿革例》

《相臺書塾刊正九經三傳沿革例》，岳珂撰。珂爲南宋民族英雄岳飛之孫，官至戶部侍郎。他鑒於當時所傳九經三傳舛誤，不當之處甚多，合諸本參校異同，爲天下珍視。隨之珂即撰《沿革例》1卷，內容包括：九經三傳的書本、字畫、注文、音釋、句讀、脫簡、考異等。考究精密，具備各說，爲經學研究者提供了方便。

(五)胡應麟的《經籍會通》

元明校勘亦較盛行，官私皆有校書事例，但是，刪改之風亦很流行，尤以明萬曆年間最盛。故後人譏爲「謬種流傳」，而萬

曆時的胡應麟卻是一個較嚴謹的考據家。其所撰《少室山房筆叢》中就有不少校勘精論，不應以衆人之弊淹沒了少數人的功績。

《少室山房筆叢》

《少室山房筆叢》中的《經籍會通》代表了胡氏校勘成果，其內容一是述經籍源流，二是述經籍類例，三是述遺佚，四是述見聞，校論經典，極爲精詳，今天搞校勘工作的人應該讀一讀此篇。

(六)《十三經注疏校勘記》、《羣書拾補》

清代是校勘史上鼎盛時期，產生了許多著名的校勘家。如惠棟、余蕭客、王鳴盛、錢大昕、戴震、段玉裁、王念孫、盧文弨、畢沅、汪中、孫星衍、阮元、王引之、兪樾、孫詒讓、鮑廷博、黃丕烈、顧廣圻、趙一淸、紀昀等，校勘成果累累，但成書的卻不多。主要有：

《十三經注疏校勘記》

此書題爲阮元所撰，實際大都出自詁經精舍諸名人之手，阮氏總其成。每經皆以八種以上唐宋至淸的不同版本及各家著作進行校勘，校勘記主要記其異同，個別者定其是非。對今天整理諸經有很大幫助，凡治經學者必備此書。

《羣書拾補》

該書記錄了盧文弨生平校過的38種古籍的校勘成果。盧氏精通訓詁學，經他校的書有《經典釋文》、《孟子音義》、《逸周書》、《新書》、《春秋繁露》、《方言》、《白虎通》、《荀子》、《呂氏春秋》、《韓詩外傳》、《獨斷》、《西京雜記》、《顏氏家訓》、《三水

小牘》、《經典釋文考證》、《儀禮論疏詳校》、《鍾山札記》、《龍城札記》、《抱經堂文集》等等，皆據善本精校他本，解難釋疑，定其是非。仿陸德明《經典釋文》體例，摘字校注，成《羣書拾補》39卷。欲學音韻，並以音韻校古籍中訛誤字者，應讀此書。

❖清人校勘成果簡明書目

• 《九經古義》　　惠棟

• 《古經解鈎沈》30 卷　　余蕭客

• 《十七史商榷》100 卷　　王鳴盛

• 《二十二史考異》100 卷　　錢大昕

• 《經韻樓集》12 卷　　段玉裁

• 《讀書雜志》85 卷　　王念孫

• 《經典文字辨證》5 卷　畢沅

• 《墨子表微》1 卷　　汪中

• 《經義述聞》15 卷　　王引之

• 《古書疑義舉例》7 卷　　俞樾

• 《札迻》12 卷　　孫詒讓

• 《義門讀書記》58 卷　　何焯

• 《九經辨字讀蒙》12 卷　　沈炳震

• 《十三經正字》81 卷　　沈廷芳

• 《汪本隸釋刊誤》　　黃丕烈

• 《曝書雜記》　　錢泰吉

• 《古經漢書地理志校勘記》　　汪遠孫

• 《玉臺新詠考異》10 卷　　紀容舒

• 《水經刊誤》12 卷　　趙一清

• 《三國志校誤》3 卷　　陳景雲

(七)《說文解字詁林》和《校勘學釋例》

民國以來，我國的古籍校勘事業，在繼承前人成果的基礎上，有一定的進步。如：聞一多先生的《楚辭校補》、許維遹先生對《呂氏春秋》、《管子》的校勘、丁福保的《說文解字詁林》、蔣瑞藻的《小說考證》、陳垣對《元典章》校勘、張元濟《校史隨筆》、汪次達的《校碑隨筆》、周祖謨的《洛陽伽藍記校釋》、郭紹虞的《滄浪詩話校注》、王利器的《顏氏家訓集解》、袁珂的《山海經校注》、吳樹平的《風俗通義校釋》、楊樹達的《淮南子證聞》等，但是從總體來看校勘成績不算顯著。近幾年來出版的一些校勘的古籍，校記中有許多錯誤。原因是人們認為校勘古籍不是作學問，是為他人做嫁衣裳。有成就的學者不肯校勘，想校勘的人又無相當水平。為此，這裡舉較有成績的《說文解字詁林》、《校勘學釋例》兩書供參考。

《說文解字詁林》

本書是丁福保先生 1895 年至 1923 年以近 30 年的時間，搜集《說文》之書 180 多種，一千餘卷，並組織同門諸子十餘人，花了七年時間，才完成可以雄視千古的佳作。對大、小徐之脫誤刪節者，皆據古本改之。每改一字必以證據，備列各家之說。故有人說此書有四善：一是檢一字而各說悉在，二是購一書而眾本均備，三是無刪改仍為各家原面目，四是原本新印絕無錯誤。

《校勘學釋例》

本書是一部校勘理論性著作，1931 年陳垣先生寫《元典章校補釋例》6 卷，1959 年改名為《校勘學釋例》。全書內容，前 5 卷列舉錯誤諸例，包括：行款、字句、用字、用語、名物等誤例，

凡 5 大類 42 小類。後 1 卷，講的是如何校勘，列舉了 4 種校勘法，即對校、本校、他校、理校，被公認爲正規方法，參見本篇校勘方法一節。

（張治江）

6 古籍辨偽

　　辨偽是古籍整理工作的一個重要組成部分，是研究考辨史料真偽及其年代的科學。古書的真偽是普遍存在的問題，明代胡應麟在《四部正譌》中曾嘆道：「余讀秦漢諸古書，核其偽幾十七焉。」清末著名目錄學家張之洞，在《輶軒語》中也說：「一分真偽，而古書去其半。」辨偽先哲們的估計雖不盡確鑿，但也並非毫無根據。尤其是我國古代典籍曾經歷眾多的天災人禍，失傳甚多，難免為後世的有意作偽和失誤致偽以空隙。因而古代的偽書，不僅數量大，且充斥於文學、歷史、思想、宗教、政治、科學等各個方面，魚目混珠，真偽難辨，搞亂了歷史真相，給我們科學地利用古籍造成了許多混亂。郭沫若同志曾指出：「研究中國古代史，大家所最感著痛苦的是，僅有的一些材料卻都是真偽難分，時代混沌，不能做真正的科學研究的素材。」（《十批判書》）因此，辨別古籍的真偽十分重要。辨識偽書的目的，不是將偽書清除書籍之林，而是恢復其本來面目，作為史料加以保存和運用。

　　要辨識偽書，首先的是要了解偽書產生的原因和偽書的種類。

一、偽書產生的原因和種類

(一)僞書產生的原因

僞書的產生有其客觀因素和主觀因素。從性質上看，又分有意作僞和失考誤斷致僞二類。

有意作僞大致可分九種：

1.因好古而託古

我國古代的知識分子，相當一部分人存在「崇古賤今」的觀念，並且好古成癖。被稱爲聖人的孔夫子都「信而好古」，「言必稱堯舜」。《淮南子》在《修務訓》裡說：「世俗之人多尊古而賤今，故爲道者必託之於神農、黃帝而後能入說。亂世暗主高遠其所從來，因而貴之。爲學者蔽於論而尊其所聞，相與危坐而聽之，正領而誦之。」可見古時尊古之風異常濃厚。許多人爲了使自己的作品取信於世，借助於人們的這種心理，硬拉一些古人作護身符。或託古人之名，或掇古人之事，或挾古人之文，或蹈古書之名，宣傳自己的見解和主張。而他們的門生弟子則不遺餘力大肆鼓吹。於是以古聖先賢爲撰者的書籍大量出現，流傳於世。顧炎武曾說「漢人好自作之書而託爲古人，張霸《尚書》、衞宏《詩序》之類是也。」如《本草》一書，本是漢末以後至梁陶弘景逐漸寫成，卻偏要說神農口嘗百草，辨別辛苦後自著其書。《史記》中因記載老子出關，關尹喜懇請老子著書之事，後人便杜撰成《關尹子》一書。又如《易卦》託名於伏羲、《醫經》託名於黃帝、《周禮》托名於周公等。

2.牟利求名

我國的古代典籍，從秦始皇焚書之後，屢遭厄運。每一次戰亂，天府藏書必遭一次浩劫，焚毀散失所剩無幾。每一朝代更替，統治者便極力搜求古籍，甚至高價購求，厚祿賞賜。如漢武帝廣開獻書之路，令人竭力搜集和抄寫古典書籍，並設太史令記

史撰書；漢成帝使陳農求遺書於天下；隋開皇三年，牛弘表請訪求異本；唐太宗貞觀年間，魏徵及令狐德棻請購散逸之書。想方設法購求典籍，以恢復補充內府中祕，在中國的歷史上屢見不鮮。由於書籍散佚嚴重，又急於補充而不能嚴格鑑別，於是給求名牟利之徒以可乘之機。如隋文帝酷愛《易經》，當時的大學者劉炫為了邀功請賞，編造了《連山》、《歸藏》兩部易經，獻給文帝。並說《連山》是夏朝的易經，《歸藏》是商朝的易經。東晉梅賾偽造孔傳《古文尚書》，歷代學者皆信，並將其立於學官，直到清初方考訂是偽書。再如《尚書》，漢武帝時雖經多方訪求，卻只得 29 篇，依然殘缺不全。漢成帝酷愛此書，為求足本，懸賞購求，遂出現了東萊張霸的 102 篇《尚書》。後來發現其所獻《尚書》，乃是割裂《尚書》篇目，並加《左傳》、《書序》為首尾偽造而成。成帝盛怒，但因愛其才，又憐他造假不易，赦免了死罪，只革去其博士之職。

還有一些人為滿足虛榮心而造假，編造《列子》的張湛就是一個。他為出風頭，挖空心思從《莊子》中找出列禦寇這個人，搜集前說，附以己見，自編自注《列子》，一時間聲名顯赫，與王弼、向秀、何晏齊名。又如楊慎，總以他人未見之書而自己獨覽為榮，《修文御覽》這部書早佚，而楊慎偏說曾見過。

3. 政治鬥爭的需要

如唐代牛李之爭中，李德裕和牛僧孺曾分別糾集黨徒互相攻擊，編造偽書以誣陷對方。李德裕的門人韋瓘曾用牛僧孺之名偽造了一部《周秦行記》，以此誣陷牛氏。在戰國秦漢時期，統治集團為了自己的政治需要，創立了許多應時的學說，杜撰了許多史實。《荀子·宥坐篇》便是其中之一。文中記載孔子誅少正卯一事，實係後人杜撰捏造。《曲禮》對這些作偽現象作了概括：「毋勦說，毋雷同；必則古昔，稱先王。」

4. 學術鬥爭的需要

古人在學術之爭徒口難以取勝時，便借助於古人，在引經據典中稍事竄改，作爲武器以打倒對方。如東漢變亂之際的鄭玄、王肅兩人學術主張不同。當時被稱爲大經師的鄭氏經學支配天下，其羣經注說盛行於世。而王肅繼賈逵、馬融之學，獨樹一幟，向鄭氏的經學挑戰。爲了使自己的主張有說服力，便不擇手段地僞造《孔子家語》一書，並親自作注。王肅在自序中說：「鄭氏學行五十載矣，尋文責實，考其上下，義理不安，違錯者多，是以奪而易之。孔子二十二世孫，有孔猛者，家有其先人之書。昔相從學，頃還家，方取以來。與予所論，有若重規迭矩；而恐其將絕，故特爲解，以貽後世之君子。」王肅說得很明白：他的主張與《家語》之說相符，證明自己的主張是正確的，而鄭氏的經學理據不足，應以《家語》取代。

5. 誣陷栽贓作僞以誣人

出於私人怨仇造僞書僞說以誣陷他人，自古便有。如《涑水記聞》是司馬光所著，書中本無誣罵王安石之言，但後來書中竟出現痛罵王安石之語。司馬光與王安石同朝爲官，雖然政見不同，但不至於採用這種卑劣的手段攻其隱私，經考證係後人摻雜進去假司馬光之名而爲。還有想害某人而故意栽贓，如宋魏泰想害梅聖俞，故意以梅堯臣之名僞造《碧雲騢》一書，盡情指罵當時朝廷官吏，想以此引起公憤。

6. 剽竊他人作品

這類人在古代爲數不少。晉人郭象爲了求名，曾把向秀的《莊子解義》稍加竄改列爲己注。東晉人何德盛，剽竊郗紹《晉中興書》爲己作。王鴻緒《明史稿》係盜竊萬斯同稿，大加改竄後，題曰：「橫雲山人」所著。此種手段尤爲卑劣，後人研究時頗難分辨。

7. 借長期收藏而作偽

我國古代印刷技術不發達，交通也不便利，因此每當新書出版，輾轉傳抄都不肯輕易示人。唐代杜暹曾經說過：「清俸買來手自校，子孫談談知聖道，鬻及借人為不孝。」愈隱祕越有造假的機會。特別是藏書家造偽更具有欺騙性。如明代大藏書家范氏天一閣藏有很多珍貴書籍，但他偏要添造一些假的，如《子貢》、《易傳》、《子夏詩傳》等等。這些偽書因其為名家所藏，偶一出世，遂充真書欺世盜名。

8. 嫌己之名而偽題

有的作者嫌於留名，但又感到自己費了不少心血，不出版不甘心，便假託旁人之名，如《香奩集》本為和凝少時所作，因書中談情說愛話較多，和凝作宰相後覺得與自己身份不符，就假造作者是韓偓。

9. 借無撰人而偽託

此類偽書一般由後人張冠李戴所致。大致有三種情況：

一是因書中有某人名而誤題。如：《周髀算經》是我國最早的一部數學書，漢代人著，因無作者姓名，後人則根據書中起首的「周公問於商高曰……」的話，便認為周公是該書的作者。殊不知「周」是講圓，「髀」是講股，與書的作者風馬牛不相及。

二是因為書中關於某人的事和說的話多而得名。如《孝經》本是漢代儒家抄寫《左傳》並加己見雜湊而成，後人因書中講曾子的話及事多，遂派定作者是曾參。

三是查不出作者而臆斷。如《山海經》一書，始於春秋戰國，止於兩漢之間，絕非一人手筆，只因太史公引過其名，列子曾說過：「大禹行而見之，伯益知而名之，夷堅聞而惠之。」後人則認為作者是大禹、伯益。

❖偽書的產生除有意作偽外，失誤致偽也是一個重要方面。

這也有很多原因。主要因為：

(1)**戰國之前，古人不自著書**。古代社會文字記錄是公有的事務，往往由集體寫成，非出於一人之手，因此不標姓名。特別是那些在政治界和學術界有名望的人，其言談行事往往由後人或門人記錄下來編纂成書。如《論語》為孔子門人所記，《管子》亦非一人一時所作，除管仲著作外，又聚集若干篇法家言論而成。只因書中講管子話多而名曰《管子》，且古人所述，一般都是為了應用，其書不著姓名，後人就憑揣測題名。

(2)**我國古代方言差異很大，文字又屢經變遷，由甲骨文到籀文演變成小篆而至隸書，每一次文字變革，簡冊書籍都得經過翻譯傳寫，難免有改動失真之處**。如《莊子》一書，內篇是莊周作，外篇乃其後學所作，抄寫人則把兩部分統稱莊子撰。

總之，偽書的產生情況很複雜，必須細緻考辨。

(二)偽書的種類

偽書因偽造情況各異，偽造程度也因而不盡相同。其種類有五：

1. 全部偽

如《孔子家語》即是。全部偽以子部為最多，如《鬼谷子》、《關尹子》等。其次是經部、史部，追根溯源，是因為自漢以後，儒家思想統治學術界，經部之書被視為經典，因而經書不致輕易作偽。而不受重視的子書則不然，人們隨意編集，所以致偽很多。

2. 偽中有偽

本來是偽書，因亡佚，後人又胡編亂造，遂成偽書之偽書。如《乾鑿度》，本是戰國期間陰陽家及西漢方士所作，卻假託孔子所作。而今本《乾鑿度》又經後人增添而成。

3. 眞中有偽

如《史記》，現存 130 篇，其中絕大部分是司馬遷所作，而一小部分是後人續寫。

4. 偽中有眞

如《鶡冠子》是一部偽書，但其中的《鵩賦》卻是眞的。又如東晉梅賾所上的孔安國注 58 篇《古文尚書》，也是偽中雜眞。

5. 眞偽相雜

如《管子》一書，內篇是管子本人所著，外篇則雜入後人著作，彙集而成。

總之，只有認眞總結，找出其社會原因和個人因素，才能使辨偽工作順利進行。

二、辨偽的歷史

在我國古文獻學史中，辨偽學的歷史源遠流長，隨著偽書的產生，就開始了辨偽的歷史。

遠在戰國時期，孔子的弟子子貢就已經覺察出周王朝對被征服了的商王朝歷史作了歪曲的宣傳。他感慨地說：「紂之不善不如是之甚也！是以君子惡居下流，天下之惡皆歸焉。」（《論語‧子張》）過了百餘年，孟子也看出周王朝宣傳自己的武功過於失眞，於是嘆息：「盡信《書》，則不如無《書》。吾於《武成》，取二三策而已矣。仁人無敵於天下，以至仁伐至不仁，而何其血之流杵也？」（《孟子‧盡心下》）孟子是從儒家的「仁政」思想出發，懷疑《武成》對周武王的記載不可信。雖然，他的辨偽標準是儒家的思想原則，而非客觀事實，但由此可看出當時的人已不完全相信古書了。戰國末，韓非子也開始懷疑諸子百家的託古作偽。他說：「孔子、墨子俱道堯舜，而取捨不同。皆自謂眞堯

舜，堯舜不復生，將誰使定儒墨之誠乎？……無參驗而必之者，愚也；弗能必而據之，誣也。故明據先王，必定堯舜者，非愚則誣也。」（《韓非子‧顯學》）之後，劉安又在《淮南子‧修務》篇中，對游談之士託古自重的情形明白指出：「世俗之人多尊古而賤今，故爲道者必託之於神農、黃帝而後能入說」「今取新聖人書，名人孔、墨，則弟子受者必衆矣。」雖未明確指出僞書之名，但對僞書已有所辨。不過他們並沒作切實考察研究，因此這時期僅是消極疑古，是辨僞學的初創時期。

漢代，經秦焚書後，古書散佚，僞書僞說趁機而出。既有作僞，就有辨僞，僞書增多促進了辨僞學的發展。

(一)漢

漢代第一個辨僞學家是司馬遷（前 145～前 86）。司馬遷發憤著《史記》，對眞僞相雜的史料作了大量的去僞存眞工作。他還把文獻資料與民間傳說互相印證，如在《五帝本紀》中指出「百家言黃帝，其文不雅馴，薦紳先生難言之。孔子所傳《宰予問五帝德》及《帝繫姓》，儒者或不傳。余嘗西至空桐，北過涿鹿，東漸於海，南浮江淮矣，至長老皆各往往稱黃帝、堯、舜之處，風敎固殊焉，總之不離古文者近是。」他還據事實駁僞說：「學者皆稱周伐紂，居洛邑，綜其實不然。武王營之，成王使召公卜居，居九鼎焉，而周復都豐、鎬。至犬戎敗幽王，周乃東徙於洛邑。」（《周本紀》）司馬遷辨僞的態度是科學而嚴謹的。而尤應指出的是，司馬遷首開單篇考辨諸子書之例。他在《老莊申韓列傳》謂莊子：「故其著書十餘萬言，大抵率寓言也。作《漁父》、《盜跖》、《胠篋》，以詆訿孔子之徒，以明老子之術。《畏累虛》、《亢桑子》之屬，皆空語，無事實。」當然，司馬遷對史料的考辨，採用也同樣因其思想、時代有其局限不足的一面。

　　至西漢末年，劉歆欲將《左氏春秋》、《毛詩》、《逸禮》和《古文尚書》立於學官，遭到今文經學博士的反對，說古文是偽書，說他「顛倒五經，令學士疑惑」，從而引起了今古文之爭。爭議的是非，歷代學者說法不同。至東漢，今古文並行，仍互有論辯。具體分析，今古文之說各有是非，古文經雖可靠也有偽作，今文家否定古文經傳，雖是因抱門戶之見，但在當時，極力辨古文之偽的工作也推動了辨偽學的發展。

　　❖漢代的辨偽學，在目錄學中也有反映。

　　劉向（約前 77～前 6）撰寫《別錄》，在《晏子敍錄》中提出：「又有頗不合經術，似非晏子言，疑後世辨士所為者，故亦不敢失，復以為一篇。」劉歆（？～23）在《別錄》基礎上編撰《七略》，考訂古書眞偽及其年代。班固（32～92）又根據《七略》而成《漢書‧藝文志》。並在某些書後注明「依託」、「似依託」、「後世所加」等語，如《力牧》22 篇，注：「六國時所作，托之力牧。力牧，皇帝相。」《大禹》37 篇，注：「傳言禹所作，其文似後世語。」《鶡子說》19 篇，注：「後世所加」，等等。這類托古偽作，經班固辨別的有四五十種。辨語雖簡單，寥寥幾語，但已能從事實、文辭、時代等各方面對偽書予以考察。這對後世的辨偽工作有很大啓發。

　　東漢馬融（4～79）、鄭玄（127～200）合古今文經注《二禮》、《尚書》，鄭玄弟子臨存孝則不信《周禮》，稱其為「末世讟亂之書」，並作《十論》、《七難》加以指斥。《十論》、《七難》雖已不存，卻是專書辨偽的最早的專著。東漢還有一個著名的辨偽學家王充（27～約 96），他所撰的《論衡》，其中《奇怪》、《書虛》、《道虛》、《語增》、《儒增》、《藝增》、《問孔》、《刺孟》、《談天》、《說日》等都是辨偽的突出篇章。他破除了對儒家聖人的迷信，提出經傳「經之傳不可從，五經皆多失實之說。」（《正說

篇》）在《如實篇》中列舉十六事證明「聖人不能神而先知」王充疑古辨偽的精神對後世影響極大，如唐代辨偽學衰落後，劉知幾就是效仿王充，重興辨偽之學的。

(二)魏晉南北朝～隋

魏晉南北朝至隋，作偽甚於辨偽。東漢末鄭玄雜糅古今，形成經學的一統局面。至魏，王肅為與鄭玄作對，偽造《論語》、《孝經》之孔安國注，偽造《孔子家語》託名孔安國撰，偽造《孔叢子》，託名孔鮒撰。對此，當時學者已有所辨。如《禮記・樂記》孔穎達疏引馬昭曰：「《家語》，王肅所增加」。當時出現的偽書，影響最深的是東晉梅賾向朝廷所上的孔安國注《古文尚書》。此書以偽雜眞，歷經幾朝，自宋疑辨，至清才有定論。這時期在辨偽學上很少建樹。但應一提的是，由於佛教的興盛，佛經辨偽卻發展到最高峯。東晉的道安把可疑的佛經，編入《疑經錄》，《隋衆經目錄》把可疑佛經編入第四例「疑偽」。而《別本衆經目錄》則把可疑佛經又細分為「疑惑」、「偽妄」。至此，佛經辨偽學經歷極盛時期，爾後便衰微了。

(三)唐

唐初，經學家因循守舊，辨偽之學很少建樹。重開辨偽之風的當推劉知幾（667～721），他著《史通》，是我國自古以來史學理論和對史書體例進行論述的一部有系統的著作。其中《疑古》對《尚書》、《春秋》、《論語》等書提出十疑，認為某些記載歪曲史實。在《惑經》中對經書提出質疑，指出孔子刪定的《春秋》「未諭者有十二」，「虛美者有五焉。」指出這部經典是因襲舊文。這種對史書權威進行無情批評的無畏精神，激勵了後人。

至中唐，辨偽學又別開生面。啖助、趙匡、陸淳對《左傳》的

作者和內容提出疑問和辨正，雖有偏激之處，但卻為清代學者徹底解決《左傳》問題，開了先路。

柳宗元（773～819）為文學大家，在考辨諸子書方面，也很有成績。他寫有很多辨偽專篇論著。如《辨列子》、《辨文子》、《辨晏子春秋》、《論語辨》、《辨鬼谷子》等。在所辨內容的方法上有新開創。他指出《論語》成書距孔子很遠，《列子》書中增竄甚多，列子也不是鄭穆公時人，《文子》是抄襲《孟子》、《管子》等書而成，《亢桑子》、《鬼谷子》等都是後出的偽書。他的見解精闢，對後世影響很大。後來宋高似孫的《子略》，明宋濂的《諸子辨》都是從這幾篇文章引申而來。

(四)宋

到了宋朝，辨偽學繼往開來，發展得更加深入。

歐陽修（1007～1072）是宋代第一個重視辨偽的學者。他著有《易童子問》，認為《周易》中《繫辭》、《文言》以下部分非孔子所作。破傳統偽說，對《左傳》、《周禮》也有懷疑的批評。

此外，王安石疑《春秋》，蘇軾辨《周禮》，鄭樵著《詩辨妄》，江應辰不信《孝經》，司馬光疑《孟子》，洪邁寫《容齋三筆》時，都有疑古辨偽的成績。在這種辨偽的風氣裡，朱熹（1130～1200）成就尤為卓著。所辨書涉經史子集達50餘種。在《語類》、《文集》中，進一步懷疑《古文尚書》及偽孔傳，為清初閻若璩的完全證實打下了基礎。在辨偽方法上，提出從思想、內容、史實、旁證、體制、文字風格等多方考證，方法諸多，從所未有。辨語雖簡單，但頗有精彩見解，大大啓發了後來的辨偽學者。他不僅辨證古人之失，還將重要經籍加以新的注釋解說，使其還本來面目，這也是曠古未有的盛業。

和朱熹同時的葉適（1150～1223），寫《習學記言序》，對經

史子集都有論辨，很有價值，觀察方法也正確。此後，黃震著《黃氏日鈔》，對《古文尚書》、諸子書都有考辨。王應麟著《漢書藝文志考證》，雖只是書目，但對偽書提出懷疑，供後人探討，功績亦不可磨滅。

(五)元

元代，辨偽不很發達。吳澄寫《尚書纂言》，辨世傳《古文尚書》，其說有發展。

(六)明

明初，辨偽學史上出現了第一部專著。宋濂（1310～1381）總結前人之說，加以自己的考辨，寫了《諸子辨》，辨別先秦至宋四十部諸子書的真偽。雖有襲人之說處，但他總結作偽、辨偽規律，指出「大抵古書之存於今者多出於後人之手」或「有以附麗」依託古書。並從避諱、典制方面加以考證。

明末，胡應麟（1551～1602）總結發展前代辨偽的成果和經驗，把歷來抉出的偽書或認為著者有疑問的書都摘錄下來，編成一部《四部正譌》。內容從諸子擴大到經、史、子、集四部，論及的書有 104 種。他把偽書分為 20 類，並對辨偽的必要，偽書的種類、來歷，進行了系統闡述，在卷末又提出審核偽書的八條具體方法，「凡核偽書之道：核之《七略》以觀其源，核之羣《志》以觀其緒，核之並世之言以觀其稱，核之異世之言以觀其述，核之文以觀其體，核之事以觀其時，核之撰者以觀其託，核之傳者以觀其人。核之八者，而古今贗籍亡（無）隱情矣」。這八種方法，歸納全面精闢，至今仍為學者採用、重視。他還對四部書中偽書眾寡的不同情況進行了全面分析，指出「凡四部書之偽者，子為盛，經次之，史又次之，集差寡。凡經之偽，《易》為盛，

《緯侯》次之。凡史之偽，雜傳記為盛，璅說次之。凡子之偽，道為盛，兵及諸家次之。凡集，全偽者寡，而單篇別什借名竄匿甚眾。於別編詳之。」總結得切中實際。有此辨偽大作，才使辨偽學從此成為一門專門學問。

(七)清

清代的辨偽學，承襲前代傳統，進入鼎盛時期。辨偽書與辨偽說，羣書辨偽與單書辨偽都有很大發展。

著名辨偽學者閻若璩（1636～1704），著有《尚書古文疏證》，把朱熹、梅鷟、胡應麟等多人探討未能解決的懸案，以其鐵證給予定論。全書引證繁富、論證嚴密。從著錄佚文、取材文體、篇章分合、史實、典制、曆法、地理等各個方面加以考證，總結出了具體豐富的辨偽方法。

胡渭（1633～1714）著的《易圖明辨》，為考辨宋儒易學偽說、偽圖的集大成之作。以種種方法證明宋朝所傳的《太極圖》、《河圖》、《洛書》係和尚、道士拼湊的偽作。

此外，萬斯同寫《羣書疑辨》，對《周禮》、《儀禮》、《左傳》、《易傳》有所辨。其兄萬斯大著《周官辨非》，對《周禮》的辨偽很是徹底。

同時，有一部與《四部正譌》性質、體例相似的書，即姚際恆（1647～？）的《古今偽書考》。姚際恆是清初考辨羣書的辨偽學者。他懷疑經典，思想比胡應麟更為解放。此書辨經、史、子三類書共 90 種，對偽書種類分為全偽、「有真書雜以偽者」、「有非偽書而後人妄託其人之名者」、「有兩人共此一書名今傳者不知為何人作者」、「有書非偽而書名偽者」、「有未足定其著書之人者」幾類。此外，他還著有《九經通論》，詳細辨別九經的真偽，但殘佚大半，傳下來的只有《詩經通論》。與胡應麟《四

部正僞》不同的一點是不考辨集部。他說：「四部有集，集者別集，人難以僞，古集間有一二附益僞撰，不足稱數，故不之及。」之後，惠棟著《古文尙書考》，對僞《古文尙書》的辨僞方面又有進展。

至乾隆時代，辨僞風氣仍很興盛，考辨學者崔述（1740～1816），著《考信錄》，他把自三皇五帝至周的歷史、以及諸子百家的事迹，一一考辨，定其眞僞。至於考辨所及的古籍就更多了。他認爲研究戰國前的歷史，以六經本身的材料爲最可靠。諸子百家之說、漢人傳注及宋儒之說都是靠不住的。他很注意考史實，辨材料，歸納條例，總結規律。此外，他還寫有《考信翼錄》5種，《古文尙書辨僞》2卷，都有獨到見解。但他很迷信經書，是以聖人成見做考辨標準的。

此時的《四庫提要》也很注意眞僞考辨，有一定創見。

晚清，西漢古今文之爭再度成爲此時辨僞學的主要問題。首先懷疑古文經書的是劉逢祿（1776～1829）。他治《公羊春秋》，疑《左氏春秋》是僞書，著了《左氏春秋考證》。隨後，魏源（1794～1857），著《詩古微》，懷疑《毛詩》；著《書古微》，不僅疑《古文尙書》是假的，而且疑《漢書‧藝文志》、《古文尙書十六篇》全爲假的。其說雖言之有理，也有不妥之處。

魏源後，康有爲（1858～1927）著《新學僞經考》，此書主要論點是說古文經全是劉歆僞造、是爲王莽篡漢服務的。這一基本觀點是主觀臆斷的。但在當時動搖了傳世的儒家經典，有其解放思想、破除迷信的進步作用。

康有爲之後，章炳麟（1869～1936）著《春秋左傳讀敍錄》、《春秋左氏疑義答問》、《古文尙書拾遺》、《太史公古文尙書說》，力駁今文家對古文家的全盤否定。之後，梁啓超在《古書眞僞及其年代》中，對辨僞方法條分縷析，極爲詳細，堪稱辨僞學上集

大成之作。

(八)民國以後

王國維（1877～1927）對古文字研究很有造詣，對古文經考證超越前人。他著有《觀堂集林》、《史記所謂古文說》、《說文所謂古文經》、《漢書所謂古文說》、《漢時古文經傳考》等書。獨闢蹊徑，從古經抄寫字體，古文流變及古文經傳、古文學家等方面作了具體詳細的考證，其成果超越前人。另外，王國維利用考古發現的資料考證文獻，以辨偽說，也做出了劃時代的貢獻。

今人金受申作《古今偽書考考釋》、顧實作《重考古今偽書考》、黃雲眉作《古今偽書考補證》，對姚際恆書多所訂補。1994年林慶彰所編《姚際恆著作集》，《古今偽書考》部分，將上述三書彙為一編，頗方便使用。馬敘倫《列子偽書考》是一部有學術價值的辨偽學專著。張心澂作《偽書通考》整理收錄前人寫過的一些辨偽專著和論文，並加按語，很有見地。此書 1957 年修訂本收錄考辨的書達 1,104 部，是目前一部常用的辨偽工具書。1984 年鄭良樹作《續偽書通考》（3 冊），除補充新出之辨偽資料外，另新增偽書 42 種。

三、辨別偽書與考證年代的方法

辨別偽書的方法，前人多方探討，日趨精密。最早作系統總結的是胡應麟，他在《四部正譌》中概括總結了辨偽八法。但闡發得淋漓詳盡的要推梁啓超《中國歷史研究法》第五章、《古書真偽及其年代》和胡適的《中國哲學史大綱》（卷上）及前言。這兩部書提出的辨偽方法為我們今日之研究起到了指南作用。

概括前人經驗，辨偽方法一般有下面幾種：

(一)從目錄著錄上考察源流以辨真偽

　　利用各種書目提要，查明書籍的傳統源流，對辨別偽書有很大作用。

　　我國最早的目錄是西漢末年劉歆的《七略》，所收書目很全，可惜早佚。但東漢初班固的《漢書・藝文志》與其時代相距很近，採用《七略》分類法，完全可以代替它。利用目錄辨偽還可參看歷代史書中《藝文志》或《經籍志》，包括一些重要的私修目錄書。一般地說，西漢以前的書，應以《漢書・藝文志》有無著錄爲第一標準。魏晉南北朝至隋代藏書可查看《隋書・經籍志》。宋代公私藏書目，可參考王堯臣《崇文總目》、晁公武《郡齋讀書志》、陳振孫《直齋書錄解題》等。核對歷代目錄書，可以知道某書在某時見於著錄，某時亡佚，以考察其流傳情況。如果一書在某時代中斷，或出現時期很晚，即可懷疑。對此，梁啓超在其《古書眞偽及其年代》中，又細加分理：「從舊志不著錄而定其偽或可疑」、「從前志著錄後志已佚而定其偽或可疑」、「從今本和舊志說的卷數篇數不同而定其偽或可疑」、「從舊志無著者姓名而定後人隨便附上去的姓名是偽」、「從舊志或注家已明言是偽書而信其說」，這些都是從查考史志目錄入手的。當然這不是唯一標準，因爲有時國家所錄書籍不一定將當代書籍包括無遺，私家書目也只記一家藏書。但如果從著錄上發現疑點，追蹤查勘，進而分析其書的內容史實和文章風格等，互相印證，便可定其眞偽。《四書全書總目》運用這一方法發現的偽書不勝枚舉。如題名吳琯所作的《蕉窗蒠隱詞》，就是從「諸家書目皆不著錄，諸選本亦絕不及之」這一線索，進而考出詞係劉基作，書商冒題吳琯，作偽漁利。又如《新唐書・藝文志》著錄有《連山易》，而《隋書・經籍志》是《歸藏易》。查《漢書・藝文志》都沒有著錄，由此考證，《連山

易》、《歸藏易》均爲偽書。《北史·劉炫傳》記：「隋文搜訪圖籍，炫因偽造《連山》及《魯史記》上之。」

又如：《鬼谷子》、《子夏易》，《漢志》沒有，《隋志》有。《亢倉子》，《漢志》、《隋志》都沒著錄，而《崇文總目》有，前代不見著錄，而後代反出，經查爲偽書。還有，《漢志》有《家語》27卷，《唐書·藝文志》卻有王肅注《家語》10卷，顏師古注的是《漢志》說，由此疑點考證，王注爲後出偽作。

(二)從作品本身上辨別真偽

從作品本身入手，分析研究查找疑點，這是辨別一書眞偽的主要方法。無論有無其他佐證，都不該脫離作品本身而輕下斷語定眞偽。

此範圍包括較多，主要應從思想、史實、文體、文法、文字、字句等方面考察。

1.分析作品思想

這包括兩個方面。一是看作品思想與時代思想是否相符。意識形態是由社會經濟基礎決定的，任何一部作品反映的思想都是扎根於一定的時代，有其生成的社會條件和原因。如果作品中表現的思想與其時代不相符合，即可疑爲偽。

如《管子》中非難「兼愛」、「非攻」，而「兼愛」、「非攻」是管仲死後百餘年後墨家的思想主張。由此，宋濂稱其書「非管仲自著，後人附益者多於仲之本書。」又如《列子》中講了很多佛理，而佛經是東漢時始由印度傳入中國，戰國時的列子無緣見佛經，更無從談佛理。由此可知，《列子》一書是後人偽作。

二是看作品思想與依託人的思想是否矛盾。這是檢查所標作者姓名是否託古的一種方法。人們著書總要寄託自己的思想，如

果書內表達的思想和所依託人的思想矛盾，這書就有僞造嫌疑。如託名孔子的《繫辭》中反映了很多玄學思想，我們從《論語》及有關孔子事跡中考察，這與孔子的一貫主張是矛盾的。因而可知《繫辭》非孔子所作。

2.查核史實

考辨古籍，必須辨清史事的眞僞。這也是歷代辨僞學家應用方法之一。

查核史事，首先看書中的史事是否與作書人年代相符，如史實在後，即可證明有僞。如《商君書》記有長平之事，這是商鞅死後七十八年之事。還有晁公武《郡齋讀書志》，對《白居易長慶集》中《聞李崔州貶》二絕句，進行考核，謂「以唐史考之，崔州貶時，樂天歿將逾年」。可知，此詩絕非出自白居易之手。這些事均是依託人寫書時未嘗發生之事，故應把成書時間移後。當然也不排斥後人續編摻雜。

還要考察僞造的史事。如《文中子》中記仁壽二年王通見李德林、關朗，而李德林此時早已死了。關朗更是一世紀前人。可知所記之事係僞造而成。

3.考察文體

不同時代文體總有不同之處。從文體上考察某書是否與所處時代文體風格等相合，可以斷定一部書的成書時代。如《戰國策》，原稱國策、國事、短長、事語、長書等。西漢末年劉向整理的章節是長短不一的；長的整卷爲一則，短的二、三十字成一則。而明代王世貞自稱耕地掘土發現的《短長說》，除了第二、三則各長八十餘字外，其它各章幾乎都是長篇大論，少則百字一則，多則千餘字一則。而這是有違《戰國策》體例的，不能不令人

疑爲僞作。

又如，朱熹辨《潛虛》，也是從文體確定爲僞書的。《潛虛》作者晚著此書，未竟而死，因而闕文很多。但後來季思所刻本卻首尾完備，無一字之闕。爲此，朱熹辨曰：「始復驚異，……讀至剛行。遂釋然曰：此贗本也。……本書所有句皆協韻，如易、篆、文、象、玄、首、贊、測。其今有而昔無者，行變尙協而解獨不韻。此蓋不知『也』字處末，則止字爲韻之例爾。此人好作僞書，而尙不識其體制，固爲可笑。然亦幸其如此，不然，則幾何而不遂至於逼眞也耶？」（《文集》卷 81）又如：明人梅鷟在《尙書考異》《大禹謨》一節辨曰：「變亂聖經之體者，《大禹謨》是也。凡伏生書（今文），典則典，謨則謨，誓則誓，典、謨、誓雜者未之有也。今此篇自篇首至『萬世永賴，時乃初功，』謨之體也；自『帝曰：格汝禹』，至『率百官若帝之初』，典之體也；自『帝曰：咨禹惟時有苗弗率』至『七旬有苗格』誓之體也。混三體而成篇，吾故曰變亂聖經之體者，《大禹謨》是也。」這是從體例上揭示作僞痕跡的。

還有梅賾所上的《古文尙書》比今文《尙書》的文體還要平易，今文反而艱澀難懂，可見《古文尙書》不是商周時代的作品。

4. 研究文法

一部書的文法系統有其獨自特點，而這往往是僞作者所難以僞造或忽視的。因此我們細心比較其文法特點，就可辨其眞僞。在這方面，瑞典人高本漢《左傳眞僞考》，即是從文法方面考辨僞書並作出貢獻的。他把《左傳》和《莊子》、《國語》、《論語》等書比較，發現《左傳》所用方言虛字與其他古書不同。所用非魯語。因此他做出結論說，《左傳》非孔子作，也非其弟子作，也非魯人作。他認爲是另一人或數人作。這是他運用文法辨僞的成功之

處。他還對眞僞摻雜的《書經》中的五十篇，作了助詞普通用法的例外情況統計，結果是：眞作中用「如」字二十三處，「及」十四處，「吾」二處，「斯」五處，「於」九處。而在十八篇僞作中，除「於」出現一次外，其它幾個助詞，無一處出現。這就是說，當時的作僞者，極力模仿眞《書經》的文法結構，因此處處注意用《書經》常用助詞「若、予、則、于」等。而忽視了不常用的助詞。這正好是弄巧成拙，反而露出破綻。

又如《中庸》有人認爲是子思所作，而子思在孟子前。依崔述考證，《中庸》在孟子後，證據之一是崔述把《中庸》、《孟子》相同的「在下位不獲其上……」一章，比較了它們文法的優劣，認爲《中庸》所用虛字不及《孟子》之妥適，從而疑《中庸》襲《孟子》，而非《孟子》襲《中庸》。

5. 考證文字

中國文字有幾千年歷史，經過多次演變，因此一定時代有一定的書寫形式。有的僞造者爲託古，忽略了時代特徵。如《短長說》的發掘者王世貞說，《短長說》是用「大篆」寫在「竹冊」上的，並說其文「多載秦及漢初事」，以證此書的著成及抄寫時代是在漢景帝或漢武帝之時。而那時已通行隸書，今天出土的漢簡，幾乎無不是用隸書寫成的，爲何獨有此書用大篆？大凡造僞者都好把事情假託古舊一些，王世貞恐亦如此。

6. 考察詞句

主要是從詞句罅漏處辨識眞僞。古書中出現歷代的人名、地名、謐號、朝代名等某些特定提法，往往是考辨眞僞最好的線索。

書名。《孝經》後人僞稱爲孔子弟子曾參所撰，並列十三經之

末。姚際恆辨曰：「諸經古不繫以經字，惟曰《易》曰《詩》曰《書》，其經字乃俗所加也。自名《孝經》，自可知其非古。若去經字，又非如《易》、《書》、《詩》之可以一字名者矣。班固似亦知之，曰『夫孝天之經，地之義，民之行也，舉其大言者，故曰《孝經》』此曲說也，豈有取『天之經』經字配『孝』字以名書而遺去天字，且遺去『地之義』諸句者乎」。這是從書名上辨疑的。

人的稱謂。有三種情況：

其一是書中引述某人語，則必不是某人作。

如有人說曾參作《孝經》，但其文起首是「仲尼居，曾子侍」，這就講不通了。曾子的「子」本是古代對男子的尊稱，而尊稱是別人稱呼，萬無自稱為「子」之例。況又直呼師之字，這違背了最普通的常識。

其二是從諡號上辨析。

諡號一般是古代帝王諸侯、卿大夫、高官大臣等死後，朝廷依據其生平德行而給予的稱號。但如果書中稱諡的人出於作者之後，可知書有偽或有人增竄。如齊桓公死於管仲之後，而《管子》一書處處稱齊桓公。商鞅死於魏襄王前 42 年，而《商鞅》書中屢稱魏襄王。

其三是從避諱上辨偽。

避諱是不直稱君王之名，遇到這些字，以改字、空字或缺筆等辦法加以避諱。利用避諱常識，可以斷定古籍時代。漢文帝名恆，改恆山為常山，而《莊子》也稱陳恆諱字。錢大昕在《潛研堂文集》考《寶刻類編》一書云：「《寶刻類編》，不著撰人姓名。考其編次，始周秦，訖唐五代，其為宋人所撰無疑。宋寶慶初諱理宗嫌名，改江西西路之筠州為瑞州。此編載碑刻所在，有去瑞者，又知其為宋末人也。」正是利用避諱判定一書的時代。

地名。中國歷代地名或行政區域稱呼不同。如《山海經》，舊

稱大禹、伯益著，而其中卻引秦漢後的郡縣名。可知書中有僞，至少有漢人添加成分。梅鷟揭露孔傳注釋《禹貢》地名之誤說：「瀘水出谷城縣，兩《漢志》（前後《漢書》之《地理志》）並同，晉始省谷城入河南，而孔傳乃云出河南（縣）北山。積石山在西南羌中，漢昭帝始元六年始置金城郡，而孔傳乃云積石山在金城西南。孔安國卒於漢武時，載在《史記》，則猶在司馬遷以前，安得知此地名乎？」這是從地名上考察時與地矛盾，證孔傳作於漢後，實爲僞託。

還有在書中引後代朝代名稱。如《堯典》中稱本族爲「夏」，就是採用了秦前的稱呼。

從詞句方面辨析，不僅可以從個別詞、名稱上尋找僞迹，還可以根據句子是否抄襲舊作，從中發現抄襲舊作僞造的痕迹。如《古文尚書》中有很多詞句取自諸經。又如《孝經》中「如『言斯可道，行斯可樂』」一段，是北宮文子論令尹之威儀的，是從《左傳》及雜史傳中抄襲湊合而成的。而《元志》則幾乎一字一句地抄襲宋敏求《河南志》的原文，以至連反映宋代時間概念的「今」與「國初」等字樣，也被原封不動地照抄下來。柳宗元《辨文子》云：「考其書，蓋駁（雜）書也。其深而類者少，竊之他書以合之者多。凡孟、管輩數家，皆見剽竊，嶢然而出其類。」

(三)研究版刻特徵以辨眞僞

古代版刻不同時代有不同特徵。我們如果對各個時代刻書的版式、書口、行款、字體、墨色、紙質及有無牌記等研究鑒別，找出疑點，也有助於進一步考辨其書的時代和眞僞。

如明彭大翼輯《山堂肆考》，書商將書名挖改爲「書言故事」，同時將題下「彭大翼纂著」的「纂著」兩字剜下，偷梁換柱貼在書商加印的「錫山陳幼學」名字下面，爲證明這部僞書確

係陳幼學纂著，又對原書序文進行剗改。這些手段，無論怎樣高超，總不免留下蛛絲馬跡，只要仔細研究考察，大多數偽作還是不難識破的。剗改的書只要朝著光亮一照，偽飾之跡就顯然畢露。

又如《新刊梁溪張太史文集》，題無錫張籌撰。但從版本、字體、紙張上細加考察，便可將偽書名、偽著者排除。該書實為《宋學士文集》，明宋濂撰。

偽題蘇過所撰《斜川集》，在版本上面也露出偽作痕跡。染紙作古色，冒充宋槧，偽鐫汲古閣毛子晉藏印於卷末。

總之，只要多實踐，多研究，掌握規律，就會發現疑點，由此再結合書的內容考核，就會使偽書露出真相。

四尋找各種旁證以辨真偽

辨別一書真偽，可以通過同時代的其它作品來分析。如果「真書原本經前人稱引，確有佐證，而今本與之歧異者，則今本必偽」（梁啓超《中國歷史研究法》）。如馬融曾辨當時所傳偽《泰誓》，就引證了同時代很多諸子書。如引《春秋》中《泰誓》語曰：「民之所欲，天必從之」，引《國語》中《泰誓》語：「朕夢協朕卜，襲於休祥，戎商必克」，《孟子》中引《泰誓》語：「我武惟揚，侵於之疆，則取於殘，殺伐用張，於湯有光」。引《孫（荀）卿》中《泰誓》語「獨夫受」。引《禮記》中《泰誓》文：「予克紂，非予武，惟朕文考無罪。紂克予，非朕文考有罪，惟予小子無良。」等等。而這些引文，今文《泰誓》皆無，這說明其書為偽造之作。

還可以利用考古發現的古書及有關資料，因為考古發現的古書或有關資料，往往保存著這些古書或資料大致被確定年代的歷史烙印，這對考察某些傳世古書，提供了衡量尺度。即使非文字

資料也可能提供考辨古書的證據。前人已經注意應用這一方法，如南宋考據家洪邁在《容齋三筆》卷12《鐘鼎銘記》一條中用銅器銘文印證商周文獻。在《犧尊象尊》條，用當世「所存故物」及宣和《博古圖》所繪圖樣，證「犧尊純爲牛形，象尊純爲象形，而尊在背」。訂正了漢儒注釋之妄說。又如銀雀山漢墓出土的竹簡《孫武兵法》與《孫臏兵法》解決了兵法著者問題。此外，1959 年甘肅武威漢墓出土的 9 篇《儀禮》、1973 年長沙馬王堆三號西漢前期墓出土的帛書（《易經》及其所附《易》說、《老子》甲、乙本，《戰國縱橫家書》）、1977 年安徽阜陽雙古堆一號出土的西漢前期《蒼頡篇》、《詩經》、《論語》等等，也都給辨僞提供了新證。

四、辨僞需要注意的幾個問題

回顧前人辨僞的經驗教訓，我們要注意以下幾點：

(一)要有正確的目的

辨僞在於求眞，還僞書本來面目。因此必須以歷史唯物主義觀點爲指導，堅持實事求是的科學態度來研究考證，否則就容易將眞籍錯定爲僞書，僞書說成是眞籍。翻開僞書的歷史，有兩種傾向我們應引以爲戒：其一是門戶之見。這種傾向的產生，一般是出於幫派之爭或持有成見。由於門戶派別之見，遇到與己派不相合或不利之書，雖是眞籍，也要吹毛求疵，多方挑剔以爲僞。與己派相合或有利者，雖僞也不免多方曲解以爲眞。目的不純，越辨越僞，這在辨僞史上不爲少見。如《逸周書》中「克殷」與「世俘」篇，揭露了周武王的凶狠殘暴。尊周之儒生定其爲僞，相反，對符合「聖道」的古書，一概奉爲眞籍。又如《孔子家語》是一部僞書，「四人幫」卻利用其中的記載孔子殺少正卯事件進

行文化專政和政治上的血腥鎮壓，隨心所欲地剪裁偽史，為其陰謀篡權服務。其二是獵新好奇，借發現偽書以炫耀其能。持這種態度，必然有證懷疑，無證也亂加懷疑，甚至攻其一點，不及其餘，以斷其偽。他們雖然也能現一些偽跡，然而難免不出偏頗。

(二)要掌握科學的辨偽方法

學習辨偽方法，掌握辨偽技能，是辨偽的基本功。許多辨偽學家都從切身體驗中，總結出科學的考證方法。張心澄還在《偽書通考》中將各家方法進行了歸納整理，這對開展辨偽工作創造了有利條件。為少走彎路，我們要了解前人的研究成果，攻讀有關專著，多讀古書，博聞多見，以提高自己的學問修養。同時對掌握的辨偽方法，必須注意綜合運用，切忌孤立地使用一種方法分析考證，或以孤證定是非，這很容易導致錯誤的判斷。因為造偽者的動機不同，手段也不盡一樣，所以單純地運用一種方法鑒別，難免失誤。

(三)要細加鑒別和分清作偽程度

偽書作偽的程度不同，其價值亦不同。因為書中一部分偽，或後人竄入詞句而造成與時代不符，就斷其全部偽而擯棄，這是不利於開展學術研究的。如李太白《李翰林集》和蘇軾《東坡集》，雖有不少後人之作摻雜其間，但剔除這類偽作，餘者亦是研究李白、蘇軾最重要的材料。

尤其是我國從周代開始，在文字上凡涉及當代君主或所尊重的名字，必須採用空格、改字等方法加以回避，不能直呼其名。對此倘若不加鑒別，勢必顛倒真偽。像孔子所著《春秋》，被稱為信史，只因把魯君被弒改寫為卒，遂造成書真而事不真。如果一概視其為偽，那就大錯特錯了。

(四)要充分認識偽書的價值

辨偽在於恢復偽書的本來面目，不是把偽書清除於書籍之林。偽書反映了一定時代的眞實情況，因而它不但有用，也是寶貴的文化遺產。如偽書《本草》，雖假託神農，但仍不失爲寶貴的醫學史科，是歷代中醫學者的必讀之書。儘管作者不眞實，然其所寫的內容必反映作者所處的那個時代，保存了當時的史料。如偽託周公之作的《爾雅》，辨淸其年代後，把它作爲漢時的書籍加以研究，對揭示春秋及秦漢間的語言文學和當時的思想、社會風貌等，有不可磨滅的價值。

(五)辨偽是一項艱鉅的任務

我國是東方的文明古國，文化燦爛，典籍豐富，卷帙浩繁。經兩千餘年的辨識整理，發現偽書 1,105 部（據張心澄 1955 年統計於《偽書通考》）。其中經部 88 種、史部 98 種、子部 324 種、集部 145 種、道藏 33 種、佛藏 417 種。這些數字與我國古籍總數相比是微不足道的。許多重要古籍尚未作過辨偽研究。而且前人已定的偽書也未必盡偽，定爲眞籍者也未必全眞，許多疑案尚待探討解決。試擧宋濂的《諸子辨》、胡應麟的《四部正譌》，姚際恆的《古今偽書考》中的幾例說明。

諸 子 辨		四 部 正 譌		古 今 偽 書 考	
書 名	判 語	書 名	判 語	書 名	判 語
管 子	非管仲自作	管 子	眞偽相雜	管 子	眞雜以偽
鶡 冠 子	眞	鶡 冠 子	偽雜以眞	鶡 冠 子	偽
鬼 谷 子	眞	鬼 谷 子	偽	鬼 谷 子	偽
吳 子	眞	吳 子	戰國人掇其議論編成	吳 子	偽
文 中 子	偽	文 中 子	眞偽相雜	文 中 子	偽

　　以上可見，三家看法各異，結論亦不同。其他各家也是如此，因此辨僞的任務還是任重道遠，很艱鉅的。

　　辨僞學作爲一門科學，其理論體系和考辨方法都還不夠成熟，要達到系統化、科學化，必須堅持不懈地鑽研，不斷總結經驗、汲取敎訓，只有這樣，辨僞工作才會取得更大成績。

五、主要參考書

- 《古籍考辨叢刊》　　顧頡剛主編
- 《古書眞僞及其年代》　　梁啓超
- 《四部正譌》　　胡應麟
- 《新學僞經考》　　康有爲
- 《中國歷史硏究法》　　梁啓超
- 《僞書通考》　　張心澄編著
- 《古今僞書考補證》　　黃雲眉
- 《左傳眞僞考及其他》　　瑞典高本漢
- 《古史辨》㈢　　顧頡剛編著
- 《先秦經籍考》　　江俠菴編
- 《古今典籍聚散考》　　陳登原著
- 《古書疑義擧例五種》　　兪樾
- 《竹簡帛書論文集》　　鄭良樹著
- 《古學考》　　廖平著

（牟玉亭）

7 古籍輯佚

一、古籍的散佚和輯佚

㈠古籍的亡佚

　　輯佚是與古籍亡佚密切相聯的。我國古籍文獻不傳於世的甚多，歷代都有散失的現象，原因也是多方面的。

　　自春秋戰國開始出現私家著述以來，至唐代發明印刷術以前，書籍文獻的社會流傳形式，主要是師徒授受，口耳相傳，筆錄傳鈔等。即便在印刷術產生以後，這種流傳形式也在相當長一段歷史時期內仍是圖書文獻的主要流傳方法。這種流傳形式的範圍是比較狹窄的，絕大部分保存在皇家。唐宋以後，盡管已廣泛地使用雕版印刷術，但印書的種類和數量都是有限的，圖書的收藏仍局限於少數藏書家手中，但數字有限，絕大部分庫藏在皇家。由於圖書文獻流傳、收藏的陜隘性，特別是皇家的藏書，多祕而不傳，世間難得一見，如遭災禍，命運便可想而知。隋牛弘說：「仲尼之後，（圖書文獻）凡有五厄」，明胡應麟說，自隋以後凡又五厄。其實何止十厄！據文獻記載，自戰國以來，由於社會的、自然的種種原因，圖書屢遭厄運，很多重要典籍，稀世祕冊散失亡佚，極為嚴重，列舉如下：

春秋戰國

《韓非・和氏篇》：「商君教秦孝公以連什伍，設告坐之過，燔（燒）詩書而明法令。」

《左傳・昭公十八年》：大火「至於大宮」（大宮為鄭國祖廟，內藏書甚富），子產命開卜大夫公孫登去搶救「大龜」（龜冊），令祝史迅搬移典冊。

秦代

《史記・秦始皇本紀》：秦始皇三十四年（前 213），下令焚燒除秦史、醫藥、卜筮、種樹以外的一切書籍，「諸侯史記尤甚」。

漢代

王莽末年，長安遭大火，皇家圖書多被焚毀。東漢末年，獻帝移都長安典籍多散佚，後長安之亂，又遭焚蕩，所存書籍殆盡。

西晉

祕閣之書近 3 萬卷，盡毀於「八王之亂」。

南北朝

《梁書・王泰傳》記載：蕭齊在東昏侯執政的「永元末，後宮火延祕閣，圖書散亂殆盡」。《太平御覽》卷 618 載：蕭梁侯景之亂，「軍士夜於宮中置酒奏樂，忽聞大火起，眾便驚散，東宮圖書數百廚焚之皆盡」。魏軍迫江陵，梁元帝怕書落敵手，焚書 14 萬卷，所餘十之一、二。

隋代

隋煬帝在廣陵有焚書 37 萬卷之舉。

唐代

620 年，唐盡收隋東都洛陽之書，用船溯黃河西發長安，船翻書落，搶書僅十之一、二。玄宗時藏書 6 萬餘卷。兩都陷落，圖書毀滅幾盡。唐文宗時，有書 12 庫，5 萬餘卷。黃巢農民戰

爭起，朱溫迫昭宗遷都洛陽，舊存典籍，蕩然無遺。

宋代

北宋藏書崇文院，達 8 萬卷。眞宗大中祥符八年（1015），王宮起火，延及「崇文院」，書多煨燼。徽宗時，有書 7 萬餘卷，欽宗靖康元年（1126）金兵破開封，曾索取「祕閣」「三館」大批珍貴圖書北去，太淸樓、祕閣、三館書爲之一空。南宋理宗四年（1228）祕閣發生火災，書多缺（《文獻通考・經籍考總紋》）。南宋時，典籍曾達6萬卷之多，元軍破臨安後，「封書庫，收史館禮寺圖書及百司符告敕」（《宋史・恭帝本紀》），蜀刻珍本也遭焚掠。北宋蔡京、南宋秦檜掌權時，曾發生過兩次禁書、焚書，書籍損失慘重。

明代

修《永樂大典》，凡 22877 卷，凡例、目錄 60 卷，11095冊，前後抄成正副三套，明亡時，二套焚毀。至淸僅存一套，且不全。

淸代

朝廷銷毀書 2400 多種，抽毀書 400 多種，銷毀總數在 10 萬部左右。太平天國戰爭時，圖書也遭焚毀，如南三閣的《四庫全書》。

近代

鴉片戰爭以後，戰爭頻擾，典籍多損。從八國聯軍入侵北京到日本帝國主義發動的 1932 年「一・二八」事變，從近代軍閥的踐踏到帝國主義者搶掠盜竊等。

以上各例可知古籍亡佚的一般情況，即使今存的書中，也有逸文、逸篇，造成有目無文的現象。這些書厄的出現，一般都受著內亂外患、火焚水淹、被盜外流等，均屬人禍，致使大批圖書遭到重大損失。這是古書失傳的一個重要方面，但不是唯一的原

因。

此外，例如秦始皇焚書主要是儒家經典、百家之書和各國史書，而兵書、農書、醫書等不在焚禁之列，但原來列入焚書之列的儒家經典又大量出現流傳，相反不在焚書之列而見於《漢書·藝文志》的兵、農、醫等書卻幾乎全都失傳，這和古代不重視科學技術的發展有關係。這是圖書亡佚原因之二。

之三，在雕版印書以前，書籍流傳主要靠手抄，因此，人們對抄錄的書籍是有選擇的，質量好的流傳甚廣，其餘的書，流傳日微，漸被淘汰而散失亡佚。如總集的編纂始於晉朝杜預的《善文》，繼之有李充的《翰林論》，摯虞的《文章流別集》，孔寧的《續文章流別》，劉義慶的《集林》等十餘家，至南朝梁蕭統的《文選》一出，其選編質量遠勝前人，其前十餘種，相繼亡佚。例如《翰林論》梁時 54 卷，到隋朝僅存 3 卷；《文章流別集》原 60 卷，到隋朝只有殘本。

之四，雕版印書之後，二種以上相近的書，往往以一種較流行，另一種也逐漸不行於世，而日損湮沒。如北宋薛居正《五代史》150 卷，後歐陽修又私撰《五代史》74 卷，修死後方由朝廷正式印行，這樣一來，北宋薛、歐二史並行。但由於歐名氣大，其書體例嚴謹、文筆簡潔，更適於封建統治者需要。金章宗泰和七年（1207）詔學官削去薛《五代史》，只用歐史，於是薛史漸廢，明初政府尚存其書，收入《永樂大典》，至清乾隆間修《四庫全書》時，已不見原本。

之五，有些大部頭書，流傳頗不容易。如三國魏文帝曹丕時編《皇覽》有 1000 篇，傳抄不便，至南北朝時已不見原書，只見抄合本，至隋抄合本已不存。南朝齊《四部要略》1,000 卷，南梁《華林遍略》700 卷，北齊《修文殿御覽》360 卷，唐《文思博要》1,200 卷皆如此。至明官修《永樂大典》22,877 卷，卷帙過繁，國

家也無力刊印，所有三個抄本，今存不過數百卷而已。

之六，有些官修書不向社會流傳，只在朝廷中存放，一遇災禍，定亡無遺。如自漢至宋歷朝實錄皆如此。

(二)輯佚、輯佚書

佚，通「逸」，散失之意。佚書，又作「逸書」。《史記‧儒林列傳》：「孔氏有古文《尚書》，而（孔）安國以今文讀之，因以起其家。逸《書》得十餘篇。」「逸書」後泛指已經散失的古書。

輯，聚集，收集之意。又通「斂」，意即收聚。

輯佚，又作輯逸，即收聚、收集、聚集散失之意。輯佚書，即搜輯整理已經散失的古書。佚書，作為整部的完書已經亡失不存在了，但是往往書中的殘篇、遺文，片言、支語卻又散存在其他書中；輯佚，即指佚書散存在現有各類文獻中的一句話，或一段文字，或一篇文章重新搜集摘錄出來，彙聚編排，使其盡量恢復原書面貌的文獻整理活動和方法。如漢劉向在整理校勘漢存古籍的基礎上，撰成《別錄》，此書唐代猶存，唐末至宋初亡佚，但在其亡佚之前，有些書曾引用過它的一些篇、句，使它的一些篇、句保留在其他書中，這些書有的流傳下來了，有的也亡佚了。我們將某些曾引用過《別錄》而又流存下來的書，從中輯錄出《別錄》的篇章、文句，重新編排成書。這一過程就是輯，被輯出的佚書，就是輯佚書。如《玉函山房輯佚書》等。

文獻上的輯佚工作，實際上有二種：一種是狹義的輯佚，一種是廣義的輯佚。狹義上的輯佚，是單純的輯佚書，即原書完全亡佚，如有引文可供輯集，則將其輯出，以存其書於萬一。如申不害的《申子》早已全佚，清人嚴可均和馬國翰皆有輯本。尸佼的《尸子》亦久佚，清人汪繼培有輯本。

❖廣義上的輯佚，不僅包含狹義的輯佚，也包括輯佚文。輯佚文又可分三類：

一是輯補缺佚，即原書尚存，但已有殘缺，非原書全貌，也可叫部分佚書。如：《漢書·藝文志》著錄「《墨子》71篇」，今本《墨子》存53篇，已非全帙。清末孫詒讓將古書所引《墨子》語有不見今本的，逐一輯出，成《墨子佚文》，附《墨子閒詁》後。又如：據唐陸德明《經典釋文》所記，《莊子》晉司馬彪注本52篇，爲內篇7，外篇28，雜篇14，解說3。而《莊子》今存內篇7，外篇15，雜篇11，共33篇，外篇佚缺13篇，雜篇佚缺3篇，解說3篇佚，凡佚缺19篇。南宋王應麟就嘗試了此書的輯佚工作，他說：「《莊子》逸篇十有幾，《淮南鴻烈》多襲其語，晉世司馬彪注猶存，《後漢書》、《文選》、《世說》注、《藝文類聚》、《太平御覽》間見之。斷圭碎璧，亦足爲篋櫝之珍，君子或有取焉。」王氏輯得三十九事，收於所著《困學紀聞》卷10，標名《莊子逸篇》。王氏爲《莊子》最早的輯補佚文者。近人馬敍倫有一極精之輯本《莊子佚文》，刊於《天馬山房叢著》。

二是輯補脫佚，即原書似完存，在校勘過程中，時有佚文輯補。如劉向校訂《孫卿新書》（即《荀子》）32篇，今本《荀子》也32篇，然清人王念孫《讀書雜志》輯得《荀子》佚文四事。《漢書·藝文志》著錄「《韓子》（即《韓非子》）55篇」，今本《韓非子》亦55篇，但清人王先愼《韓非子集解》說：「史志載《韓子》55篇，與今本合，似無殘脫，而其佚文不下百餘條。」又如：《魏書》自宋南渡後即有缺頁，嚴可均輯《全後魏文》，第38卷《劉芳上書言樂事》引《魏書·樂志》僅一行，輯注說：「原有闕頁」。盧文弨撰《羣書拾補》，認爲此頁「無從考補」，僅從《通典》補得16字。而陳垣從《册府元龜》卷560輯出此頁全文，一字無闕，輯補《魏書》缺了800餘年的此頁佚文。在校勘學中，此類佚文稱

「脫」，此類輯補工作稱「校補」。但與校勘不同之處有二：其一，輯佚必須是成段文字，而校勘之「脫」則一字也可；其二，輯佚是將脫佚文輯出彙編成帙，不附歸原書，而校勘每勘出所脫，必歸附原處。

三是**輯拾漏佚**，即編輯別集、總集有當收而漏收的詩文或因某種原因有意棄收的詩文，後人讀書時有意無意中拾得而補之。如北宋末年薛昂收集王安石詩文編成《臨川先生文集》，南宋龍舒刻本題《王文公文集》100 卷，有文 56 卷，詩 44 卷，流傳至今。但百卷之外漏收的詩、詞、文佚篇，有很多散見在北宋以後的其他文獻中。清乾隆間張青刻南宋李壁《王荊文公詩箋注》50 卷，所載詩篇比《臨川先生文集》多 72 首。清末陸心源輯拾佚篇爲《臨川集補》1 卷，刻入《羣書校補》。羅振玉又刊行日人《臨川集拾遺》1 卷，收詩文 47 篇。唐圭璋《全宋詞》中的王安石詞，仍有《集》、《補》、《拾遺》中所未收的。1959 年中華書局重印《臨川先生文集》時，把上述諸家所拾佚篇，彙爲 1 卷，名《補遺》，附於書後。

《全唐詩》900 卷，清康熙敕編。是唐詩的全集，共收 2200餘位作家的詩 48,900 餘首。而拾其漏收成帙者有：日人上毛河世（字子靜）的《全唐詩逸》3 卷，有《知不足齋叢書》本，今附中華書局 1979 年《全唐詩》新點校本後。王重民據敦煌所出的新材料，輯拾《補全唐詩》97 首。又殘者 3 首，附 4 首，載於《中華文史論叢》第三輯（1963），又有《拾遺》，載 1984 年第四輯。《文物資料叢刊》第一輯（文物出版社 1977 年 12 月版）載《敦煌唐人詩集殘卷》，並有舒學的簡要說明，《殘卷》存《全唐詩》未收的唐人詩 72 首，作者是唐中期我國民族戰爭中被吐蕃俘虜的兩個敦煌漢人，一個叫馬雲奇，另一個姓名已不可考。孫望有《全唐詩補逸》20 卷，共收詩 830 首，將由中華書局出版。

(三)輯佚的意義

陳鐘凡在《古書讀校法》中說：「自秦火以後，迄於隋唐，歷代收藏，凡經五厄，故以《漢志》著錄之書，求之《隋志》而十闕二、三，《隋志》著錄之書，求之《唐志》而十無七、八。陵夷以迄晚近，古載籍之墜簡遺篇，凋零磨滅，殆已百不存一。學者欲讀書稽古於千百年之後，非遠紹旁蒐，廣徵博引，何以存舊學之梗概，窺古人之厓略哉！」

陳氏以為前人輯古佚書的意義在於讀古書，存舊學。如今看來，輯佚的意義，就輯佚者的初衷而言，主觀目的有四：一是廣徵泛錄，以顯其博。二是自得孤芳，以示其富。三是隨手所得，以存古書之舊。四是輯有所宗，以備其學。其無論是那一類的輯佚，只要所輯的佚書是有價值的，就其客觀效果而言，社會意義是一樣的。

1 是豐富了中國古代文化典籍。

中國是有著悠久歷史的文化古國，素以圖書典籍豐富著稱於世，然而古代文獻，今多不存，人們引以為憾。而自有輯佚之業以來，亡籍復見於世，使古籍得存其梗概，今人得窺古人之厓略。如清乾隆三十八年（1773）安徽學政朱筠奏請開四庫館時，便以輯佚書為迫不可緩。朱氏《笥河文集》卷1《謹陳管見開館校書折子》說：「臣在翰林，常繙閱前明《永樂大典》，其書編次少倫，或分割諸書以從其類。然古書之全而世不恆觀者，輒具在焉。臣請敕擇取其中古書完者若干部，分別謄寫，各自為書，以備著錄，書亡復存，藝林幸甚。」據清人李岳瑞《春冰室野》卷下說：「乾隆朝修《四庫全書》，從《永樂大典》中輯佚書700餘種。」大大豐富了《四庫全書》的內容。

2 是為學術研究提供資料。

梁啓超說：「清儒所做輯佚事業甚勤苦，其成績可供後此專家研究資料者亦不少。」（《中國近三百年學術史》）如清四庫館臣輯東漢官修的紀傳體史書《東觀漢記》，據《隋書・經籍志》著錄爲 143 卷，兩《唐志》著錄爲 127 卷，知唐時已有缺佚，北宋時殘存 43 卷，至南宋時則僅存 8 卷，館臣自《永樂大典》輯出，合舊傳本增爲 24 卷，可以補范曄《後漢書》的闕失之處頗不少，對史學研究者提供了不少寶貴的資料。其他價值極高久已失傳的史學名著，如南宋李燾 520 卷的《續資治通鑒長編》，北宋薛居正 150 卷的《舊五代史》、元郝經 90 卷的《續後漢書》等，都是卷帙浩繁，內容豐富的大書。至於宋、元人文集，可供考證研究者尤多。這僅就四庫館臣所輯而言。其他如劉向校定的《世本》，自南宋高似孫始，後有清張澍、王謨、秦嘉謨、孫馮翼、錢大昭、洪飴孫、茆泮林、雷學淇等八家輯本。漢氾勝之的《氾勝之書》有清洪頤煊、宋葆淳、馬國翰、王仁俊等輯本。

二、輯佚的歷史

(一)輯佚的起源

學者一般以南宋王應麟（1223～1296）爲輯佚的鼻祖。清章學誠《校讎通義》卷1《補鄭篇》說：「昔王應麟以《易》學獨傳王弼，《尚書》止存《僞孔傳》，乃採鄭玄（127～200）《易注》、《書注》之見於羣書者，爲《鄭氏周易》、《鄭氏尚書注》；又以四家之《詩》，獨《毛傳》不亡，乃採三家詩說之見於羣書者，爲《三家詩考》。嗣後好古之士，踵其成法，往往綴輯逸文、搜羅略遍」。章氏認爲搜輯佚書的工作，是從南宋學者王應麟開始的，後世學者，多從此說。

清末學者葉德輝（1864～1927）在《書林淸話》卷8中有「輯刻古書不始於王應麟」一條說：「古書散佚，復從他書所引，搜輯成書，世皆以爲自宋末王應麟三家《詩》始，不知其前旣已有之。宋黃伯思（名長睿，1079～1118）《東觀餘論》中有《跋愼謨公所藏相鶴經後》云：『按《隋經籍志》、《唐藝文志》，《相鶴經》皆一卷。今完書逸矣，特自馬總《意林》及李善《文選注》、鮑照《舞鶴賦》抄出大略，今眞靜陳尊師所書即此也』。……據此，則輯佚之書，當以此經爲鼻祖。」

自葉德輝以下，學者從其說者日多。至今張舜徽先生則折衷二說，以爲：「儘管他們的見解有些不同，但輯佚的工作，畢竟是宋代學者開其端，這是大家所公認了的。我們今天也不必再糾纏於開始於哪一個人、哪一部書，作些不必要的爭論」。又說：「宋代學者不獨已經動手搜輯佚書，並且還對這一工作，提出了指導性的理論」（《中國文獻學》193頁）。似乎輯佚工作始於宋代已成定論。

(二)宋代的輯佚書

宋人的輯佚書，據文獻所記，始見傳者爲《相鶴經》，《隋書・經籍志》著錄爲 1 卷，今傳本皆署「浮丘公」撰。浮丘公的事迹已不可確知，書至北宋時已不見傳，但唐馬總《意林》、李善《文選注》、南朝鮑照（414?～466）《舞鶴賦》等文中，曾引其文。時人從中輯出大略，仍釐爲 1 卷。其輯本今存於《說郛》、《百川學海》等叢書中。但北宋時的輯佚書還不盛行，也不盡完備。至南宋時，已日趨完善。

南宋初期，史學家鄭樵已注意到文獻學中的輯佚現象，在《通志・校讎略》中向學術界大聲疾呼，亡書「不可以不求」。在這種古典文獻淸理工作的思想影響下，輯古佚書的活動逐漸發展

起來。其中以南宋末年的文獻學家王應麟的工作對後世影響最大。

王應麟（1223～1296）字伯厚，號深寧居士，慶元（今浙江寧波）人。精於經史、地理之學，擅長考據。他以為齊、魯、韓三家《詩》，《齊詩》亡於魏，《魯詩》佚於西晉，《韓詩》雖存，無傳之者，而《韓詩》也惟存《韓詩外傳》，所謂《韓故》、《韓內傳》、《韓說》也均亡佚。故輯錄世間諸書所引三家詩的文句，彙編成帙，以存三家逸文。又旁搜廣討所見異文附綴其後，成《三家詩考》（又稱《詩考》）1卷，每條各注出處。三家詩以《韓詩》後亡，唐以來注疏家也多引其說，故所輯佚文較多，齊、魯二家僅寥寥數條。王氏另輯成《周易鄭康成注》1卷。鄭玄《易注》，《隋書・經籍志》著錄為9卷。鄭注在南朝梁陳時期，與王弼《易注》同列於國學，齊代惟傳鄭義；至隋，王注盛行，鄭學漸微。但《唐書》仍著錄10卷，李鼎祚《周易集解》多引之，知其書唐時尚存。宋《崇文總目》記載僅1卷。僅存《文言》、《序卦》、《說卦》、《雜卦》四篇，餘皆散佚。至《中興書目》已不見著錄，蓋亡於南北宋之間。應麟始旁搜諸書，輯得1卷，然其書不著出處，次序先後間與經文不應，也有遺漏。故清惠棟重輯《鄭氏周易》3卷，而袁鈞也輯《鄭氏周注》為9卷，皆導源於應麟。所以皮錫瑞《經學歷史》中說：「王應麟輯《三家詩》與鄭《易注》，開國朝輯古佚書之派。」此外，王氏還輯有《尚書鄭注》、《論語鄭氏注輯》等。輯補《莊子逸篇》39條，見《困學紀聞》卷10。高似孫也從事輯佚之業。李宗鄴《中國歷史要籍介紹・古書的輯佚》中說：到了南宋，就有人開始輯佚，如：「高似孫的《子略》、《史略》、《緯略》、《騷略》、《剡錄》等書」。《史略》記有：「《世本》敍歷代君臣世系，是書不復見，予閱諸經疏，惟《春秋左氏傳疏》所引《世本》不一，因採掇彙次為一書，題曰《古世本》」「高似孫是第一個輯佚

《世本》的」。李氏所言極是。

宋代輯古佚書除上述之外，尚有醫書等，拾佚、補佚的工作就更多了。總之，自宋代始，輯古佚書的工作便到了自覺發展階段。今天能見到的也有數十種之多。人們通常認為輯佚工作開始於宋代，是有一定道理的。

宋代不僅輯佚工作實踐勃興，在理論上也有一定的建樹。南宋早期的史學大家鄭樵（字漁仲，1103～1162），在《通志・校讎略》中寫了一篇《書有名亡實不亡說》，對後世建立輯佚理論和方法也頗有影響。

(三)元明的輯佚活動

輯佚工作在元朝雖沒有什麼大的發展，但元末學者陶宗儀的《說郛》是值得稱道的。明朝不僅輯佚活動較元朝大有進展，而且在理論上也有新的突破。

陶宗儀，元末明初學者，字九成，號南村，浙江黃巖人，寓居松江。元末舉進士不第，遂工文章，尤刻意字學，入明後曾任敎官。輯錄經緯史傳及百家雜說之書，輯刊為《說郛》100 卷，收書達 600 餘種。陶氏《說郛》雖不是一部輯佚的書，但其中也有原書亡佚而從類書中抄撮合文之書，如漢應劭的《漢官儀》1 卷，晉郭頒《魏晉世語》1 卷等漢魏以前舊著，每書都略存大概。陶氏雖不以輯佚為業，但這部《說郛》中確有不少的輯佚成果在內，使世人得見其一鱗半爪。故《四庫全書總目提要》說：「宗儀是書，實仿曾慥《類說》之例，每書略存大概，不必求全。亦有原本久失，而從類書之中鈔合其文，以備一種者」。陶氏的輯佚之功，在元末明初之際是有一定影響的。

明人**孫穀**從漢唐古籍之中，廣泛地搜輯六經、《論語》、《孝經》的緯書和河圖、洛書的佚文，編成《古微書》36 卷，其包括

「《尚書》緯」20 種 5 卷，「《春秋》緯」15 種 8 卷，「《易》緯」
13 種 3 卷，「《禮》緯」3 種 3 卷；「《樂》緯」3 種 3 卷，「《詩》
緯」3 種 2 卷，「《論語》緯」5 種 2 卷；「《孝經》緯」7 種 5
卷；「《河圖》緯」19 種 3 卷，「《洛書》緯」8 種 2 卷。緯書是西
漢時代方士和儒生混合搞成的神祕化說敎的經典外編。後遭禁
毀，幾乎完全失傳。但對了解漢代社會政治、思想與學術演變是
一種重要參考文獻，其中還保存了一些先秦以來的學術遺說。例
如《尚書考靈曜》中有「地恆動不止，而人不知，譬如人在大舟
中，閉牖而坐，舟行而人不覺也，」（《太平御覽》卷 36 引）對
宇宙的正確認識，卻保存在這部緯書中。孫氏《古微書》自《太平
御覽》中輯出，是十分有意義的。《古微書》保存了緯書的梗槪，
使後世得以了解一鱗半爪。但輯文不注出處，檢查十分不便。清
代錢熙祚把能查明的出處，一一注明，其書今存《守山閣叢書》
中。另《墨海金壺》經部，《叢書集成初編》哲學類中，也收有此
書。孫氏的《古微書》專輯「緯書」，而張溥《漢魏六朝百三家集》
則開始輯錄詩文。如《魏武帝集》，《隋書・經籍志》記爲 26 卷，
新舊《唐書》的經籍、藝文志均爲 30 卷，後佚，張氏輯得 1 卷。
又有《劉子駿集》1 卷等。另近代藏書家蔣汝藻《傳書堂善本書目》
卷 7 子部著錄一部《古今佚書》219 卷，注云：「明刻本。盧抱經
（文弨）、周季貺（星治）通部手校並跋。」這應是明人一部巨
大的輯佚著作，惜不知何人所爲。此書下落不明，在盧文弨集中
也不見痕迹。

　　明人祁承爍在《澹生堂藏書約》中的《藏書略》內，對輯佚的理
論和方法有十分精彩的論述，但遺憾的是，祁氏的輯佚成果卻沒
有保存下來。但據秦嘉謨《世本輯補》說：「復得孫氏星衍所藏澹
生堂（祁承爍的室號）抄輯《世本》2 卷」云云，知曾輯《世本》。

㈣清代的輯佚工作

宋明之際，輯佚書的工作範圍隘窄，體例亦未盡善。自清代以來，此學方成專業，名家輩出，範圍十分廣泛，體例也比較完善，成就也最爲顯著，是輯佚工作的鼎盛時期。

清代學者一反明代「宋學」泛談性理之學，重整「漢學」。然漢儒尤其是西漢的詁經和專門著作，絕大部分已失傳，所以清代學者的輯佚工作，本起於漢學家的治經，大量輯集西漢以的古代經義、小學著作。

首先惠棟（1697～1758），字定宇，號松崖。從唐李鼎祚《周易集解》掇集孟、京、干、鄭、荀、虞諸家舊注，分家疏解，而成《易漢學》8卷。後又擴充爲《九經古義》16卷，將諸經漢人佚注益加網羅。惠氏弟子余蕭客（1737～1778）承其師法，輯成《古經解鈎沈》30卷，所收益富。然不標注所輯原書名，體例也近自著。後任大椿（1738～1789）輯有《小學鈎沈》，得古字書40餘種。

乾隆間修《四庫全書》時，從《永樂大典》中輯得宋元前佚書388種，首開官府輯佚之先河。對清人的輯佚工作影響甚大。嘉慶以後，民間出現了大規模輯集古代的經、史、子、集四部佚書活動。章宗源（？～1800）輯佚書甚富，然多復散佚，或流入他人之手。馬國翰（1794～1857）《玉函山房輯佚書》580餘種；王仁俊（1866～1913）《玉函山房佚書續編》269種，《補編》138種，《十三經續注》40種，《經籍逸文》116種；沈頤煊《經典集林》30餘種，王謨《漢魏遺書抄》106種，《漢唐地理書鈔》50種；黃奭《黃氏逸書考》（又稱《漢學堂叢書》）368種；葉昌熾《淡廬叢稿》19種；茆泮林《十種古佚書》；嚴可均（1762～1843）《全上古三代秦漢三國六朝文》，均爲清代重要輯佚成果。此外孫星

衍、邵瑛、陳熙晉、俞樾、全祖望、繆荃孫、徐松、周永年、胡敬、文廷式、錢大昕諸家，也多有貢獻。其成就最大的是嚴可均、馬國翰、王仁俊三家。

嚴可均（1762～1843），浙江烏程人，字景文，號鐵橋。為清考據學家、校勘學家、輯佚家，一生撰輯等身。嘉慶十三年（1808），清政府開全唐文館，可均受館臣之囑，參與館事，故感到唐以前文也應當有總集，俾與唐文相接。於是下決心廣搜各種書籍及金石文字，自上古迄隋朝，鴻裁巨制，片語單詞，無不綜錄。分類編次為 71 體，作者 3,495 人，各繫小傳，按時代先後編為 15 集，合 746 卷。用九年時間草創粗定，又用十八年，拾遺考異，抽換整理，使無因襲重出，一字一句稍有異同，無不訂正。參加此書編輯的除嚴氏之外，尚有孫星衍、孫星衡、李兆洛等七人。書成後因卷帙浩繁，沒有立即刊行。至光緒五年（1878），蔣鑿父子刻《編目》130 卷。光緒十八年（1892），黃崗、王毓藻等刻印全書，這就是廣雅書局本，即粵刻本。1958年，中華書局據原刻本影印。嚴可均所輯書，除《全上古三代秦漢三國六朝文》外，尚有《抱朴子內篇佚文》1 卷，《抱朴子外篇遺文》1 卷；《韓詩》21 卷，附《魯詩齊詩漢人詩集》、《爾雅一切注音》10 卷；《孝經鄭注》1 卷；《歐陽棐集古錄目》10 卷；《風俗通義佚文》6 卷；《傅子》4 卷；《桓譚新論》3 卷；《皇帝占》3 卷；《郭璞山海經圖贊》2 卷；《沈懷遠南越志》2 卷；《陸賈新語》2 卷；《崔寔正論》2 卷；《仲長統昌言》2 卷；《應劭漢官儀》2 卷；《郭璞爾雅圖贊》；《嵇康聖賢高士傳》；《周處風土記》、《沈充吳興山墟名》、《山謙之吳興記》、《范成大桂海虞衡志佚文》、《六韜佚文附太公兵法》、《太公金匱佚文：附陰符陰謀陰祕》、《魯連子》、《歸藏》、《汲冢瑣語》、《劉向新序佚文》、《劉向說苑佚文》、《蜀王本記》、《六藝論》、《王孫子》、《魏文帝典論》、《杜恕體論》、《篤

論》、《陸景典語》、《袁准正論》、《正書》、《鬻子》、《鍾會等注老子》、《苻子》、《蘇子》、《申子》、《桓范世要論》、《闕子》、《蔣濟萬機論》、《崔寔四民月令》、《大悲咒石刻考異》（均為1卷）等48種，104卷。

馬國翰（1794～1857）山東歷城南歡府莊人，字詞溪，號竹吾，道光十二年（1832）進士，到陝西洛川、石泉、經陽等縣作知縣，升知隴州。馬氏公餘之暇，吟詠賦詩，並且到處搜羅古籍，從事驚人的輯佚工作。其輯佚成果全部彙集成為《玉函山房輯佚書》。輯成經部 444 種（內緯書 40 種），史部 8 種，子部 178 種，共 630 種。道光二十六年（1846），經部已付剞劂，二十九年經、子全部刊刻成書。可是有目無書者，尚有 40 餘種。今有清光緒九年（1883）長沙娜嬛館刊本，光緒十年（1884）章邱李氏據馬氏刊板重印本，楚南書局刊本等。

王仁俊（1866～1913）江蘇吳縣人，字捍鄭。是晚清輯佚大家，輯錄《玉函山房輯佚書續編》369 種，《補編》138 種，《十三經續注》40 種，《經籍逸文》116 種，共 663 種，均為稿本，今存上海圖書館。

清人輯佚工作除上述的綜合大家外，有專門輯一人著作的，如孔廣森《通德遺書所見錄》72 卷，袁鈞《鄭玄佚書》79 卷，都是輯鄭玄的著作。也有專輯一人言行的，如孫星衍《孔子集語》；也有僅輯一種著作的，如汪繼培輯《尸子》，宋翔鳳輯《帝王世紀》，秦嘉謨輯《世本》等。也有專輯一門學問的，如余蕭客輯《古經解鉤沈》；也有專輯一類書的，如王謨輯《漢唐地理書鈔》；也有專輯一地書的，如陳運溶輯《兩湖古地志》等，清人的輯佚成就遠超前人，其總數不下四、五千種。使漢魏以前的久佚古籍，多復見其梗概。佚散的宋元珍貴文獻也多有輯存。

(五)現代的輯佚工作

現代的輯佚工作，雖然不似清朝那樣興盛，但兼及此業者大有人在，成就也是不可低估的。

魯迅先生的輯佚工作，早在他執教紹興府中學堂的時候，利用課讀之餘，從類書、古注中錄唐以前古代小說，後來編成《古小說鉤沈》。古代小說前代輯佚家多不重視，馬國翰、黃奭、嚴可均等人輯書，雖然錄了幾種，那是因為這些小說在歸類上或入史部、或歸子類，所以在輯錄史部或子部書時略有收錄。馬國翰輯錄小說稍多一些，也不過僅《青史子》、《語林》、《玄中記》等8種而已。而魯迅《古小說鉤沈》則輯錄36種之多，成就最大。除小說而外，魯迅尚輯古代關於會稽的歷史和地理書，編成《會稽郡故事雜集》，又輯有《嵇康集》等。魯迅先生雖不以輯佚為業，但其在現代輯佚史上是有成就的。

陳垣為史學名家。所輯《舊五代史輯本》，取四庫館臣原輯本《舊五代史》以校正同異，正其偽謬，又遍檢《冊府元龜》所引五代之文，與《永樂大典》所收互為按正，發現了清人輯佚工作中的許多問題，使現在的輯佚工作更前進了一步。

王重民、趙萬里等於輯佚多有研究，成果也不少。新中國成立以來，輯佚工作雖不能與其他古籍整理工作相比，但成就也不可低估。其最著名者有上海潘景鄭和湯溪范。

潘景鄭在上海圖書館古籍部，是有名的版本目錄學家，他輯佚書130餘家，名《著硯樓輯佚書》。

湯溪范為中國人民解放軍軍事醫學科學研究所研究員。竭其前半生之力，獨立輯成《全漢三國六朝唐宋醫方》，（簡稱《全醫方》），卷帙之巨，可比擬於嚴可均。

其他如胡道靜先生輯的《種藝必用》、《夢溪忘懷錄鉤沈》、《

清夜錄鉤沈》及《長興集補闕》，王利器《永樂大典中戲曲》，王叔武《雲南古佚書鈔》等。

現代的輯佚書範圍，已從清代擴大到古籍各個方面。尤其是歷來不受重視的集部文獻，也多有收穫。小說如魯迅《古小說鉤沈》；詞如《校輯宋金元人詞》，孔凡禮《全宋詞補遺》等；戲曲如《永樂大典戲文三種》、《元曲選外編》、《元人雜劇鉤沈》；詩話如郭紹虞《宋詩話輯佚》；醫學如湯溪范《全醫方》等，多是不被清人看重的，而今都得到了挖掘。

現代對輯佚學的研究，也有了很大的進展。已從前人對輯佚實踐的一般描述、記敍中，逐步走上系統自覺的理論、歷史的研究。

三、輯佚學的研究

(一)古代的輯佚理論

我國的輯佚活動源遠流長，因輯佚和校勘關係十分密切，所以古代是作為校勘的內容之一來加以論述的，例如宋鄭樵在《通志·校讎略》中說：

「書有亡者，有雖亡而不亡者……《文言略例》雖亡，而《周易》具在；漢魏吳晉《鼓吹曲》雖亡，而《樂府》具在；《三禮目錄》雖亡，可取諸《三禮》；《十三代史目錄》雖亡，可取諸《十三代史》；常寶鼎《文選著作人名目錄》雖亡，可取諸《文選》；孫玉汝《唐列聖實錄》雖亡，可取諸《唐實錄》；《開元禮目錄》雖亡，可取諸《開元禮》；《名醫別錄》雖亡，陶隱居已收入《本草》；李氏《本草》雖亡，唐慎微已收入《證類》；《春秋括甲子》雖亡，不過起隱公（前722～前711）至哀公（前494～前466）甲子耳；韋嘉《年號錄》

雖亡，不過起漢後元（前88～87）至唐中和（881～885）年號耳；《續唐曆》雖亡，不過起續柳芳所作至唐之末年，亦猶《續通典》（北宋宋白等撰，200卷），續杜佑所作至宋初也。《毛詩蟲魚草木圖》蓋本陸璣疏而為圖，今雖亡，有陸璣疏在，則其圖可圖也；《爾雅圖》蓋本郭璞注而為圖，今雖亡，有郭璞注在，則其圖可圖也；張頻《禮粹》出於崔靈恩《三禮義宗》，有崔靈恩《三禮義宗》，則張頻《禮粹》為不亡；《五服志》出於《開元禮》，有《開元禮》，則《五服志》為不亡。有杜預《春秋公子譜》，無顧啓期《大夫譜》可也；有《洪範五行傳》，無《春秋災異應錄》可也。丁副《春秋三傳同異字》可見杜預《釋例》、陸淳《纂例》；京相璠《春秋土地名》可見於杜預《地名譜》、桑欽《水經》。李騰《說文字源》不離《說文》，《經典分毫字樣》不離《佩觿》；李舟《均韻》乃取《說文》而分聲，《天寶切韻》即《開元文字》而為韻；《內外轉歸字圖》、《內外傳鈐指歸》、《切韻樞》之類，無不見於《韻海鏡原》。《書詳》、《書論》、《書品》、《書訣》之類，無不見於《法書苑》、《墨藪》；唐人小說多見於《語林》，近代小學多見於《集說》。《天文橫圖》、《圓圖》、《分野圖》、《紫微圖》、《象度圖》，但一圖可該；《大象賦》、《小象賦》、《周髀星述》、《四七長短星》、《劉氏甘巫占》，但一書可備；《開元占經》、《象應驗錄》之類，即《古今通占鑒》、《乾象新書》可以見矣；李氏《本草拾遺》、《本草刪繁》、徐之才《藥對》、《南海藥譜》、《藥林》、《藥論》、《藥忌》之書，《本草證類》收之矣；《肘後方》、《鬼遺方》、《獨行方》、《一致方》及諸古方之書，《外臺祕要》、《太平聖惠方》中盡收之矣。紀元之書亡者甚多，不過《氾運圖》、《歷代圖》可見其略；編年紀事之書，亡者甚多，不過《通歷》、《帝王歷數圖》可見其略。凡此之類，名雖亡而實不亡者也。」

鄭樵在這裡雖沒有談到輯佚，但所論多爲古書亡又何以不亡問題，既亡佚之書何以失而復見，這實際是我國最早對輯佚書方法的闡述。鄭氏指出了書亡而復見的原則有：一是後代某書取諸前代書，後代書亡前代書存，可據前代之書復見後代之書。二是某書雖亡，但其內容被某書收載，也可復見。三是某書收集了前代某些著作而成爲彙編性圖書，被收入的前代著作雖亡佚也可據此復見。鄭樵時雖無輯佚一說，但這無疑是前代輯佚工作的總結，對後代輯佚理論、方法的建立及輯佚書的實踐，頗有影響。當然，鄭氏時代的輯佚工作還不很發達，總結也不可能精闢。而且把輯佚工作看得過分簡單、容易。所以清人章學誠在《校讎通義·補鄭篇》中指出：

「鄭樵論書，有『名亡實不亡』，其見甚卓，然亦有發言太易者。如云：『鄭玄《三禮目錄》雖亡，可取諸三《禮》』。則今按以《三禮正義》，其援引鄭氏《目錄》，多與劉向篇次不同，是當日必有說矣，而今不得見也，豈可曰取之三《禮》乎？又曰：『《十三代史目》雖亡，可取諸《十三代史》』。考《藝文》所載《十三代史目》，有唐宗諫及殷仲茂兩家。宗諫之書凡十卷，仲茂之書止三卷，詳略不同如此，其中亦必有說。豈可曰取之《十三代史》而已乎？其餘所論多不出此。若求之於古而不得，無可如何，而旁求於今有之書則可矣。如云古書雖亡而實不亡，談何容易耶！」

章氏之論說明了搜輯佚書絕不是一件容易之事。鄭氏所論之方法，從原則上來說也是沒有錯的。

鄭氏的理論和方法還不完整，到明代祁承爜時，得到了進一步豐富。祁承爜，浙江山陰（今紹興）人，字爾光，號夷度。萬曆進士，歷官江西右參政。藏書甚富，精於校勘。其著《澹生堂

藏書約》中有《藏書略》於購書訓第二條中在鄭樵求書八法之外，
又有三說，其說首曰：

「書有著於三代而亡於漢者，然漢人之引經多據之；書有著於漢
而亡於唐者，然唐人之著述尚存之；書有著於唐而亡於宋者，然
宋人之纂集多存之。每至檢閱，凡正文之所引用，注解之所證
據，有涉前代之書而今失傳者，即另從其書各爲錄出。如《周易
坤靈圖》、《禹時鈎命訣》、《春秋考異郵》、《感靈符》之類，則於
《太平御覽》中得之；如《會稽典錄》、張璠《漢紀》之類，則於《北
堂書鈔》間得之；如《晉簡文談疏》、《甘澤謠》、《會稽先賢傳》、
《渚宮故事》之類，則於《太平廣記》間得之。諸如此類，皆當收
羅。此不但吉光片羽，自足珍重；所謂羣馬之一體，而馬未嘗不
立於前也。」

近人劉咸炘在《目錄學》第二「存佚」篇中說：「祁氏三說，
第一爲輯佚」。祁氏的輯佚理論及方法，是建立在自己的實踐基
礎之上的。祁氏自稱，曾自《太平御覽》、《北堂書鈔》、《太平廣
記》等類書中輯得佚書有九種之多。祁氏雖以藏書名世，但做輯
佚工作也以藏書搜集爲目的。其輯佚成果已失傳，但其有關輯佚
的論述卻在《藏書約》中保存下來，祁氏還說：

「書籍與代日增而亦與代日亡之物。概按籍而求……有得一
書而既可概見其餘者，有得其散見即可湊合其全文者」，「漢人
之談經在訓詁，讀注疏而漢之釋經既可見也；晉人之詞旨尙隱
約，閱《世說》而晉人之談論可想也，所謂得一而可見其餘者也。
如《北夢瑣言》、《酉陽雜俎》之類，今刊本雖盛行矣，然據《太平
廣記》之所載，更有溢其全帙之外者，此所謂得其散見而既可湊
合全文者也」，所論皆輯佚之說。祁氏之理論，無疑較鄭樵之說

更爲具體明確。

輯佚學的理論和輯佚書的方法，到清代，則更加完善。章學誠、嚴可均、繆荃孫等，也多有論及，而見解較高者，還數皮錫瑞（1850～1908，字鹿門，一字麓雲，湖南善化人、專治經學），他在《經學歷史》中，明確提出了「輯佚學」、「輯佚派」的概念。他說：「王應麟輯《三家詩》與鄭《易注》開國朝輯古佚書之派」。「國朝經師有功於後學者有三事，一曰精校勘，一曰通小學，一曰輯佚書」。皮氏已把輯佚學作爲和校勘學、文字學具有同等學術地位和獨立的知識領域，是獨立的文化派別，而且提出「至國朝而此學極盛」，把輯佚作爲一門獨立的學科領域則更是前所未有的，從此，「輯佚學」的概念也就產生了。

(二)現代輯佚學的研究

民國年間，學者對輯佚學的探討，已從前代零散的論述發展到全面地整理總結。特別是二、三十年代，學術界曾出現過一個「國學」熱，很多學人撰寫《國學概論》、《古書校讀法》一類的書，其中於輯佚學多有闡述，較有影響的是劉咸炘的《目錄學》與梁啓超的《中國近三百年學術史》皆有專論。

梁啓超（1833～1929）字卓如，號任公，別號滄江，又號飲冰室主人，廣東新會人。早年從事變法維新運動，晚年講學於清華，致力於「國學」的研究。《中國近三百年學術史》後四章，總結《清代學者整理舊學之總成績》，有專論「輯佚」一節。所論雖僅就清代而發，但於輯佚產生原因、演變過程、輯佚工作依據的資料、鑒定輯佚書優劣以及清代著名輯佚家等均有論述。梁氏歸納輯佚的資料有五：一以唐宋間類書爲總資料；二以漢人子史書及漢人經注爲輯周秦古書之資料；三以唐人義疏等爲輯漢人經說之資料；四以六朝唐人史注爲輯逸之資料；五以各史傳注及各古

選本、各金石刻爲輯遺文之資料。鑒定輯佚書優劣的標準梁氏以爲有四：

「(1)佚文出自何書必須注明，數書同引，則舉其最先者，能確遵此例者優，否者劣。(2)既輯一書，則必求備。所輯佚文多者優，少者劣。如《尚書大傳》，陳輯優於盧、孔輯。(3)既須求備，又須求真。若貪多而誤認他書爲本書佚文則劣，例如秦（嘉謨）輯《世本》劣於茆、張輯。(4)原篇第有可整理者極力整理，求還其書本來面目，雜亂排列者劣。」

　　梁氏的論述雖不能說十分完善，卻已非常清楚。所謂的五個資料來源是頗得輯佚書的精旨，四個標準也足爲圭臬。後來論述輯佚諸家，多沿其說，影響甚大。如張舜徽《中國古代史籍校讀法》、《中國文獻學》，李宗鄴《中國歷史要籍介紹》等均受其影響。

　　劉咸炘，四川雙流人。《目錄學》是他二十年代末三十年代初執教國立成都大學時的講義。在第二「存佚」篇中，引古今輯佚之說，考前人輯佚之事。葉德輝以黃伯思《東觀餘論》中《相鶴經跋》所云《相鶴經》爲輯佚之鼻祖。劉氏以爲「實不止此。宋世所傳唐人小說及唐以上人文集，卷數多與原書不合。校以他書所引，往往遺而未錄，蓋皆出於宋人掇拾而成，此即輯佚之事也」。

　　輯佚取資最多者劉氏以爲「三注四大類書。三注者《三國志注》、《水經注》、《文選注》也。四大類書者《北堂書鈔》、《藝文類聚》、《太平御覽》、《太平廣記》。又總結前人輯佚書的疏弊有四：一曰漏，二曰濫，三曰誤，四曰陋。劉氏所論甚明，較梁啓超又進一步。

新中國成立以來對輯佚學的研究已逐漸開始走上科學的道路。其中以趙振鐸《古代文獻知識》中第八章「搜輯闕佚」論述尤詳。其他有張舜徽《中國文獻學》第六編第六章「輯佚」、吳楓《中國古典文獻學》第五章第三節「輯佚書」、吳孟復《古書讀校法》第四章「二、輯佚與輯佚書」，也有專門論述，各有側重。另胡道靜有《為什麼要搞輯佚？怎樣搞輯佚？》，《從地方志的伏流談到清人輯佚工作》，陳光貽有《輯佚學的起源，發展和工作要點》等。然而輯佚學仍未形成一個完整的科學系統，還僅限於一般的介紹而已。

四、輯佚書的資料源淵

古書有亡佚，其文散見於後出諸類書中，或被選入總集，或被引於文中，或發現於地下，或記於方志、信札，或證於注文，範圍甚廣，但也不是漫無邊際。輯佚工作可據的資料文獻有：類書、史書、總集、方志、古注、雜纂與雜鈔、金石、考古、同類書等。

(一)輯佚與類書

類書是輯錄若干種圖書中的有關文獻資料，分門別類編排而成的。它的特點：

一是從內容上來說，一部大型類書，聚數百千種古代圖書文獻資料，內容包羅萬象，幾乎是無所不在其中。

二是從時間上來說，資料縱貫古今，歷代有關資料，竭盡收錄，綿延不斷。

三是從方式上來說，摘錄諸家之說，一般都摘錄原文，並注明出處。

　　四是從編排上來說，多分類集中，或按字序、音序編排。《四庫全書・類書類》小敘所說：「古籍散亡，十不存一，遺文舊事，往往托以得存。《藝文類聚》、《初學記》、《太平御覽》諸編，殘璣斷璧，至掇拾不窮。」清人孫星衍在《孫忠愍侯祠堂藏書記》裡對類書類、事類之屬下概括說：「古書亡佚，獨賴唐、宋人採錄，存其十五。」（《五檜園文稿》卷一）。不僅唐宋類書如此，就是其後編纂的也同樣多存唐宋及唐宋以下遺文。如清編《四庫全書》時，從明《永樂大典》中輯出宋元佚書頗多，正是因爲這個緣故，古類書在清代考古學者心目中地位極高，例如阮元序《仿宋刻〈太平御覽〉》說：「存《御覽》一書，即存秦、漢以來佚書千餘種矣。」所以類書是古代文獻的淵藪，是輯佚書最重要的源淵。

(二)輯佚與史書

　　中國史書種類繁多，古人撰史，引錄資料十分廣泛豐富。唐以前所修史書，引徵的資料佚者甚多，明以前的也多存遺文。如二十四史中，收入的一些奏議、詔令或其他詩文，書志中更往往保存古代文獻，因而也是輯佚材料的一個重要來源。例如清秦嘉謨《世本輯補》記中有：「古來述《世本》者，莫如司馬遷、韋昭、杜預，今以《史記》及《國語韋注》、《左傳杜解》三書爲本，復得孫氏星衍所藏澹生堂抄輯《世本》二卷，洪氏飴孫所編四卷，詳加增校，補輯成編。」自南宋高似孫首輯《世本》起，到秦氏輯《世本》已是第四家，不僅秦輯本利用司馬遷《史記》，其前王謨輯《世本》也曾利用過《史記》。王謨《世本輯本敘錄》記有：「此書本極斷爛，易致混淆，轉寫多誤，尤難釐訂。今所抄輯，卒據《史記》與《正義》《索隱》，參互考訂，略仿原書體例，編爲二卷。」《史記》保存了《世本》大量遺文，所以後世學者據《史記》輯佚書《世本》是必然的。

諸葛亮《前出師表》，在文學史上是非常有名的，其文載於晉陳壽《三國志‧蜀書‧諸葛亮傳》中，一字不漏。另後人編《諸葛亮集》，其中有一篇《隆中對》，原在《三國志‧蜀書‧諸葛亮傳》中是劉備三顧茅廬，諸葛亮對劉備講的一番話，後人作為諸葛亮的一篇佚文輯出，這未必是諸葛亮的原文，但也可看出史書在輯佚中的作用。至於史書中遺存的詔令、奏議及表文等就更多了。嚴可均《全上古三代秦漢三國晉南北朝文》，其中有些即輯自《史記》、《漢書》、《後漢書》、《三國志》、《晉書》等史書中。今人王叔武輯《雲南古佚書鈔》（14 種，1978 年雲南人民出版社出版）引用的史書有《漢書》、《續漢志》、《後漢書》、《三國志》、《晉書》、《宋書》、《隋書》、《舊唐書》、《新唐書》、《宋史》、《元史》、《明史》、《資治通鑑》、《續資治通鑑長編》、《通志》、《唐會要》等多種。但史書徵引古語，往往是經過史家潤色的，不一定全是原文，所以輯錄時要細心。

(三)輯佚與詩文總集

詩文總集，是同「別集」相對的。它又分為二種：

一種是彙錄多人的多種體裁作品成為一書，始創於晉摯虞的《文章流別集》，流傳至今的則以南朝梁蕭統的《文選》為最古。

一種是彙錄多人的同一體裁的作品為一書。始創於《詩經》，《詩經》無作者，故於輯佚無補。後世較大而有影響的如南朝陳徐陵選南北朝詩歌總集《玉臺新詠》10 卷、宋郭茂倩編《樂府詩集》100 卷。南宋趙聞禮編詞總集《陽春白雪》8 卷、元楊朝英編散曲總集《陽春白雪》10 卷等。

由於總集是彙編眾家作品而成，而其中某一家的「別集」亡佚後，其遺文遺詩便借總集保存了一些，這是十分淺顯易明的。所以總集是輯佚書，佚文、佚詩、小說的重要資料來源，而地方

性的總集如《宛雅》、《四明文獻》等及專題（如《梅苑》）、專體性
總集保存的佚詩、文、詞、曲的資料尤多。今傳唐以前人的別集
多是後人輯本或輯補、輯自總集的數量是相當不少的，其中包括
歷代詩紀事。詩文總集又以宋元以前的最爲珍貴。有關總集情況
詳見潘樹廣《古典文獻及其檢索》（1984 年陝西人民出版社出
版）。

㈣輯佚與地志

　　地方志或稱地志，或稱誌乘，又稱圖經。它廣泛而詳密地記
錄了地方的建置、沿革、疆域、山川、形勢、關隘、古跡、寺
觀、物產、田賦、災異、風俗、職官、人物、金石、藝文等自然
和社會現象，被人們視爲「博物之書」（司馬光語），「一方之
全書」（章學誠語）。近人瞿宣穎《方志考稿‧序文》中把方志的
功用歸納爲六，其三是：「遺文佚事散在集部者，賴方志然後能
以地方爲綱有所統攝」。清人章學誠在《方志立三書議》說：「凡
欲經紀一方之文獻，必立三家之學，而始可以通古人之遺意也。
仿紀傳正史之體而作志，仿律令典例之體而作掌故，仿《文選》、
《文苑》之體而作文徵。三書相輔而行，缺一不可；合而爲一，尤
不可也。」方志以一域一地爲限，記人記事追古溯源，文必有
據，言必有託，所以勢必保存一些古代遺文。所以方志保存的遺
詩、遺文相當可觀。清方志學又分爲新派和舊派，舊派主張「無
一語不出於人」，搜集資料大致按朱彝尊《日下舊聞》體例進行排
比，注明出處，顯示「述而不作」的宗旨，其保存遺文就更豐
富。《四庫總目》史部、地理類《太平寰宇記》提要說：「其書採摭
繁富，惟取賅博。於列朝人物，一一並登。至於題詠古迹，若張
祜《金山詩》之類，亦皆並錄。」所以來新夏在《方志學概論》中論
述舊方志的作用時說：「舊方志中的藝文、金石、古迹等類目

中，著錄了大量當地人撰寫或與當地有關的詩文、書目、題名、碑刻、民歌、謠諺等。這部分的內容往往種類繁多，數量驚人，其中不少具有珍貴價值，可以補正史和流行詩文的不足，可以作為研究古代文化藝術的資料。如從方志中可以找到《全唐詩》未曾收入的唐人作品，可以找到許多歷史人物在本地留下的零星題詠、散失詩文、書畫刻石等，為各類研究提供佐證。」來新夏這裡談的是方志保存的文化藝術資料，但從輯佚書的角度來說，實際主要意思就是輯佚問題。

(五)輯佚與古書注文

古人記事行文著書，文簡字省事略，加之古代文字的形體、音讀和涵義，都和後世不同，其中又雜入遠古的方言，更不易為後人所理解。後人想要從這裡面了解其記載內容，便全靠有得力的注解，所以便產生了古書注解。古書注釋中引徵大量古代著作，隨著時間的流逝，被引之書漸佚，而賴注釋保存了一些遺文。所以古書注是輯佚的重要資料來源之一。

古注對輯佚最為豐富有用的為唐李善《文選注》、劉宋裴松之《三國志注》、北魏酈道元《水經注》、南宋以後合刊的《十三經注疏》等。注解類的古書也包括字、韻書。

古字、韻書如梁顧野王（519～581，字希馮）《玉篇》30卷，唐陸德明（556～627）《經典釋文》30卷，宋陳彭年、邱雍等編《廣韻》5卷，唐釋玄應撰《一切經音義》、唐釋慧琳撰《一切經音義》等，在釋文中也保存一些佚書遺文。

(六)輯佚與雜纂雜鈔

雜纂、雜鈔是摘錄古書的某些資料而成，雖是類書，但不如類書分類嚴格，記事溯源追本，多為信手而成，如唐魏徵（580

～643）等奉敕修《羣書治要》50 卷、唐馬總編《意林》、佚名《紺珠集》13 卷等，都保存著不少佚書資料，也爲輯佚所必用之書。

另外專門纂集一類材料的書，如宋李昉等編《太平廣記》500卷（有鄧嗣禹編《太平廣記篇目及引書引得》）、唐林寶《元和姓纂》10 卷、宋曾慥《類說》10 卷、宋張鎡《仕學規範》40 卷等，就書的內容性質說，它們各爲專門著作，但也多爲纂抄古書而成，故附於雜纂，雜鈔之列。

其他有隨筆、詩詞曲話、讀書雜記等類，也常常徵引某些古書或紀錄一些詩文，因而可以供輯佚之用。

(七)輯佚與金石考古文獻

金石文及碑傳文也是輯佚不可少的資料。如《殷文存》、《遼文存》、《金石萃編》所收的某些佚文即來源於甲骨或金石文。也有很多碑傳文爲作者別集所未收，也可補其佚缺。至於敦煌、銀雀山、馬王堆等出土的文物中，也多爲佚書。這種史料的價值頗大，故也是輯佚的一個重要途徑。

(八)輯佚與同類書

輯佚書除利用上述各種類型文獻外，還必須注意查尋欲輯佚書的同類圖書文獻。如欲輯地志類的佚書，必須利用現存地志書，欲輯經部各類書，也必須利用現存有關的經部書，欲輯小說，必須利用現存的小說文獻，欲輯詩話，必須利用現存的詩話，欲輯戲曲，必須利用現存有關的戲曲文獻。所以佚書的同類文獻，是輯其遺文的重要資料來源。

五、輯佚學的相關知識

有的學者以為，輯佚應在學問成熟後再做，以免躐等。此說雖未必盡然，但頗有深意。輯佚書是十分辛苦的工作，而且要以深厚的考據學為基礎。嚴格的輯佚工作，是十分複雜、致密的科研活動，涉及到的知識十分廣泛。其中最為要緊者有目錄學、文獻學、校勘學、辨偽學等知識。

(一)目錄學與輯佚

清王鳴盛（1722～1797）在《十七史商榷》卷 7 說：「凡讀書最切要者，目錄之學。目錄明，方可讀書；不明，終是亂讀。」欲輯佚書，必先從目錄學著手。

輯佚書之工作，首要者是知道古代圖書的存佚情況，知其存，輯就能有所依據，就不能把存書誤為佚書，徒勞無益。知其佚，輯就有目標，就不能把已佚之書誤為存書，當輯而不輯。若想對書的存佚瞭如指掌，只有憑藉目錄學才能做到，所以不知目錄之學，無法輯佚。

古籍圖書浩如煙海，且代有所增，朝有所亡。自漢劉向、劉歆父子撰《別錄》、《七略》以來，歷代封建王朝由於政治與文化政策的需要，設立專門機構，搜集、校勘與保管圖書，編纂官修書目。這些書目至今完整保存下來的極少。從漢班固《漢書·藝文志》，史志目錄（正史藝文、經籍志）都為後人提供了歷代收藏及其流傳、存佚的情況。宋以後，刻書業的發展，私人藏書日盛，不少人編有私家藏書目錄，為人們提供了更多的古籍情況，補充官修書目與史志目錄的不足。此外，歷史的專科書目、地方著作書目與佛經目錄，也反映了各相關古籍的情況。這些書目文獻，

構成了一個古今圖書產生、流傳的完整系統，也比較全面地反映了歷史圖書的存、佚情況。

史志目錄，是我們考證古籍亡佚的重要依據。二十五史有經籍藝文志者共七家，十八史雖無藝文志，但皆有經籍、藝文志補、續之作，以補其不足。1955 年以來，上海商務印書館陸續出版《漢書》、《隋書》、《兩唐書》、漢、隋、唐、宋、遼、金、元、明、清等《十史藝文經籍志》，其中補充了一些後人的補續。1936 年至 1937 年上海開明書店印《二十五史補編》，其中收錄了大量的經籍、藝文志的補、續資料，1960 年中華書局影印 1933 年引得編纂處印行的《藝文志二十種綜合引得》，這些都爲我們查考古籍歷代存佚提供了方便。

私家書目自宋以來，一代勝一代，其中著錄的圖書，很多不見於史志目錄。也反映了一些古籍的存佚，可補正史藝文、經籍志的不足。我國向有一種書目，不僅記存書，而且也記佚書。宋鄭樵有「編次必注亡書論」，在《通志‧藝文略》中不僅記一代藏書，一朝著述，而是「記百代之有無」，「廣古今之無遺」。爲後世尋求有所依據，但於亡書皆不著「佚」字。至元馬端臨《文獻通考‧經籍考》及清修《續通考》、《清通考》只記存而不記亡。

書目記存佚而又注明者，則爲書目又一體例。自唐《開元釋教錄》始，至清朱彝尊《經義考》於存、佚之外又有「未見」、「闕」二例。謝啓昆《小學考》50 卷、章學誠《史籍考》（佚）仿之。此外如日人《中國醫籍考》、今人張滌華《類書流別‧存佚》等多種專科書目，也多記存佚。更爲輯佚提供了方便。

今人從事輯佚書工作，必先了解現存古籍。可據有二：一是現存館藏古文獻目錄。此項工作雖不完整，但不可廢棄。二是已知的大型綜合、專科的現存古籍目錄。如《四庫全書總目》、《中國叢書綜錄》、《販書偶記》及其《續編》、《中國地方志綜錄》等。

(二)校勘學與輯佚

古人十分強調校勘圖書的重要性，葉氏《藏書十約》中談到校勘說：「書不校勘，不如不讀」。而於輯佚書來說，校勘尤不可少。所以從事輯佚書的人來說，必須掌握校勘學及校勘的基本方法。而輯佚書除存在古書需校勘的共同因素外，還具有其特殊的因素。

輯佚通常採用的方法，是將羣書中引用這部佚書的遺文逐一摘錄出來，彙集到一起。

首先所據之書版本不同，記錄有異。如《太平御覽》是輯佚的常用之書，其版本今存者自宋至清有十一種之多，引錄佚書遺文，往往微有出入，正如劉咸炘《目錄學·存佚》中所說：「《太平御覽》一書，失校已久，訛誤甚多。」

其次，同一遺文，各書引文詳略不同，字句有異。如《裴子語林》「王右軍為會稽令」一則，《北堂書鈔》、《藝文類聚》、《初學記》、《太平御覽》都有引用。

《北堂書鈔》卷 104 引作：

謝公就王右軍乞箋紙。檢有九萬，悉與謝公。

《藝文類聚》卷 58 引作：

王右軍為會稽令，謝公就乞箋紙。檢校庫中，有九萬箋紙，悉以乞謝公。

《初學記》卷 21 引作：

王右軍爲會稽，謝公乞箋紙。庫中唯有九萬枚，悉與之。桓宣武云：逸少不節。

《太平御覽》卷 605 引作：

王右軍爲會稽，謝公乞箋紙。庫中唯有九萬枚，悉與之。桓帝云：逸少不節。

四家引文無一盡同，多少不一，輯出後必須校勘整理。魯迅《古小說鉤沈》，校勘整理後寫成：

王右軍爲會稽令，謝公就乞箋紙；檢校庫中，有九萬枚，悉以付之。桓宣帝曰：「逸少不節。」

其三，有些文字講不通，有誤。

如梁殷芸《小說》有一段佚文，見於宋晁載之的《續談助》，據說出於梁朝一個姓何的人寫的《雜記》，原文如下：

宣帝問真長：「會王何如？」劉惔答曰：「欲造微。」桓曰：「何如卿？」曰：「殆無異。」桓溫乃喟然曰：「時無許郭，人人自以爲稷契。」

這裡「宣帝」與「劉眞長」非同時人，故不可解。從下文「桓曰」、「桓溫」來看，「宣帝」當是宣武之誤。宣武即「桓溫」。故魯迅輯這條遺文時，在「宣帝」下加校注說：「疑是宣武之誤」。又「會王」也不好懂。余嘉錫輯《殷芸小說》，在下加校語說：「『會王』當作會稽王，即簡文帝。」間脫一稽字。

其四，諸書所引之佚書的遺文，隻言片語，原書篇第多不復存。

輯者也必詳加審定，參考有關材料，校定部次篇第，排其語句先後。所以不知校勘之學，輯佚不能盡善。

(三)辨偽學與輯佚

古代圖書文獻，有眞有偽，自東漢始有辨偽之說。宋明之際有辨偽之學。而輯佚古書，不可不知辨偽之學。

辨偽學與輯佚活動的關係：

一是輯佚應知古代的偽書，應具備辨偽的能力。

(1)偽書有「惡其人偽以禍之者；惡其人偽誣之者」。如這種已佚偽書，輯錄被惡之人名下，又造成新的偽傳。

(2)偽書有「本無撰人，後人因近似而偽託者」，「本有撰人，後人因亡逸而未題者」，輯佚者如不知，而輯入「偽託」、「偽題」者的佚書中，又造成新的偽傳。

(3)偽書「有蹈古書之名而偽者」。原書本佚，而人託其書名而杜撰其書，其書或存或佚，存者不據其輯佚，佚者一般不爲之輯佚，偽書雖也有一定的價值，也保存一部分資料，首先應知其偽，方可輯其遺文，或據其輯錄佚書遺文。

一般說來，輯佚盡可能不據偽書，偽書雖佚也盡量少輯，特別是唐宋以後的偽書。所以不知辨偽之學，不可輯佚。

二是不知辨偽之學，輯佚可造成新的偽書。

(1)古書有同名異書，如明、清之際，記載雲南史地的書，以《滇紀》（或作《滇記》）爲名的有三種：

其一是楊愼著《滇載記》，一名《滇記》。

其二爲《讀史方輿紀要》所引的陸氏《滇紀》，也引作《滇記》。

其三爲清袁懋功著《滇記》。

　　後二種都已散佚。如三者不分，誤爲一書，輯出必然造成新的偽書。欲輯陸氏《滇記》，乃袁氏《滇記》爲偽，反則陸氏《滇記》爲佚。只有去其偽才能輯其眞。

　　(2)前人抄書，幾種著作的文字界線不清，其中有的是佚文，有的不是佚文。佚文者爲眞，不是佚文者爲偽。

（曹書杰）

8 古籍標點

一、古籍標點的意義

古人寫書不使用標點符號，這就給後人造成了閱讀的困難。一般讀者往往拿起古書不知古人所云，專家學者雖然可以讀懂，但是在斷句的理解上又常常分歧很大。

應該說，古代學者很早就意識到了標點的重要性，所以，他們讀書、鈔書時，順手記上一些斷句的符號，或者寫作時，也標上些符號，以便讀者不產生誤解和歧義。近年來，從一些新出土的簡牘之中，可以看到古人讀書、寫作時曾極力試用一些符號，來解決斷句和標點的問題。可惜，由於種種原因，古代沒有產生一套公認和通行的標點符號，所以，古籍標點問題在古代終究沒有解決。

古代許多學者從閱讀的實踐中已經認識到標點古籍的重要意義。宋代著名的理學家何基讀書的時候，「凡所讀無不加標點，義顯意明，有不待論說而自見者。」（《宋史》本傳）這是學者在讀書過程中隨手加上的標點。此外，清代教育家崔學古注意培養孩子初讀古書即學習標點。他在《幼訓》一書中說：「書有數字一句者，有一字一句者，又有文雖數句而語氣作一句讀者，須逐字逐句點讀明白。」

今天，我們要重視古籍的標點，意義更不同於古代。

現代和今後的青年，再也不能走皓首窮經的老路，這是肯定無疑的。對於大多數青年來說，甚至不能要求他們用更多的精力去閱讀古籍。他們應該用盡可能少的精力獲得盡可能多的古代文化知識，這才有助於他們的成長，有助於他們把主要精力用於他們所從事的事業。

標點古籍不是一件輕而易舉的事情，正如魯迅所說：「標點古文，不但使應試的學生爲難，也往往害得有名的學者出醜。」（《且介亭雜文二集・「題未定」草（六）》）

建國以來，特別是 1981 年黨中央和國務院號召整理古籍以來，我國古籍整理研究工作有了很大的成績，許多標點本古籍陸續出版。這些標點本，有不少確實標點準確，受到了讀者的歡迎，但是，誤標錯點者也時有出現。這說明正確地標點古籍仍然是一項應該引起足夠重視的嚴肅的工作，不可掉以輕心。

目前，古籍整理研究工作正在積極開展，許多重要的古書正在校點之中或即將校點。一些研究古籍斷句、標點的論著已陸續發表或出版。當前應該在校點古籍的同時，進一步加強有關標點古籍的理論研究，加速實現古籍標點工作的規範化和科學化。

二、句讀的起源和發展

句讀，有各種異名。清人梁同書說：「句讀，《法華經》作『句逗』。馬融《長笛賦》：『觀法於節奏，察度於句投。』音如逗。亦作『句度』。《唐摭言・切磋》一條：『書字未識偏旁，高談稽契；讀書未知句度，下視服鄭。』又支同詩：『驪聯以大悟，句度實奔放。』於此可知度曲度字之義，即俗所謂板眼是也。」（《日貫齋涂說》）

古人很早就注意到讀書斷句這件事。《禮記・學記篇》曰：

「比年入學，中年考校。一年，視離經辨志。」鄭玄注云：「離
經，斷句絕也。」孔穎達疏云：「學者初入學二年，鄉遂大夫於
年終之時考視其業。離經，謂離析經理，使章句斷絕也。」

　　古代使用表示句讀的符號，早在春秋時代就已經出現。山西
侯馬東周遺址出土的盟書（即《侯馬盟書》）已有了表示句讀的符
號。湖北雲夢睡虎地秦墓出土的竹簡（《雲夢秦簡》）中，表示句
讀的符號明顯增多。漢代表示句讀的符號趨於定型，被許慎作爲
文字收入《說文》之中，許氏給這些符號標了讀音，就成了這些符
號的正式名稱。

　　《說文解字》五上丨部說：「丨，有所絕止。丨而識之也。」
段玉裁的注文說：「凡物有分別，事有可不，意所存主，心識其
處者皆是。非專謂讀書止，輒乙其處也。」「丨」音主，古音與
「豆」同部，即「句讀」之「讀」。可見漢時已用「丨」作斷句
的符號。

　　《說文解字》十二下「亅」部說：「亅，鈎識也。从反丨。」
段玉裁的注文說：「鈎識者，用鈎表識其處也。褚先生補《滑稽
傳》：『東方朔上書，凡用三千奏牘，人主從上方讀之。止，輒乙
其處。二月乃盡。』此非甲乙字，乃正亅字也。今人讀書有所鈎
勒即此。」楊樹達《古書句讀釋例・敍論》說：「段說甚確。亅亦
古人讀書時用以爲標識之符號，與『、』相類者。」

　　古人讀書，讀完一句話，常常在句尾字旁加一個「、」（宋
以後用「。」）號，叫做「句」；一句話語意未完，但讀時需要
停頓，就在該停的字下面加一個「、」，叫做讀。實際上古人讀
書主要用「句」，很少用「讀」。所謂「句讀」，基本上只起斷
句作用，和今天通行的標點符號性質不同。「亅」也是古人讀書
時所用的句讀標誌。

　　古時也把標明古書句讀的工作叫「章句」。所謂「章」，

《說文解字》說：「樂竟爲一章」。原指音樂而言，後引申爲陳義已終稱「章」。「章句」句括標明句讀，並不僅僅局限於此，訓釋詞句、敷陳微言大義等，也都稱作「章句」。漢代學者整理古籍常用「章句」標在書名中。如《漢書藝文志·六藝略》著錄有《歐陽章句》、《大、小夏侯章句》、《春秋》有《公羊章句》、《穀梁章句》等。

宋代，刻書大盛。刻書始有斷句之圈點。近人葉德輝說：「刻本書之有圈點，始於宋中葉以後。」估計原因也較簡單：隨著歷史的發展，人們閱讀古書已經十分困難，這就形成了希望對古書有所圈點的客觀要求。宋朝政府在整理國家圖書的條例之中，也有所規定。宋高宗紹興末，衢州毛晃在《增修互注禮部韻略》卷 4 中曾說明館閣校書的格式：「今祕省有校書式：凡句絕則點於字之旁，讀分則點於字之間。」

元明以後，刻書圈點者增多。明人凌稚隆輯校的《史記評林》和清人吳見思評點的《史記論文》都有斷句。王念孫、王引之父子所刻《廣雅疏證》、《經傳釋詞》，自加句讀。乾隆四年官修《八旗通志》（初集），也是加了圈點刻印的。但是，元明以來古籍加上圈點並非全是斷句、標點。有的是標明好句子，所標句子未必都好，有的是坊間所加，斷句、品評者均有，其中錯誤極多。

近代，隨著西學的輸入，正式使用新式標點符號的古籍才逐漸興起。

三、古籍標點符號的用法

整理校點古籍使用標點符號，和現代漢語使用標點符號原則上是一致的。各個標點符號的用法，都以現代漢語的用法爲準。但是，現代漢語中使用標點符號，是作者本人爲自己的文章加標

點，標點和文字密不可分，而標點古籍是今人為古人的書籍加標點，這就和現代漢語使用標點又有些不同之處。

下面，分別說說各個標點符號在校點古籍時的用法。

句號（。），用在句子的末尾。

所謂句子，指表達了較完整意思的話。如果句子帶有疑問、感嘆等語氣，可以不用句號。其它如獨詞句、無主句、陳述句、描寫句、單句、複句、多重覆句，結尾都應該用句號表達句子的結束。詩詞等韻文中，句號肯定用在押韻的地方。但是，並不是押韻的地方都可以簡單劃上句號。該不該用句號還要根據作品內容具體分析。例如；「知章騎馬似乘船，眼花落井水底眠。汝陽三斗始朝天，道逢麴車口流涎，恨不移封向酒泉。」（杜甫：《飲中八仙歌》）「船」、「眠」、「天」、「涎」、「泉」都押韻，這種柏梁體詩的特點就是句句押韻。如果遇到押韻處都用句號，那就無法準確地表達出詩的內容。

逗號（，），表示語氣上的短暫停留，用法比較靈活。

一般地說，句子中凡停留之處都可用逗號，但並不是每處非用不可。用與不用，要視文意和語氣急緩而定。特別是在純文學作品中，語言的靈活性大，使用逗號的靈活性也大。

頓號（、），表示語氣上更短暫的停留，其停留時間小於逗號。

頓號用於並列的詞語之間，包括並列的名詞、並列的動詞、並列的形容詞，也包括並列的各種詞組。並不是凡屬並列詞語之間都必須用頓號，用與不用要具體分析，區別對待。如「秦漢」、「堯舜」，「三才者，天地人；三光者，日月星。」既不能引起讀者誤解，也不會造成讀者閱讀的困難，就可以不用頓號。相反，無論幾字一名，幾名並列，只要有可能造成誤解、引起歧義的，都應該用頓號。對於重要典籍，尤其是科學性著作，

爲了表達得更準確，在並列詞語之間都應該用上頓號。

分號（；），表示一句話中並列分句之間的停頓。

並列分句之間並不是一律得用分號。句子比較短，而且一個分句中沒有逗號，分句間可以不用分號而用逗號。句子過長，附帶成分過多，雖屬並列分句，亦可用句號分成小句子，便於閱讀。

冒號（：），用以提示下文。

冒號用於「曰」、「言」、「道」等表言之詞的後面，一般直接引起人物所說的話。用於書名之後，引出書中原文。文言文中，冒號也常被用來表示提起下文或總括上文。

問號（？），用在問句的末尾。

問句包括疑問句、設問句、反問句等，都用問號收尾。

嘆號（！），用以表示句中讚嘆、感慨之類強烈的感情。

凡句子中有較強烈感情的句子，無論表讚美、頌揚、讚嘆，還是表悲痛、感傷、婉惜、哀怨、驚呼，句子末尾一般都可以用嘆號。

引號（＂ ＂ ‘ ’ 『 』 「 」），標示句子中引用來的東西，有時表示強調或諷刺。

第一，表示引言。引用人物的語言，無論對話、獨白，都可以用。引用其它書籍或文章中的文字，包括整段、整句、詞語、單字，均用引號。引用必須準確無誤，才能用引號，如果屬於轉述大意，即並非準確引用，則不必用引號。

第二，表示特定的稱謂或特殊強調的部分，用引號。

第三，表示諷刺意味或否定意味，用引號。

引號的寫法要注意，橫排本中，一般用＂ ＂‘ ’這種符號。豎排本中用『 』「 」這種符號。橫排本多用雙引號（＂ ＂），需要套用時，其中套單引號。豎排本多用單引號（「 」），需

要套用時，其中套雙引號。無論哪種用法，必須體例統一，貫徹始終。

括號（（　）〔　〕【　】），表示文章中注釋說明的部分。

在校點古籍的時候，通常不用括號去表達古書古文的內容，只用於校勘。給某字加上圓括號，表示此字當刪或當改，用方括號括住應該改正或增補的字。或者用一種括號加上序數詞（如（一）、〔一〕）表示注釋號數，文尾（或段尾）以同樣標記引出注文。

破折號（——），表示文章中注釋、停頓、語氣延長、語言中斷等等現象。

標點古籍要不要使用破折號是有過爭論的。破折號所標示的語言現象，古代典籍中確實存在著，那麼，使用破折號準確地去表達出這些語言關係，自然也是必要的。因為破折號所要標示的語言現象確實比較複雜，所以，使用破折號需要格外細心研究原文，不要輕易地使用。破折號用於：

㈠表示下文解釋上文。

如：「墨子曰：『可。昔者三代之聖王——禹、湯、文、武，百里之諸侯也，說忠行義取天下；三代之暴王，桀、紂、幽、厲，仇怨行暴失天下。』」（孫詒讓《墨子傳略》，北京大學《先秦文學史參考資料》標點）

㈡兩個破折號用於一段文字的一前一後，起注釋作用。前後兩個符號配搭成組，缺一不可，相當於現代漢語中的括號。

如：「居鄛人范增——年七十，素居家，好奇計——往說項梁……」（《史記‧項羽本紀》）兩個破折號之間的文字是解釋性文字。

㈢表示語氣的停頓。

如：「籍（項羽）曰：『書，足以記名姓而已；劍，一人

敵，不足學——學萬人敵。』」（《史記・項羽本記》，北京大學
《兩漢文學史參考資料》標點）

㈣表示補充說明上文。

如：「張良說漢王，漢王使良授齊王〔韓〕信印。——語在淮
陰事中。」（《史記・留侯世家》北京大學標點本）

㈤表示語氣的岔斷。

如：「當是時，諸侯皆折服，莫敢枝梧。皆曰：『首立楚者
將軍家也，今將軍誅亂——』乃相與共立〔項〕羽爲假上將軍。」
（《史記・項羽本紀》北京大學標點本）

㈥表示語言的跳脫。

如：「人君唯毋聽寢兵——則羣臣賓客莫敢言兵。」（《管
子・立政九敗解》）據楊樹達先生說，這個句子應當是「人君唯
毋聽寢兵，聽寢兵，則羣臣賓客莫敢言兵。」因語急而省去了
「聽寢兵」一句，形成了語言上的跳脫。

書名號（《 》〉），表示書籍、文章、詩篇等作品的名稱。

在橫排本中，書名號兩部分分別標在作品名稱的前後，如
《詩經》。在豎排本中，浪線標在作品名稱的左側。

書名、篇名連用的，屬於同一書只用一個書名號，書名、篇
名之間用一間隔號。如《詩經・關雎》。書名中又套書名（或篇
名）者，中間的名稱用單書名號（〈 〉）。

書名號不僅用於書籍、篇章、詩詞歌賦以及公文、書信等等
文字材料的名稱，而且可以用於樂曲、舞蹈的名稱。

專名號（ │ ），用以表示專有名稱。

專名號和破折號都是一條橫線，如果豎排，則爲豎線，不同
之處在於破折號的長度相當於兩個字，使用時放在行間，占用兩
個字的位置。專名號的長短隨專有名詞的字數轉移。少則一字，
多則可長達數字或十多個字（像譯音的少數民族語言）。專名號

放在文字之外，豎排本中放在專名詞之左，橫排本中放在專名詞之下。

專名號在整理古籍的時候使用頻率很高，難度最大。

由於印刷條件、成本核算等等原因，目前新出的一些普及性古籍注釋本，往往不用專名號。嚴格地說，校點一部書、一篇文章，專名號是必不可少的。

專名號使用範圍很廣，人名、官名、爵位、封號、謚號、朝代名、地名、山川江河湖海名、神仙名、星宿名、宮殿名、建築名、城鄉街巷名、工商肆作名、橋樑道路名等等，都可以用。但是，使用專名號有一個最嚴格的界限：必須所標的名稱是專用的，即只有此一人一物所特有，不能用於泛指的、具有普遍性的普通名詞。

例如：秦始皇、漢武帝，屬於專名，須標。皇帝、陛下，屬於普通名詞，不必標。洛陽、長安，屬於專名，京城、都城，屬於普通名詞。

人的姓名是專有名詞，盡管任何時代同名的人都不少，這屬於偶然的巧合，或不可避免的排列重覆，每個人名所指的人還是具體的、絕不重覆的，所以需標專名號。

星宿名稱中，如「日」、「月」也是獨一無二的，但是，卻可以不標專名號。像「白狼」、「參」、「商」這些星名，卻一定要標上。因為日、月是人們無不熟知之物，而其它星宿、星座人們並不全都熟悉。

京城，每個朝代或每個時期，都是專指的，或北京、金陵，或洛陽、長安，不能在同一時期指兩個不同的地方。但是，京城、京師、京都這些詞語又是泛用於各個朝代的，所以還是不能標上專名號。

間隔號（．），是用來標明音界的。

在一些詩話，文論中，常常提到某書中某篇、某章，在同一書名號中書名與篇章名之間，或詞牌與詞題之間，都可用間隔號。

一般地說，中國人的名和姓之間沒有用間隔號的。但是在少數民族中卻不能說沒有。元史、清史等較多涉及少數民族名姓的書中，就有在名和姓之間應該用上間隔號的。

省略號（……），用於表示文中省略或刪去的部分。

這個符號在整理、校點古籍的時候，不能說絕對不可用，應該說要審慎地、盡可能少使用。

今人寫文著書，自己給自己的文字用標點符號，哪裡省略了，哪裡說到適可而止留給讀者去思考，自然而然地準確地用上了省略號。古人已經作古，今人為古人標書，不容易準確判斷哪裡有所省略。特別是先秦古籍，語言本來就艱深簡約，表達意思遠不如後世充分、詳盡，要判斷哪裡有所省略，很難說符合古書的原意。到了近代，特別是小說興起之後，語言接近現代，表意清楚、具體，有些確有省略的地方容易判斷，在這種情況下絕對不用省略號也容易不符合原書的本意。像今人標點的《紅樓夢》，其中用了些省略號，大都使用比較恰當。

使用省略號容易引起混亂。有的用來表明原書有省略意；有的時候注釋者、引用者只引古書部分文字，可能引文中刪去一些無關緊要的文字，於是加上了省略號。這樣，讀者就鬧不清省略號是校點所加，還是引用者所加，自然就引起了混亂。解決的辦法是：校點者盡可能少用，力求準確。引用者省略部分另有別的方法標明，比如，可以在自加省略號之外加上一個小的方括號。例如：「彭越者，昌邑人也，字仲。〔……〕陳勝、項梁之起，〔……〕彭越曰：『兩龍方鬥，且待之。』」（《史記·魏豹彭越列傳》中華書局標點本）

四、古籍標點注意事項

(一)注意標點的理論研究和校點通例

現代漢語中如何使用標點符號，早在 1951 年 9 月出版總署就公布了《標點符號使用法》。古籍整理工作中如何使用標點符號，雖然原則上和現代漢語應該一致，但是，具體運用上又有一些特殊性問題，目前還沒有一個統一的規定供人們共同遵守。好在近年來研究古籍標點問題已經越來越引起人們的重視，許多理論研究的文章、專著已陸續問世。古籍整理工作者，應該注意這些理論研究的作品。有的出版單位（像中華書局），為指導古籍校點工作，提出了使用標點的『通例』；許多古籍新標點本，都寫了「校點後記」之類的標點方法說明。所有這些，都是標點一部古籍所應該首先參考研究的。

另一方面，近年來新出了許多古籍校點本，特別是有一些大部頭古籍，經專家負責或指導，集中眾多學者，經過了較長時間認真的工作，如「二十四史」、《資治通鑒》等。這些新標點本的實踐經驗是十分可貴的，應該認真研究。新標點古籍要尊重這些大型古籍校點過程中所積累的重要經驗，要尊重在實踐中已經約定俗成的一些通例。可以在此基礎上結合新的實踐發展、補充或修改以往的作法，逐漸形成古籍整理工作共同遵守的、完善的標點體例，不能獨出心裁，自造體例，造成不應有的混亂。

(二)注意標點的風格

現代漢語中的標點沒有風格問題，作者把標點和文字統一起來，同步進行，共同構成作品的語言風格，古籍標點則有風格問

題。

顧頡剛先生在《崔東壁遺書序》中說：「標點之法本沒有一定的標準。幾個人同點一部書，點號的多少，句子的長短，可以各不相同。……就是一個人先後所點也往往不能一律。」實踐中確實如此。同是一書一文，標點起來既可以粗略一點，可點可不點者一律不點；也可以細緻一點，當點和可點之處一絲不苟。例如：《左傳》中臧僖伯諫隱公之辭：「鳥獸之肉不登於俎皮革齒牙骨角毛羽不登於器則公不射」一句，粗點可以點作：「鳥獸之肉不登於俎，皮革齒牙骨角毛羽不登於器，則公不射。」（《左傳·隱公五年》）細點則可以點作：「鳥、獸之肉不登於俎，皮革、齒牙、骨角、毛羽不登於器，則公不射。」

這種可細可粗的現象，不獨使用頓號時有之，逗號、分號、句號的使用上也都有。不能簡單地說哪種點法合適，哪種點法絕對準確，還要因文而異。值得注意的是，同一本書的標點，無論多人參加還是一人校點，對於這一問題要有足夠的重視，要確保同一著作標點風格上的統一。

切合文章（書籍）原有的風格問題：標點一書一文，除了必須理解原著內容，準確斷句之外，還應該研究原著的語言風格。各類古籍，語言上自然各有特點。像表章公文之類的嚴肅，醫藥科技之類的精確，文學的靈活，書札的自由，哲學的嚴密，宗教的涵蘊……這些特點也就是各類古籍不同的語言風格。

此外，不同時代的古籍，語言上有不同的時代特點，越是古老的越是簡賅典雅，越是近代的越是詳盡通俗。前者句短，單字、兩三字成句的不少；後者句長，各種複句迭出，逐漸接近現代漢語。這是語言發展的總趨勢，校點一書一文，不能不注意原著語言的時代風格。

當然，不能因此說清代的作品都比西漢的《史記》通俗易懂，

不能說清代桐城派的作品比唐人傳奇更接近口語。在注意作品時代風格的前提下，還要了解所要校點古籍具體文體的獨特語言風格。各代不同的作家、同一作家不同時期的作品、各個不同的流派都有不同的語言風格，要結合作品實際具體研究。比如，宋代的文學家歐陽修，作品很多，至今沒有得到很好的整理。僅以標點而論，就應該注意歐氏不同時期、不同類型作品所展示的不同風格。這些在不同作品中所體現出來的具體風格，共同構成了這位大家豐富多彩的總的語言風格。

(三)注意準確和靈活的關係

標點古籍常常遇到可以這樣點，也可以那樣點的問題。不同人校點同一部書，會出現許許多多不同的標點。像同一篇《史記·項羽本紀》，中華書局的「二十四史」標點本和北京大學的《兩漢文學參考資料》標點本，竟有二百二十四處不同的標點。其中有一部分可以分出是非，很大一部分屬於「可以這樣點，也可以那樣點」。

例如：（下列例句為中華書局校點本標點法，括號中標點，為北京大學校點本標點法）

(1)秦二世元年（，）七月，陳涉等起大澤中。

(2)吾聞（：）先（，）則制人（；），後（，）則為人所制。

這一類差別屬於標法粗細之分，不害文義。

(3)籍曰：「彼可取而代也。」（！）

(4)故楚南公曰：「楚雖三戶，亡秦必楚」也。（！）

這一類屬於表達語氣上的微細差別。北京大學本用嘆號較多，很注意表現人物說話的語氣。中華書局用嘆號較少，很注意表達關鍵處的語氣。兩種標法各有特點，都可以成立。

標點古籍要在斷句準確的前提下保證標點符號的用法力求符合文意，而微細之處又允許有不同的標點法，承認存在著標點的靈活性。這是和現代漢語不同之處。當然，如果過分強調靈活，因標點而害文義，那就有失準確了。

嚴格地說，同一段文字出現不同的標點方法，其中必定有是非之別、高低之分。比如，粗標和細標，有的句子粗標恰好，有的句子則細標爲優；表達語氣，有的句子不用嘆號照樣有表驚嘆的語氣，有的句子用了嘆號反而傷害語氣。但是，這一類是非、高下也不必一一評判，承認標點古籍的靈活性就可以了。

㈣注意韻文標點的特殊規定

古代的韻文，主要指詩、詞、曲、令，廣義的還包括賦、駢文之類。

中華書局編輯部草擬的《古籍點校通例》（初稿）中說：「韻文一般可在押韻處用句號」，沒有提到考慮文義問題。唐圭璋等《唐宋詞選・前言》中說：「詞中標點一律根據《全宋詞》，即叶韻處用句號，句用逗號，讀用頓號」。龍楡生《唐宋名家詞選》則提出「以・表讀，△表句，◎表韻」（民國二十三年開明書店出版），後又提出「以。表句，◎表平韻，△表仄韻」（1956年上海古典文學出版社新版）。可見韻文中如何用標點符號，人們在看法上並不完全一致。

關於用「◎」、「△」之類標韻的問題，不屬於標點符號，這裡暫不涉及。

詩中用標點應該注意韻腳、從詩義選用標點。一般在韻腳的雙句下用句號（包括嘆號、問號）。例如：「朝辭白帝彩雲間，（單句起韻不用句號）千里江陵一日還。（雙句押韻用句號）兩岸猿聲啼不住，輕舟已過萬重山。」

有首句即應該用句號的。例如：「詩人安得有青衫？（問號實質上也是句號）今歲和戎百萬縑！從此西湖休插柳，盛栽桑樹養吳蠶。」（劉克莊《戊辰即事》）

有句句叶韻卻不可句句用句號的。例如：「知章騎馬似乘船，眼花落井水底眠。汝陽三斗始朝天，道逢麴車口流涎，恨不移封向酒泉。」（杜甫：《飲中八仙歌》）這種七言詩叫「柏梁體」，句句用韻，簡單地按韻用句號，顯然是不恰當的。

詞、曲、令之類是有嚴格的格律的，對於斷句有特殊的規定。這一類作品的標點，也要充分注意文義。例如，同是《浪淘沙》詞牌，標點卻不一定一樣。「把酒祝東風，且共容。垂揚紫陌洛城東。……」（歐陽修）「今古幾齊州？華屋山丘。杖籐徐步立芳洲。……」（趙孟頫）首句一首用逗，一首用句，都是因文義而定。

詞、曲、令中特殊的是頓號（、）的用法。一般不用於並列的詞或詞組之間。比如，「枯藤老樹昏鴉，小橋流水人家」，並不點作「枯藤、老樹、昏鴉、小橋、流水、人家」。

頓號用於按格律該斷而文義不該斷之處。例如：

「占溪風，留溪月，堪羞損、山桃如血。」（晁補之《鹽角兒》）

「知誰伴、名園露飲，東城閒步。」（周邦彥《瑞龍吟》）

「萬里雲帆何時到？送孤鴻、目斷千山阻。誰爲我，唱金縷？」（葉夢得《賀新郎》）

這些句子把頓號去掉，上下句連起來是完整的，而辭的格律要求中間必須讀斷，所以用頓號表示出嶺斷雲連的關係。

詩詞一類韻文中使用頻率最高的標點是逗、句（嘆、問）、頓、分，其他的要少用或不用。

冒號在文章中常常用到，在詩詞中則盡量少用或不用。詩詞

中也有表言、引文之類，一般不必用冒號標示出來。引號也一樣。例如：「昨夜雨疏風驟，濃睡不消殘酒。試問卷簾人，卻道海棠依舊，知否？知否？應是綠肥紅瘦。」（李清照《如夢令》）如果其中對話都加上冒號、引號就難免蛇足了。如果根據文義需要，少用一些，也不是不可以。像龍楡生編選的《唐宋名家詞選》，偶而用到冒號，就比較恰當。

「醉裡且貪歡笑，要愁那得工夫？近來始覺古人書，信著全無是處。　　昨夜松邊醉倒，問松：我醉何如？只疑松動要來扶，以手推松曰：去！」（辛棄疾：《西江月·遣興》）

這裡用了兩個冒號，不起斷句作用，增強了原作的表達效果。如果冒號之後再加上引號，那就成了累贅。

(五)不宜使用的一些標點符號

連接號（——），用於表示時間的起止，如「1949～1987」。古人表示時間起止另有用文字敍述的方法，不必用連接號。連接號還用於連接兩個相關聯的詞語，如「北京——東京」。現代翻譯外語的譯文中還常常出現「知識——技術基礎」這樣的詞語。古代漢語中絕對沒有這樣語言現象。

著重號（·），用在有關文字之下（或豎排的字旁），表示提醒讀者重注意這些詞語。但著重號不能用於古書，因為古人寫書凡有所強調者，都力求用文字本身去表達。古代沒有標點符號，古人極力用文字本身去彌補表達上可能存在的不足之處，所以不需另加著重號。再則，今人標出自己文章的重點當然可以準確，今人去猜古人行文的重點詞語，難免瞎子摸象，用了著重號反而造成讀者理解上的混亂。

曳引號（〰），表示聲音的延長，像「那女人『哇〰〰』地哭了起來」。這個符號在現代漢語中已經不用了，標點古籍更不應

該使用。

　　隱諱號（╳），表示有的字不願直接說出，隱去幾個字就用
幾個「╳」號。古人避諱自有一套方法，從不需要用「╳」號去
標示。

　　此外，現代漢語中某些使用標點符號的方法，也不能用於古
籍。

　　嘆號連用（！！　！！！）是一種沒有必要的用法。現代漢語
中有人以此強調感情的激烈。校點古籍時不應採用。

　　嘆號問號連用（！？），往往出現在反詰句之後。校點古籍
也不宜採用。

　　嚴格地說，以上兩種用法既無必要，也不恰當，目前正在消
失中。

　　書籍、文章的標題中用問號、嘆號等，在現代文章中常見，
如：《友誼，還是侵略？》《怎麼辦？》等等。在整理古籍時不能使
用。

五、標點致誤舉例

　　所謂「標點致誤」包括兩個既有聯繫又有區別的問題。標點
不當，常常首先是斷句不當，該斷未斷或不該斷卻斷開了。其
次，才是使用標點符號問題，主要是用不準句號，不知句子頭
尾。

　　這裡，採用「標點致誤」的通行說法，先講斷句之誤。

(一)不明詞義致誤

　　標點古籍關鍵在於弄清每個詞的詞義。否則，就會誤斷、誤
標。例如：

故有所覽，輒省記通籍。後俸去書來，落落大滿。

（袁枚《小倉山房文集》）

第一句意思不明，標點者沒有弄清「省記」和「通籍」的意思。「省記」，指讀書過程中努力記住。「通籍」，「籍」是二尺長的竹片，上寫姓名、年齡、身份等，掛在宮門外，以備出入時查對。「通籍」是說記名於門籍。可以進出宮門。後代也稱初作官爲「通籍」，意爲朝中已有了名籍。此句應在「省記」後斷句，用句號。「通籍後」指當了官以後，三字不可分開，用薪俸買書，密密麻麻地裝滿了書櫥。再如：

周有泉府之官，收不售與欲得。

（《資治通鑒》1956 年版 1181 頁）

「泉府」之官，見《周禮‧地官》，掌管市場財貨流通及借貸收息等事。「與」字是動詞，作「給予」講，在這裡不是連詞。「與」和「收」相對成文。應該在「收不售」之後斷句，用逗號，標作「收不售，與欲得。」意思是：由泉府之官收購集市上賣不出去的商品，轉售給想要買的人。原句標法主要錯在誤解了「與」字的含義，以致全句難懂。

(二)不察語法致誤

古漢語語法有自己特有的規律，標點古籍要重視研究古漢語語法，不能以今律古，用現代漢語語法去套古代漢語。例如：

田單令城中人食，必祭其先祖於庭。

（《資治資鑒》1956 年版 139 頁）

「令城中人食」，意思當然是：命令全城人吃飯。爲什麼要下這樣的命令？當然無法理解。這個誤斷，從語法上說，沒有找準「令」的賓語。原句中「令」的內容不是「食」，而是「食必祭其先祖於庭」。全句一氣貫通，「食」之下不能斷開，中間不應停頓。

(三)不通音韻致誤

古漢語中，古字的讀音十分重要。同一字，讀音不同，意義也就不同。從古至今，語音和詞彙一樣，發展、變化很大，許多字古今讀音差別明顯，標點古籍，應該具備一些音韻學知識。有些句子看似明白，不懂音韻也容易引起錯斷錯標。例如：

相天下之馬者，若滅，若失，若亡，其一若此馬者，絕塵弭轍。

（《淮南子・道應訓》）

高誘注云：「若滅，其相不可見也；若失，乍入乍出也；若亡，彷彿不及也。」在「若亡」之後斷開，王念孫認爲應該以「若亡其一」爲句。意思是千里馬就像身體不存在似的。「一」、「失」、「轍」同爲一韻。高誘的斷法失掉了韻，所以致誤。

再如：

養氣自守，適時則酒，閉明塞聰，愛精自保。適輔服藥引導，庶冀性命可延。斯須不老，既晚無還，垂書示後。

（《論衡・自紀篇》）

「守」、「酒」、「保」、「導」、「老」、「後」都是韻

腳。在「庶冀性命可延」之後用句號，顯然不當。「老」字是韻腳，應該斷成「庶冀性命可延，斯須不老。」王充結合自己的親身體會，談養性保健的方法，言養氣、少酒、愛惜精力為主，適當輔以藥物，這樣，才有希望做到「性命可延，斯須不老」。原來意思是連貫的，一處誤用的句號，造成了句子意思不清。

(四)缺乏古代文化常識致誤

標點古書要有多方面的古代生活知識以及一些基本的古代文化常識，否則，以今律古、望文生義就會造成標點不當，曲解古人文義。

例一：

攻大澤鄉。收而攻蘄，蘄下。乃令符離人葛嬰將兵徇蘄以東，攻銍、酇、苦、柘、譙，皆下之。

（《史記・陳涉世家》）

「蘄」、「大澤鄉」，地名。皆在今安徽省宿縣南；「銍、酇、苦、柘、譙」也全是地名。銍，在宿縣西南；酇，在河南永城西南；苦，在河南鹿邑縣東；柘，河南柘城縣；譙，安徽亳縣。這五個地方均在「蘄」之西，與葛嬰「徇蘄以東」，恰好方向相反。原文意思是：陳涉等攻下蘄之後，兵分兩路，葛嬰攻蘄以東，為一路；而陳涉等攻蘄以西的五個地方，為另一路，全句先總言進兵攻蘄，然後分言東西兩路。正確標法應該是：

攻大澤鄉，收而攻蘄。蘄下，乃令符離人葛嬰將兵徇蘄以東。攻銍、酇、苦、柘、譙皆下之。

例二：

（趙）普即就榻前爲誓，書於紙尾，署曰：「臣普記。」藏之金
匱，命謹密宮人掌之。

（《續資治通鑒》卷 2）

這是皇太后杜氏留給宋太祖趙匡胤的遺言，囑咐他應該傳位
於弟趙光義。這個遺言是命趙普在榻前記錄的，趙普在紙尾寫了
「臣普記」三個字。標點者在「誓」下斷句，不知「誓書」爲一
個詞。同一書中卷10還有「發金匱得誓書，遂大感悟」之句，足
見「誓書」爲一個詞。此句應該斷作：

（趙）普即就榻前爲誓書，於紙尾署曰：「臣普記。」藏之金
匱，命謹密宮人掌之。

例三：

冬，十一月，初令郡國舉孝、廉各一人，從董仲舒之言也。

（《資治通鑒》1956 年版 576 頁）

「孝廉」爲漢代選舉的一個科目，舉以「善事父母」、行爲
「清廉」的人。這是採納董仲舒的意見設立的科目。不能將「孝
廉」一詞斷開。「各一人」謂一郡一人、一國一人。劉邦子孫封
王統治的地區稱「國」，而中央政權直接統治的行政單位叫
「郡」。當時郡、國並存，所以讓各舉一名孝廉。

古書中涉及古代典章制度頗多，應該注意這些方面的知識。

在斷句準確的前提下，標點使用還需要合理。使用不當的標
點符號表達原著也會造成不足或失誤。

下面以《史記・項羽本紀》爲例，摘取中華書局標點本（簡稱

「中華本」）和北京大學《兩漢文學史參考資料》本（簡稱「北大本」）若干句子，作些說明。各例以中華本爲基礎，北大本標法以括號標之。

例一：

> 項梁殺人，（，）與籍避仇於吳中。（，）吳中賢士大夫皆出項梁下。（。）……

兩個本子斷句相同，僅有一個逗號和句號之差。這個差別，中華本正確。因爲這個完整的句子，說明項梁躲藏的地方，用句號可以，用逗號則上下關係不清。

「出項梁下」之後，兩個本子都用句號，不符合文義。應該改爲逗號。這個句子和下文連起來應該是這樣的：

> 吳中賢士大夫皆出項梁下，每吳中有大繇役及喪，項梁常爲主辦，陰以兵法部勒賓客及子弟，以是知其能。

這是一個表因果關係的多重複句。因爲吳中賢士大夫都出自項梁手下，所以，項梁去到吳下能借機訓練賓客和子弟，進而，在訓練中發現了項羽非凡的能力。在「皆出項梁下」之後用句號，就表達不出句子間的內在關係，而且「吳中賢士大夫皆出項梁下」作爲一句，語義不清。

例二：

> 章邯軍棘原，項羽軍漳南，相持未戰。秦軍數卻，二世使人讓章邯。章邯恐，使長史欣請事。

這幾個句，北大本和中華本標點完全一樣。

第三個句子實際上是兩句話，第一句應該到「秦軍數卻」。「相持未戰」下的句號改逗號（「章邯軍棘原，項羽軍漳南，相持未戰，秦軍數卻。」）。這個句子不是簡單介紹兩軍位置，而是寫項羽的威力。項羽殺了卿子冠軍之後，破釜沈舟，殺蘇角、虜王離，當上了諸侯上將軍。此刻威震秦軍，所以秦軍未戰而數卻。下面兩句是一個複句，「二世使人讓章邯，章邯恐，使長史欣請事。」寫章邯的處境。因爲二世責怪下來，章邯十分駭怕，產生了畏懼。這是秦將章邯從率兵對壘、不戰數卻到二世責怪、趙高用奸、長史策反、投降項羽整個生命鏈條中有機的一環。在「讓章邯」之下用個句號，孤立地看，似乎也夠得上一個完整的句子，但是卻沒有表達出司馬遷使用語言嚴謹細密的特點，也就是沒有表達出原著的語言特色。

例三：

> 沛公旦日從百餘騎來見項王，至鴻門，謝曰：「臣與將軍戮力而攻秦，將軍戰河北，臣戰河南，然不自意能先入關破秦，得復見將軍於此……」

這個句子中華本和北大本標點完全一樣。這麼長的句子（五十一個字），說了幾件事情，只用一個句號顯然不容易表達清楚。「沛公旦日……見項王」應該是一句。這句說了一件事，呼應上文項伯說的「旦日不可不蚤自來謝項王」。沛公對項王講的第一句話是「臣與將軍戮力而攻秦」。強調二人目標一致，弦外之音是：我無爲王之心，更無反將軍您的想法。下面是個轉折關係的複句。意思是：你我兩路出兵，矛頭同向秦都，但是，沒想到我先入關破秦，在此會見將軍。上句強調「目標一致」，這個

複句強調「事出偶然」，下一句「今者有小人之言，令將軍與臣有隙。」強調「小人挑撥」。這才構成了劉邦奸詐的三部曲。籠統地用逗號來連接幾個句子，讀者讀起來不會有清晰之感。

　　中華本和北大本各有優點，也各有不足。其中十分明顯的此是彼非之處還很多。上述例子只是說明在斷句無誤的前提下用標點也並不是很容易的。

（張倉禮）

9 古籍新注

　　歷史上任何一部古籍，都是一定時代的產物。所反映的社會生活，所表達的觀點、立場、思想、情感，無不具有時代的特色。古代著作家們所使用的語言，雖然籠統地叫做文言文，但是，不同時代也有很大的差別。隨著歷史的發展，社會生活的變化，語言文字的變遷，往往前代的作品，後代人就無法讀懂。所以，需要有人進行專門研究，做出注釋，幫助後世的人們去讀懂古籍。遠在戰國時代，就有人開始為古籍作注釋。以後，各代不斷地有大批著作問世，為這些著作所做的注釋也不斷出現，而這些注釋，又有人增、補、訂正。今天，我們把產生於辛亥革命（1911）以前作品，無論是原著還是注釋，一律叫做古籍。辛亥革命前有些作品（如革命黨人的白話作品）不算作古籍，辛亥革命後若干年內某些文言文撰著，實質上仍是古籍。

　　時至今日，社會生活已發生了天翻地覆的變化，科學、文化的發展，已達到古人夢想不到的程度。人們的思想、感情也和古代人大不一樣。今人所使用的語言已和古籍中的文言文有了極大的差別。但是，不能因此而不再重視古代的典籍。古籍是古代生活的反映，包含著我們中華民族悠久的歷史和燦爛的文化，我們不能不十分重視整理研究古籍。

　　新注古籍，目的在於使現代的青年和後世的人首先明白古籍中語言的含義，進而知道古籍中所反映的古代生活和古人在社會生活諸方面所作出的卓越貢獻。

一、新注古籍的要求

不能竄改古籍。古代的注釋家犯過這個錯誤，遇到自己讀不懂的字句，就以爲古籍有錯，不經考證，不請教通家，隨意按自己的理解修改原書。歷史上因爲這種極不嚴肅的注釋而引起的混亂和後世的學術糾紛，舉不勝舉。近代和當代的學者注意到了這一點，但是，「四人幫」時期爲了「儒法鬥爭」的需要，一些以形形色色「大批判組」名義注釋的古籍，竄改者還時有發生，這是極不足取的。

(一)不能妄加褒貶

注釋的任務就是注釋，不是評價，也不是給一部古籍作出科學的結論。古人注書常有門戶之見，往往借注書之機表達自己學派的觀點，抨擊其他學派。所以，在注文中曲解原文，加入褒貶詞語。這是注釋古書應該避免的一種傾向。注釋家都有自己的立場和觀點，這種立場和觀點自然表現在注文之中，這是十分自然的，也是可以理解的。如《毛詩故訓傳》（簡稱《毛詩》）是一部最早注釋《詩經》的書，注者對詩旨多所歪曲。南宋大家朱熹注詩，不乏真知灼見，但囿於理學說教，也曲解了許多詩篇。今天注釋古籍，不可能取「純客觀」態度，如果連個人基本的立場也沒有，那是不能設想的，注家有自己的立場是很自然的，而藉注文對原作橫加褒貶是不應該的。注釋的任務在於幫助讀者讀懂原文，不是給讀者分析、評論、批判原文，更不是藉注文講注者本人的什麼主張。清代文壇上，有個桐城派，文章寫得很好，也出了一批名人。其中一些名家，以自己一派的觀點去選評古文，原也無可厚非，因爲從來的選家都是按自己的藝術主張和審美標準

去選編他人詩文的。但是，桐城選家，無論聲震文壇的姚鼐，還是最後的高步瀛，在注文中常雜入一派之私，這就不足取了。

(二)不能避難就易

注家常犯的毛病是躲過難點，多注容易之處。這在古代就有，現在一些新注本更常見。讀者讀書常常遇到關鍵的疑難沒有注釋，甚至連續查幾種注本仍不能釋疑。注釋古籍的人，如果專注自己明白的詞語和容易查檢的詞語，躲過自己不懂和不易查檢的詞語，這顯然是沒有做到對讀者負責。

(三)不要簡單抄錄

我們今天所要注釋的古籍，有些已有古人或前人注釋過。既然注前人已注過的，新注自然要有超越於前人之處。如果重覆前人注釋，原封不動地抄來前人注釋，那還有什麼新注的必要？新注古籍，對前人注中引文要重新查對，對前人的解釋要重新審核。刪去前人的冗贅，補上前人的不足。無所發現、發明、發展，就不要再注。

對所注古籍要做全面的研究。要給一部古籍做好新注，就注釋者自身條件而論。

應該首先具備音韻學、文字學、目錄學、版本學及校勘學的基礎知識。

其次，具備與所注古籍有關學科的基礎知識。如，注詩、文，必須有文學基本知識；注史書，必須有史學基本知識；注科技書，必須有足夠的自然科學知識等。就注釋的工作過程而論，下注之前，必須對所注古籍做一些全面的研究。

(四)要研究作者

作者寫出一部書來，總是要表達自己的思想、觀點。既有作者之所以如此寫的原因，又有作者之所以如此寫的難處或苦衷。不知其人常常難注其書。作者的社會地位，常常決定了書中所表現的觀點；作者的遭遇、處境，常常決定了書中的情緒；作者的師承、師法，常常決定了作品的基本格調；作者的風格、流派，常常決定了作品的基本特色。總之，不了解作家的身世，就無法了解他的作品。如以文學而論，不了解一位文論家的主張（主性靈，主神韻，主意境），就無法了解他的文論。

(五)要研究作品的時代背景

每部作品都是一定時代的產物，不了解產生它的時代，不了解作者撰寫時的具體環境，常常無法透徹了解一部作品。太平盛世，多歌功頌德之作；朝代更替之際，多悲嘆哀怨之詩；高壓之下多曲筆；清平之日多清談。只有了解產生作品的時代，才能準確地把握住一部古籍的基本特點。

(六)要研究作品的主導思想

新注一部古籍，要對該書的主要內容、指導思想、表達核心作總體的、全面的研究。離開了這種全局性的掌握，就不可能注釋好全書的每一個局部。古代留下了許多著名的注本，所有成功的注本，都是對全書有透徹了解、能把握住全書主導思想的注本。

(七)要研究其他有關作品

任何一部古籍都不是孤立存在的。上可能有所師法，下可能

有所影響。取材有所依據，立意有所借鑒。同一作者可能有續作，不同作者可能有呼應之作。後人或則有過評論，引用，或則有人作過注釋、整理，今人新注，自然應該盡可能搜集到有關的書讀一讀，知來龍去脈，知別人研究的成果，這樣，才能保證新注確有繼承前人成果之處，又確有超越前人之處。

(八)要研究前人的注釋

古代注家每注一書都付出了極大的努力。爲我們新注古籍開拓了道路，提供了重要的資料。只有研究前人，才能超越前人。當然，研究前人之注文，又不應該迷信前人。古代許多著名的注家都有判斷失誤之處，甚至鬧出笑話。像清人沈德潛，選詩可謂大家，注白居易《琵琶行》時竟然批評「此時無聲勝有聲」一句不通。沈氏說：「旣無聲矣，下二句如何接出？宋本『無聲復有聲』，謂往而不彈也。古本可貴如此。」(《唐詩別裁》)原詩上句明明寫著「冰泉冷澀弦凝絕，凝絕不通聲暫歇」，「無聲」正是「暫歇」之境。下句寫暫歇之後「銀瓶乍破」、「鐵騎突出」正是忽起激昂之弦律，表達心中的鬱憤，怎麼會連不上呢？沈氏爲了說明自己的觀點，竟謊稱別有「宋本」，可惜除沈氏之外再也沒人見過這個「宋本」。新注古籍，只有認眞研究前人注釋，取其精華，棄其糟粕，發揚其長，彌補其短，才能注出新的水平來。

二、古籍新注的類型

古代的注釋家往往窮畢生之力注釋一部古籍。他們爲了讓讀者讀懂原書，創造了多種類型的注釋。像同樣是逐字逐句解釋古籍，流傳下來的就有「傳」(《詩經》的《毛傳》，《春秋》的《左氏

傳》）、「箋」（《毛詩》的鄭玄箋）、「解詁」（《春秋公羊傳》何休解詁》）、「注」（《禮記》鄭玄注、《爾雅》郭璞注）、「集解」（《論語》何晏集解）、「疏」（《十三經注疏》）等等。像同一本《史記》，就有東晉裴駰的「集解」，唐司馬貞的「索隱」，張守節的「正義」，儘管角度、方法不同，也還統屬於注釋，所以後世合稱為三家注。所有這些古注，對於我們新注古籍，確定注釋的類型，選定注釋的方法，都是有啟發的。

新注古籍可以有下列類型：

(一)集注

把前人對一部古籍的注釋，盡可能全部彙集起來，編纂成某部書自古以來所有注文的總彙。這種注本有助於了解該書歷代研究的成果，對於專門研究家具有十分重要的參考價值。清代漢學家在這方面做了許多努力，編出了許多著名的彙集歷代成果的本子。日本學者瀧川資言也編成了《史記會注考證》，收羅甚豐。這種注法，今天比古代更有了搜集資料的好條件，自會比古人搞得更好。這種集注，或叫集解、集釋，只宜用於歷史上的名著，或用於文學上的名家作品。如果用於價值不大的作品，那就沒什麼意義了。這種注本，優點在於細緻，缺點在於雷同、瑣碎。用這種形式一定要選準所注古籍，充分占有材料。

(二)補注

有些古籍，舊有注釋有一定價值，但是，時間已經久遠，隨著各方面研究工作的深入發展、出土文物資料的增加，有必要予以補充注釋。這一類古籍，可以選一家主要注本為基礎，補入新的資料，提出新的見解。

(三)新注

有些古籍，過去沒有注本，或雖曾有過注本卻零亂不全或質量不高，可以新注或重新注釋。這一類古籍數量很大。文學上有許多別集不曾有人注過，科技、農業、醫藥、中外交通等方面，也有許多古籍沒有引起古人足夠的重視，沒有人進行過注釋。

(四)選注

爲了使我國浩如煙海的古籍在現代社會發揮作用，今後勢必需要一邊加速整理研究，一邊加快普及。無論文、史、哲、經、教、法，還是醫、農、牧等等方面，都應該有一些系列性的選注本陸續出版。以文學而論，選注本出得比較多，但是，範圍還比較狹窄，多數還仍然局限在名家名作之中，而且系列性選本少。

選本的注釋是面向廣大青年的，因而，注文更需要準確、淺顯。

(五)綜合普及

新注古籍，效果最好、影響最大的還是總括前人研究成果，綜合解決斷句、標點、注釋、索引、今譯以至講解的本子。如《莊子今注今譯》、《周禮今注今譯》之類。現在，一些出版社正組織各種譯注古籍的叢書，全國高校古籍整理研究工作委員會也在組織《古代文史名著選譯叢書》。後者要求每個注本有前言、提示、原文、注釋、今譯等幾個部分，而且要附以必要的插圖、地圖、彩照等，做到圖文並茂。這些叢書肯定會受到讀者極大的歡迎。

三、古籍新注的内容

注釋古籍，首要的當然是注釋詞語，通過字釋句解，爲讀者疏通古籍文義，解決閱讀中碰到的語言障礙。在此基礎上，注釋古籍內容，幫助讀者讀懂古人原著的原有的意思。

做古籍新注工作的人，應該汲取前人注書的經驗，不斷探索新注應該注明的東西。做到學習前人而不局囿於前人，有所提高而不流於微言大義、故弄玄虛、堆砌資料或無中生有。

比如文學古籍，歷來注家很多，許多著名的注釋，已成文學史上彌足珍貴的典籍。朱熹的《詩集傳》，王逸的《楚辭章句》，洪興祖的《楚辭補注》，《昭明文選》的五臣注，王琦注李太白，仇兆鰲注杜工部……都有許多可資借鑒的經驗。但是，由於時代的限制、注家思想方法或治學方法的影響，歷來的注本都有這樣那樣的缺點或不足。有的煩瑣考證，穿鑿附會；有的歪曲原作，加入私貨；有的吹捧渲染，以瘡疤爲鮮花；有的露才揚己，借他人炫耀等等。

新注可以注下列内容：

(一)注時間、背景

一詩一文，寫於哪年哪月，應當注明。前人爲考訂詩文寫作時間做了大量研究，不少作家年譜和詩詞繫年之作，都是重要資料。進而再注出一詩一文寫作的具體背景，大至於國家大事，朝代更迭，小至於作家具體處境。這些無疑都有助於讀者深入理解作品。當然，考訂不清的，只好暫付闕如，不可生拉硬湊。

(二)注緣起、事件

古代作家的作品，常因人因事而作，在古代詩話、詞話、筆記之類古籍中，多有記載。雖然這些記載未必確切，但是，對於理解作品都還是有幫助的。正確的材料，可以幫助深入理解作品，不恰當的材料，可以啓示讀者知道作品如何被人歪曲。

(三)注關涉人、事

古代詩詞多酬應、唱和之作，注明有關人物，有助於理解作品內容、作家情感，以至於文壇流派，創作傾向。古代文章、小說、戲曲之中，常寫到一些人物和事件，或則實有，或則虛構，或則虛實參半。古代注家對有關人、事多有研究，有的純屬牽強附會，有的則很有價值。把有價值的成果引入注釋，對於讀者和文學研究者都大有裨益。如，北宋范仲淹寫《岳陽樓記》，開頭對滕子京政績有所歌頌。歷來注家沒有注明滕子京被貶詳情，因而，對范氏的稱頌滕子京理解不深。

(四)注詩句因革

古代詩人、詞人常巧用前人詩詞中的句子。有的直接搬用，有的部分採擷，有的採用意境，有的採用意旨。注釋中確切地注出，對於研究作業、作品，研究文學上的師承、發展，研究風格、流派，研究藝術創作規律，都具有重要意義。例如，北宋詞人晏幾道的《臨江仙》，有「落花人獨立，微雨燕子斜」之句，是從五代詩人翁宏《春殘》詩中抄來的。注明這一抄襲關係，更有助於理解晏幾道的藝術創造。這兩句詩在翁詩中是詩句，在晏詞中成了詞句。在原作中平平淡淡，在晏詞中成詞壇名句。這種搬來石頭變成金的藝術現象，給藝術美學的研究家以很大的啓示，提

供了很好的材料！再如詞人周邦彥常愛套用別人詩句入詞，注釋中一一注出，對讀者理解詞篇至為重要，對於研究周邦彥創作道路、典型化手法、藝術風格，更為有用。

(五)注掌故、用典

古代詩詞多喜用典。有的引古史、古文，史有記載；有的引傳說、掌故，雖史無明文，而在筆記、野史之中或他人詩文之中有所涉及。只有注明這些資料，讀者才能讀懂。漢魏六朝詩，唐詩，宋詞，都有許多喜歡引典的作品，宋詞人辛棄疾尤喜引典。文章中旁徵博引，以古論今的更多。可以說，不知典故就無法讀懂全詩、全文。古人作注，比較注意這一點，但常有附會之處。

(六)注流傳、反響

一部文學作品誕生之後，它的主旨、取材、結構、詞句常常被後人模仿、繼承，受到這樣那樣的評價。注釋中盡可能注明，極有用處。例如，歐陽修有「庭院深深深幾許」之句，當代詞人就十分稱讚，李清照不僅極力讚許，而且學著用連重三字入詞。李清照有「尋尋覓覓，冷冷清清，淒淒慘慘戚戚」之句，後世評價極高，而且效顰之作迭出。注明一詩一文的流傳、反響，不僅可以研究作家間的師承、流派、風格，而且可以探索文學發展規律和藝術上的演變規律。

(七)注橫向比較

這應該是更高的要求，是古代注家所不曾做過的。所謂橫向比較，指不僅僅孤立注一詩一文，而是注明一詩一文的橫向關係。即此詩此文產生的同時或前前後後同一作者還有什麼作品產生，同一時期其他作家有何作品；更遠些說，同一時期國外有何

名著產生。例如，宋代詩人蘇軾被貶黃州五年，政治上極爲不幸，而創作上卻成績斐然。僅神宗元豐5年（1082）一年就寫了許多著名作品。如果注釋每一篇都不注意注明橫向有關聯的同一時期寫成的其他作品，讀者就體會不到一個完整的蘇軾和他豐富多彩的藝術風貌。

再如，古代的詩話、詞話發展到王國維的《人間詞話》可謂登峯造極。而王國維學貫中西，他不僅直接受到西方美學思想的影響，而且自覺地運用這些美學觀結合中國傳統的文論去評論詞章。和他著《人間詞話》同一時期，許多國家文學批評都十分活躍，新的觀點、新的方法、著名論著都紛紛出現。如果有人以比較文學的觀點去注《人間詞話》，那將在古籍新注工作中獨樹一幟，爲古籍整理研究和古典文學研究作出新貢獻。

這些可注的內容，有的也適用於其它類古籍。

比如史學類古籍，古代文史不分，即使是嚴格意義上的純史學古籍，也需要注明有關的時間、地理位置、人物、事件、典故等等。此外史學古籍還有些獨特的需要。

（八）以史料作注

古人已經注意到這種注法。如裴松之注《三國志》，清人彭元瑞給《新五代史》作注。即如一些史論之作，也需要有人用史料去注釋，如王夫之《讀通鑑論》，趙翼《廿二史箚記》，如果注以史料，讀者會更深刻地理解史家的卓識。

（九）以史論作注

注史書參以後世之研究成果，採用有關論、評，注入史書之中，可以啓人思考，且了解後人如何評論。觀點公允的可以採入，有所偏頗的也可以採入。當代學者楊伯峻《春秋左傳注》，注

意探論注史，效果很好。

(十)橫向互注

史書中常有不同典籍同寫一段歷史，同寫一個歷史人物或歷史事件。注釋中引彼注此、引此注彼，可見不同史家取材和剪裁的異同。例如，《資治通鑒》寫三國諸葛亮的隆中對，取材於《三國志》，但是，不僅敍事有所不同，而且連諸葛亮那一番著名的分析天下大勢的話也不盡相同。在注本中注出這些不同之處，更可見司馬光取材之精和行文之縝密。

(土) 注 出 章 法

歷史上著名的史學典籍，在文筆上都十分講究。

許多史籍，在散文史上都占有重要地位。

以往注史書者不重視注明章法，讀者很難體會史學古籍的剪裁、結構的特色。如果新注中適當顧及結構和章法，那麼對於讀者理解原作就會更有幫助。

再如農業、畜牧類古籍

這一類古籍多屬生產經驗和畜牧實踐的總結。注文應聯繫有關新的科學成果進行解釋。對其中不夠科學甚至違反科學的地方，可以客觀地注明今人的認識和作法，不可對原作遽下貶詞。

再如醫藥類古籍

這一類古籍數量很大，品類很多。無論是醫論、醫方、醫案、醫史，都是歷代中醫長期醫療實踐的總結和探討醫學原理的結晶。新注工作可以以方注論，以論注方，採彼注此，採此注彼。也可以中醫新的理論注入有關部分。目的在於使讀者從新的理論高度、以開闊的視野去認識古代醫籍。對古代醫方、醫案中有差別甚至矛盾、對立之處，不可隨意褒貶或揚此抑彼，應該在

對比參照之中取得求同知異的效果。古代醫論中非科學甚至反科學的地方，同樣不可輕下貶詞，應該留待他日，等待醫學理論的進一步發展。

再如，科技類古籍

我國科技類古籍為數不少，可惜注釋工作還遠遠沒有跟上，注釋這一類古籍，首先要幫助讀者讀懂，知道原作者所記的事實，所講的道理。

其次，要注以今人的研究成果，以新的觀點說明古人的原觀點。

第三，要比較古籍中所提某一理論和外國同一理論提出的時間，加深對我國科技史的認識。

以上農業、畜牧、醫藥、科技類古籍，新注工作都比較困難。注釋者既需要有較好的古代漢語修養，又需要具備有關科技知識。

注釋這些古籍，往往遇到如何對待「糟粕」的問題。對待這一類古籍中的「糟粕」，應該慎之又慎。前人既已作為經驗總結下來，在彼時彼地畢竟被證明是正確的。儘管在今人看來並非科學，又焉知不會給未來的科學發展提供某些可能的啟發？決不可輕率否定。

四、古籍新注的語言

(一)關於注音

注釋古籍，應該十分重視注音，即給一些古字注明讀音。

注音的符號，應該統一採用國務院頒布的漢語拼音方案。

哪些字該注音，哪些字不該注音，要以讀者對象為審定標

準。譬如，某些古籍專供學者研究，該注音的字就可以少選，甚至可以一字不注。某些古籍注釋出來供廣大青年閱讀，注音的範圍就要擴大，如果專給青少年讀，該注音的字自然應規定得更多一些。

注音的範圍包括古字、難字、多音字、特殊讀法的字等等。特別要注意古今讀音不同的字和不同讀法涉及理解古籍內容的字。

(二)關於釋文

文與白問題

注釋古籍的目的是為了今天的人讀懂過去的書，所以，一般地說，新注古籍應該使用清晰、曉暢的現代漢語。為了使注文確切、凝煉，應該認真提煉語言，避免口語化。

歷代的各類古籍的注本，都是用凝煉、準確的當代語言表達的，我們今天注釋古籍，自然也應該用我們這個時代的語言。如果以為歷來注本都使用文言注釋，我們今天也應該用文言去注釋，那麼，就會造成注釋的混亂，給讀者造成閱讀的新困難。

考慮到注文中常常要引用原書或其他古籍，引用原注或其他資料，為了使注釋行文協調，有時可以採用一些文言詞語或部分文言句式，作為解決古籍注釋從文言文向現代漢語過渡的一個措施。這種注文基本上還屬於現代漢語，注釋者也應該努力使注文具有現代漢語的特色，而不是極力去寫文言文。

繁和簡問題

古籍新注要考慮到所注古籍的特點和讀者對象，注文當繁則繁，當簡則簡。繁，指詳細的考證，引用眾多的旁證資料；簡，

指引用很少的資料，作出簡明結論。清代漢學家由於種種原因一心鑽故紙堆，熱衷煩瑣的考證，是不足爲訓的。這些人對以後的注釋家影響很大，有人誤以爲只有清人所搞的繁瑣哲學才是做學問的「眞功夫」。

我國歷史上有許多珍貴的科技、醫藥、農業、畜牧、中外交通等有關自然科學和勞動人民生產經驗，國際往來的古籍，應該有更多的古籍整理研究工作者做出盡可能詳細的考證。如果能夠運用比較的手段，廣泛引用同時期或同類外國的典籍予以比較，或引用現代科學文獻充分考證古籍中科學與非科學的成分，那將是古籍新注的輝煌的成績。相反，像文學古籍注釋中牽強附會索隱人物原型，苦心孤詣求索某詩人的詩句「無一字無來歷」，更有甚者，挖空心思尋求文學作品中的微言大義，考證影射，這些作法，今天當然不應該再去重覆。

新注工作應該充分考慮到當今讀者的特點，他們中的大多數不會也不應該拿出許多時間去鑽研古籍。他們要懂歷史，目的是爲了創造未來。所以，在新注古籍的工作中應當提倡簡明。注釋文字在同一部書中必須風格統一，不可忽文忽白，忽繁忽簡。

步驟要統一

釋詞應先給難字注音，然後解詞。釋詞應先釋義，後指來源、典故、引伸義。複音義應先釋義，後釋詞素。

例如；

(1)危檣：船上高聳的桅桿。危，高。

(2)歸來三徑重掃：歸隱田園。陶淵明《歸去來辭》：「三徑就荒，松菊猶存。」三徑，院子裡的小路。

(3)煙鎖秦樓：是說自己孤獨地住在這個被煙霧籠罩的狹窄的妝樓裡。鎖，表示隔絕的意思。秦樓，即鳳臺，相傳是秦穆公女

弄玉和她的丈夫蕭史飛升以前的住所。

（以上三例選自胡雲翼《宋詞選》）

　　同一部古籍的注文，必須保持格式的統一，否則，會造成讀者閱讀的困難。

格式要方便閱讀

　　古書的古注多採取雙行小字夾注的形式，鉛字印刷出現之後，注釋文字的安排方法開始多樣化。有的每頁頁末印注文，有的在章、節、段落、全文之後印注文，有的兼採幾種格式。應該說，注文格式從單一走向了多樣，這是正常的。多樣化的同時出現了某些混亂，也是不可避免的。

（張倉禮）

10 古書的文體

　　文體，即文章的體裁、樣式，指的是各種文章的類別。它是構成文章的一種形式方面的要素。「文章」一詞，有廣義和狹義兩種不同的理解。在我國古代，凡獨立成篇的文字，都稱爲文章，包括文學作品和一般文章，這是廣義的理解；狹義的文章概念，則不包括文學作品在內。我們這裡用的是廣義的文章概念。

一、文體的產生和發展

(一)先秦

　　先秦是我國古代諸多文體開始萌芽、產生的時期。

　　原始社會，人類出於勞動的需要，創造了一種有節奏、有韻律、富於感情色彩的短促的二言的語言形式——詩歌，這就是詩體的起源。由於社會生活和語言的發展變化，我國西周初期至春秋中葉產生的詩歌，已經從原始型的二言詩體，發展到一種以四言爲主的新詩體——詩經體。戰國後期，在當時我國南方楚文化的哺育和北方文化的影響下，南部楚國地方產生了一種嶄新的詩體——楚辭體。楚辭體打破了詩經時代古樸的四言體，對我國爾後的賦體，以及五、七言古體詩的產生，都有過顯著的影響。

　　殷墟出土的殷商社會中期的甲骨卜辭、商代和周初的銅器銘文，《周易》中產生於商末和周初的卦、爻辭，《尚書》中的殷、周

文告等，是我國古代散文文體的萌芽。

　　春秋時期至戰國末年，我國古代文化蓬勃發展，歷史散文、諸子散文勃興，並且都顯示了相當高的寫作技巧，散文文體也隨之發生了很大的變化。以記言爲主的，有《論語》、《孟子》、《國語》；以敍事爲主的，有《左傳》、《戰國策》；以論辯爲主的，有《墨子》、《莊子》、《荀子》、《韓非子》等。這衆多散文的出現，形成了我國散文發展史上的一個高峯。可以說，在先秦時期，散文體裁中的兩大分野──記敍文和議論文已經基本形成，實用文也較前有了新的發展。

（二）秦漢

　　秦代承戰國之後，文體幾乎沒有什麼進展。秦相李斯的一些刻石文，是我國最早的碑文體，可以看作是碑志文之源。

　　兩漢時期，國力空前強盛，由於政治、經濟、文化生活的需求相應提高，在先秦文體的基礎上，一些新的文體產生了。

　　在楚辭體的基礎上，漢代作家創造了一種半詩半文的「漢賦」體。漢賦是漢代最發達的文體。後來又演變爲駢賦、律賦、文賦等多種賦體。

　　詩體在漢代得到了新的發展。繼詩經體、楚辭體之後，我國古代詩體進入了第三個重要發展階段──樂府詩體階段。漢代樂府詩體，以雜言爲主、並逐漸趨向五言，出現了不少完整的五言詩，開創並發展了我國古代的敍事體詩歌。

　　在漢樂府民歌與其它民間歌謠體的影響下，五言詩被文人正式引入文壇，成爲一種新詩體，漢代出現了三言詩。

　　這一時期，散文體得到了繼續提高和發展。漢代以後，散文文字漸趨整飭。這一時期，以《史記》爲代表的傳紀體歷史散文正式出現。賈誼、晁錯等人的政論文，把古代論辯文體推向新的發

展階段。哲理散文比起先秦來雖大有遜色，但也出現了王充《論衡》這樣的專著。

另外，散文中碑文、書、記、表、哀誄等各式文體，東漢時期發展較大，出現了一些專擅此類文體的作家。

這一時期，解經的「傳」、「箋」、「注」等說明文體開始出現。

(三)魏晉六朝

魏晉六朝時期，人們開始把純文學作品（「文」）同重在實用的散文（「筆」）區別開來。曹丕、陸機、劉勰等人開始劃分文體。我國古代的文體論正式誕生。

魏晉六朝是我國各種文章體式繼漢開唐，不斷發展轉化的時期。

本時期五言古體詩已達到成熟階段。七言古體詩至劉宋時代也已得到確立。特別是齊梁時代產生了所謂「永明體」詩歌，我國近體格律詩在這一時期開始孕育、萌芽。

樂府詩體在南北朝樂府民歌中得到了新發展，在詩體方面開創五、七言絕句體，成為後來唐詩的主要形式之一。

駢文這種新文體從魏晉開始形成，至南北朝達到鼎盛時期，一直統治文壇達數百年之久。由於駢文的流行，先秦兩漢以單句散行的傳統文此時比較衰弱。只有魏晉散文具有自己的特色，對後代也發生過一定影響。

以《水經注》、《洛陽伽藍記》為代表的較大量寫景的散文開始出現。

抒情小賦數量增多，並逐漸發展為駢賦。

這一時期出現了大量的志怪志人小說，使我國小說粗具規模，對後來的小說、戲曲產生很大的影響。

(四)唐宋以後

我國古代詩文的各種體載，在唐宋時代均已成熟或基本成熟，並對以後元、明、清各代發生了深遠的影響。

初唐時期經過沈佺期、宋之問的創制，我國的近體律詩五絕、五律、七絕、七律及排律，都正式形成。從古體詩到近體律詩的出現，是我國古代詩體的一個巨大變化。傳統的古體詩五古、七古等也在原有的基礎上，得到進一步的充實和發展，並出現了「歌行體」的詩歌樣式。這些詩歌樣式，上承風騷，下啟詞、曲，流行於宋、元、明、清，成為我國古代流傳最廣、影響最深遠的詩體。

詞這種新詩體，自中、晚唐、五代而鼎盛於宋。宋詞對後來詞體的發展影響極大。

唐、宋時期是我國古代散文文體臻於完備而又極為發達的時期，形成了我國散文文體發展史上的第二個高峯，為我國古代散文文體奠定了大致的格局。中唐時期韓愈、柳宗元倡導的「古文運動」，摧毀了駢文在文壇上幾百年的統治，完成了一次意義深遠的文體革新，並大大豐富和發展了古代散文的各種文體。原、解、贈序、山水遊記、文賦等各類文體都是在這一時期創制的，其它如碑、銘、論辯、傳狀、哀祭等各體也不斷有所創新。散文各體內容的深度和廣度不斷得到加深和擴充，藝術表現力也得到提高。唐、宋時代的散文對以後各代的影響是深遠的、巨大的。

唐代興起的敦煌變文，為我國古代文體史增添了一種新的體裁。宋代出現的各種話本及其他講唱文學樣式，對後世戲曲、小說有著深遠的影響。唐人傳奇的出現標誌著我國短篇小說繼魏晉六朝小說之後已走向成熟。

元朝以後，戲劇和小說兩種文體興起，詩歌和散文喪失了雄

據文壇的局面。元代的雜劇和散曲，以前合稱爲「元曲」，取得了和唐詩、宋詞並稱的崇高地位。元雜劇劇本是在宋雜劇、金院本和宋金諸宮調三者融合的基礎上，在北方興起的一種新的文學形式。它產生於金末元初。金末至元大德將近一百年是元雜劇的鼎盛時期。散曲這一新文體，萌發於金，至元而極盛。元末明初，《三國演義》的出現，標誌著我國章回體長篇小說形式初步定型。明代後期文人模仿宋元話本的擬話本興盛。到了清代中葉，文人獨立創作的短篇和長篇小說體式已十分成熟，詩歌和散文兩體的成就也超過了元、明兩代。

二、文體的分類

㈠韻文

1.《詩經》

　　《詩經》是我國最早的一部詩歌總集。因爲這部總集比較集中地保存了我國古代的四言體詩歌，所以人們常常把四言體詩歌稱爲詩經體。

　　《詩經》收集了西周初年（公元前 11 世紀）至春秋中葉（公元前六世紀）約五百年間的 305 篇詩歌。這些詩歌當初都是樂歌，是配合樂曲演唱的歌詞。古人將這 305 篇詩歌分爲風、雅、頌三個部分，這種區分是根據它們曲調上特點的不同。《風》有十五國風。「風」是聲調的意思。「國風」就是各國的土樂。「雅」是正的意思，古人以爲《雅》中各篇所配合的樂調是正聲，不同於各地的土樂，所以叫「雅」。《雅》有《大雅》和《小雅》。「頌」是用於宗廟祭祀的樂歌。《頌》有《周頌》、《魯頌》、《商

頌》。現代研究者一般認爲，《國風》中的大部分作品是民間歌謠，《雅》、《頌》大部分是貴族的作品。《詩經》在先秦時代稱爲《詩》或《詩三百》，《詩》被加上「經」的尊號，是漢代儒者把它奉爲經典的結果。

《詩經》的句式以四言爲主。有些詩在四言外根據內容需要也有句式變化，從二字句到八字句都有。《詩經》的句式顯示了基本工整與小部分靈活相統一的特點。

《詩經》中的民歌在篇章結構上多採用了章節複沓的形式，即一首詩分爲若干章，而章與章之間的字句基本相同，或只對應地變換少數詞語，一般都是重覆中有變化，變化中又有重覆。這種章節複沓的形式特點是詩歌（歌詞）與樂曲的情緒和形式密切配合的結果。這種結構形式便於盡興地表達思想感情，也增强了詩歌的節奏感和音樂性。

《詩經》中的詩用韻是比較複雜多樣的，幾乎包括了所有的用韻方式。比如，有的句句押韻；有的隔句押韻（雙句中奇句不押韻，偶句押韻）；有的第一、二、四句用韻，第三句不用韻。這些用韻方式，特別是後二種，對後代我國詩歌韻律的形成，起了重要啓發借鑒作用。

詩經在語言上的一個顯著特點，是大量地運用了重音詞和雙聲、疊韻詞。重音詞可以更好地狀物擬聲，雙聲疊韻詞則有助於增加詩歌的音樂性，使其聲調更加諧美。

詩經四言體詩歌，在句法結構，語言修辭等方面同原始詩歌相比已經有了很大進步。但四言體詩語句還是比較短促，節奏也比較單調，不便於容納更多的內容。自春秋中葉以後，雖然也還有人在寫，但作爲一種詩體它在詩壇上確實是衰落了。不過四言作爲一種整煉的句式，還一直被某些韻文文體所吸收、採用，如後世的箴銘、贊頌、以至辭賦、駢文等。

2. 《楚辭》

　　楚辭是繼詩經之後出現的一種新的詩歌體裁。它產生在戰國後期，奠基者是楚國偉大詩人屈原。楚辭體的出現為我國古典詩歌開拓了新的領域，標誌著我國古典詩歌發展到了一個新的階段。

　　「楚辭」這一名稱最早見於《史記·酷吏列傳》。漢成帝時劉向整理古文獻，把屈原、宋玉的詩歌和漢代人模擬這種詩體所寫的作品編成集子，名之曰《楚辭》。從此，「楚辭」不僅成為一部詩集的專名，也被作為一種詩體的名稱一直流傳到現在。「楚辭」在漢代又被稱為「屈賦」、「騷賦」、「楚賦」。《離騷》是楚辭體的代表作，因此自六朝以來，「楚辭體」又有「騷體」一名稱。

　　以《離騷》、《九章》、《九歌》等為代表的楚辭體詩歌，不僅以它們的富於幻想和浪漫主義精神著稱於世，而且在體制上也有自己的顯著特點。

　　楚辭體詩歌突破了詩經四言的舊形式，而代之以六字句、五、七字句等句式，句法參差錯落、長短相間、自由靈活，篇幅較詩經一般都明顯擴大了。如《離騷》多為六字句、七字句，共有373句，2,490個字，是中國詩歌史上少有的鴻篇巨制。《九歌》除六字句外，還有大量的五字句、七字句。句式的加長、篇制的擴大，明顯增強了詩歌語言的容量和表現力。

　　楚辭體詩中，語氣助詞「兮」字被大量、廣泛地使用著，這構成了楚辭體的一個特徵。楚辭體中「兮」字的用法很靈活。如《離騷》的「兮」字放在句末而且隔句一用。《九歌》的「兮」字則放在句中而且每句都用。「兮」通常是被用作語氣詞，相當於現代漢語的「啊」字；它在某些地方的用法又相當於「而」、「之」、「於」、「以」、「然」等虛詞。除「兮」字之外，楚

辭體詩歌還運用了其它許多口語虛詞，如：之、曰、而、也、以、於、其、雖、夫、惟、乎、焉、哉等等。

楚辭體的另一特點是運用楚地的方言方音。楚辭吸收了大量楚地的方言土語入詩。如：汨、搴、莽、馮、諑、羌、侘傺、閶闔等。運用楚聲也是楚辭體的一個標誌。楚聲是楚國特有的聲調。這種聲調雖然現已失傳，但一些古籍的記載可以證明，楚辭確曾有以楚聲誦讀的方法。

楚辭體在中國古代文體的發展中曾有過深遠的影響。漢賦的產生和發展直接受到了楚辭的啟發。其它各種賦體，推尋淵源，都與楚辭有著較深的關係。後世五、七言詩的產生也可能曾從楚辭那裡受到過啟發。

3. 漢賦

漢賦是盛行於漢代的一種文學體裁。

關於賦體的名稱和起源，前人多以為來自《毛詩序》所說的《詩經》「六義」之一的「賦」。對於這種說法，現代的研究者有同意的，也有持另外見解的，迄今尚無定論。

賦體產生於戰國後期。荀況是最早寫作賦體作品並以「賦」名篇的作家。今本《荀子》中保存有「禮」、「知」、「雲」、「蠶」、「箴」五篇賦作。這些賦韻文中夾雜散文，以通俗「隱語」鋪寫事物，與後代漢賦相比，還很不成熟。對漢賦體形成影響最大的是楚辭。楚辭是漢賦的近源。楚辭宏偉的體制、華麗的辭藻，在漢賦上打下了印迹。《詩經》的四言句式對漢賦也有影響。先秦散文，特別如《戰國策》所記縱橫家的言談辭令，對漢賦體的形成也有一定作用。

漢賦，又稱古賦。它大體經歷了騷體賦、散體大賦和抒情小賦三個發展階段。其中散體大賦是古賦（漢賦）的主流、代表。

人們所說的漢賦在體制上的特點，主要是就散體大賦講的。枚乘的《七發》是標誌漢散體大賦正式形成的第一篇作品。司馬相如的《子虛賦》、《上林賦》，揚雄的《甘泉賦》、《羽獵賦》等都是漢散體大賦的代表作。

漢賦體的一個顯著特點是鋪陳寫物：不厭其詳地描繪山林、宮殿、苑囿、館舍的富麗奢侈，不惜筆墨地極寫帝王貴族的聲色犬馬、遊宴畋獵之樂。這種鋪張揚厲、渲染誇張，一方面使得漢賦篇幅較長、體制宏偉、規模很大；另一方面，因為往往失實、過分，所以又轉成病累。

漢賦有文采華麗、辭藻豐富的特點。它以大量的連詞、對偶、類比、排句等，盡量堆垛辭藻，好用生詞僻字，由於過分追求語言的華麗，以至成為一種彙聚辭藻、字彙的遊戲，讀之有令人生厭之感，但對後世文學語言的發展有一定影響。

漢賦多採用假設主客問答對話的方式組織成文。在結構上一般分三個部分：賦前的序、賦文本身和結尾的「亂」。序以說明創作緣由和主旨，「亂」以小結全文。

漢賦是一種半詩半文，性質在詩和散文之間的文體。或韻文中夾雜散文，或散文中夾雜韻文，韻散間出。就問答體說，一般首（序）、尾（亂）用韻文，中間用散文。而句與句，特別是段與段之間，多用散文性連接詞連接。

漢賦的句式以四言、六言為主，也有三言、五言、七言等句式，還有不少長句。

漢賦中的騷體賦先於散體大賦產生，篇幅較短，是從楚辭向散體大賦過渡的中間形式。它在體制上模仿楚辭，從形式上看與楚辭往往不易截然分別，如賈誼的《弔屈原賦》等。

後於散體大賦出現的抒情小賦是散體大賦的演變。它們一般是通篇押韻的韻文，不採用設為問答的方式。

　　漢賦之後，賦的體制在不同時期又發生過俳賦、律賦、文賦幾次演變。

　　俳賦，又稱駢賦，盛行於南北朝時期。它同漢賦最大的不同點，是駢偶、用典，往往全篇都是比較工整的四字對和六字對，實際上等於押韻的駢文。如鮑照的《蕪城賦》，江淹的《恨賦》、《別賦》等。

　　律賦源於俳賦，專用於唐宋時代的科舉考試。它與俳賦的不同在於押韻有嚴格的限制，甚至押韻的次序，韻腳的平仄也有規定。

　　文賦受唐宋古文運動的影響而產生。其特徵是趨向散文化。它不堆砌辭藻，不喜歡使用生詞奇字，也不像俳賦、律賦那樣在駢偶、用韻方面受限制，是一種十分接近散文的賦體，如蘇軾的《前赤壁賦》等。

4. 樂府

　　樂府作為一種詩體的名稱是由「樂府」機構的名稱轉變來的。兩漢所謂「樂府」，指的是專門掌管音樂的官署。這一官署的設置最遲不晚於漢惠帝二年（前193），但它擴充為大規模的專署，擔任採集民歌俗曲的任務，則始於漢武帝。漢樂府機關的職責是把文人詩和採來的民謠配以樂曲，以供當時朝廷祭祀及朝會飲宴等典禮使用。漢代人把這些入樂歌唱的詩篇叫作「歌詩」；魏晉六朝時人才開始稱這些「歌詩」為「樂府」或「樂府詩」。作為一種詩體，樂府詩包括兩漢至南北朝配合音樂而歌唱的詩歌；也包括魏晉以後文人作家的那些不入樂的仿作。這些仿作有的襲用樂府舊題，有的則連舊題也不用，如中唐元稹、白居易創製的「新樂府」。它們之所以名為「樂府」，主要是因為在某種程度上繼承了漢樂府「感於哀樂，緣事而發」的創作精神和

語言風格特點等。

　　兩漢樂府詩包括文人詩和民歌。文人詩是指《安世房中歌》和《郊祀歌》等。這些貴族特製的用來爲統治者歌功頌德的詩，從體裁上看最值得我們注意的是其中有不少是三言詩。《郊祀歌》「練時日」全詩計 48 句，都是三言；《天馬》二首全爲三言，第一首12 句，第二首 24 句。《五神》、《朝隴首》、《象載瑜》、《赤蛟》四詩也全是三言。《安世房中歌》「安其所」和「豐草葽」二首，每首 8 句，全是三言。通體的三言詩，在《詩經》、《楚辭》中找不到，這種體式是一種獨創，對後世的一些郊廟歌辭是有一定影響的，應該在文體史上占一席之地。

　　兩漢的樂府民歌，又稱「樂府古辭」，主要有雜言和五言兩種句式，也有少量的四言體。雜言一般以五字句、七字句爲多，間雜以長短不同的各種句式，從一、二字到八、九字乃至十字的句式都有。漢樂府民歌中出現了不少整齊的五言詩，如《陌上桑》等，這是一種新創造，成爲後世五言古體詩賴以產生的土壤。樂府詩音樂曲調上的每一反覆稱爲一「解」，一解往往就是一章、一段，如《陌上桑》分爲三解，即三段。樂府詩中的大曲，除正曲外，還有「艷」（即「前奏曲」）和「趨」、「亂」（尾聲）。樂府古辭（也包括魏晉以下詩人用樂府古題寫的作品）多用歌、行、曲、引、吟、謠等來名篇，這些題目，有的和詩的內容無關，只能從聲調方面獲得解釋。有些詩存在聲、詞雜寫的情況，如《有所思》中「妃呼豨」等。

　　南朝樂府民歌以五言四句體形式整齊的短章爲主，如《子夜歌》「始欲識郎時」、「高山種芙蓉」等。這種五言四句的體制，對後來五言絕句的產生有過深刻影響。這些民歌的另一特點，是廣泛運用雙關隱語。雙關隱語如猜謎一樣有一底一面。有的是用同音同字去表達不同的含義，如用布匹的「匹」字雙關匹

偶的「匹」；有的則用同音異字，如用「蓮」雙關「憐」，用「絲」雙關「思」。南朝樂府民歌，多爲情歌，語言風格纏綿悱惻。

北朝樂府民歌，也以五言四句的形式爲多見，另有四言四句的。特別是還有七言四句的作品，如《捉搦歌》四首。這種體式開了唐以後七言絕句的先河。北朝民歌不用雙關隱語的寫法，題材比南朝民歌廣泛，語言風格豪爽粗獷。

5. 古詩

古詩，即古體詩，又稱「古風」，是和唐以後的近體詩相對的一種詩體名。

古體詩的範圍，有廣義和狹義的不同。

廣義的古體詩，幾乎包括了近體詩以外的詩歌：四言詩、楚辭、樂府詩、五古、七古、雜言古等都在內。

狹義的古體詩則不包括四言詩、楚辭和樂府詩。狹義的理解是比較恰當的。

古體詩按詩句的字數大體可分爲三類：五古、七古和雜言古。五字一句的稱五言古詩，簡稱「五古」；七字一句的稱七言古詩，簡稱「七古」；三、五、七言等兼用的稱雜言古詩，簡稱「雜言古」。應當指出的是，後世習慣上所稱的雜言古詩，一般是指「歌行體」作品；唐代七言詩興起以後，這類作品多以七言爲主，所以在文體分類上往往也把它們歸入七言古詩。這樣，古體詩通常又可只分爲五古和七古兩大類；而七古中包括著雜言古，即歌行。五古、七古（不包括歌行）的來源都是民間歌謠。五古興盛於漢末魏晉六朝，七古則興盛於唐代。歌行體是由古樂府發展而來的，它也興盛於唐代。

古體詩基本上是古代的一種自由體詩。它同近體詩相比，在

體制上的主要特點是除了押韻以外不受任何格律的束縛。古體詩每首的句數沒有限定，最短的一首只有二句，最長有到百句以上的；而唐以後近體詩的正格則限定四句或八句。古體詩不講究對仗，律詩則必須在固定的位置上有對仗句。古體詩不講究平仄，而律詩則有平仄規定。古體詩用韻比較自由。全詩既可用平聲韻，也可用仄聲韻，還可隨意轉韻。轉韻的形式以四句一轉為通常，但也有六句、八句或十二句一轉的，間或也有二、三句一轉的。奇數句、偶數句都可用韻，用韻的字可以重覆，可以用鄰韻和上去聲通押。有時間或也可用不押韻的散文化句子。律詩則要求必須押平聲韻，且一韻到底，不得中途換韻。

初唐近體詩產生之後，古體詩在與近體詩並行發展的同時，產生了避律和入律的變化。所謂避律古體詩，指的是那些詩人故意把詩寫得與近體詩格律要求相違背的詩；所謂入律古詩，指的是那些受律詩影響，篇中多用律句，通常是七言的具備較多律詩特點的詩。前者如李白的《尋高鳳石門山中元丹丘》，後者如高適的《燕歌行》。

6. 近體詩

近體詩，即近體律詩，又稱「今體詩」，是與古體詩相對而言的，指的是唐代和唐代以後的一種對篇法、句法、韻法都有嚴格限制的新體詩，即一般所稱的格律詩。

近體律詩在體制上的第一個特點，是每首詩的句數和每句詩的字數都有嚴格規定。近體律詩分為律詩和絕句兩大類。律詩又分為五律、七律和排律三類。五律每首必須是八句，每句必須是五個字，全詩為四十個字。七律每首也必須是八句，每句則必須是七個字，全詩五十六個字。五律和七律每兩句稱作一聯，全詩一共是四聯，每聯的名稱依次為：首聯（起聯）、頷聯、頸聯、

尾聯（結聯）。每聯的上句稱爲出句，下句稱作對句。

排律又稱長律，指的是每首超過八句的長篇律詩，分五言排律和七言排律兩種。排律的句數雖然沒有限定，但每句詩的字數同五律或七律一樣是有嚴格限制的。

絕句，又稱律絕、小律詩，分五絕和七絕兩類。五絕必須是五言四句，七絕必須是七言四句。

近體律詩體制的第二個特點是有固定的平仄格式，其平仄規則最基本的有三條：

第一，一句之中平仄交替，即每一詩句節奏點上的用字（這裡所謂「節奏點」是指五言詩句的第二和第四字，七言詩句的第二、四、六字，下同）要平聲字和仄聲字交錯安排。

第二，一聯之間平仄對立，即每聯出句和對句中節奏點上的用字必須平聲、仄聲相互對立。

第三，兩聯之間平仄相粘，即上聯對句和下聯出句節奏點上的用字平、仄必須相同，平粘平、仄粘仄。

五言律詩由四個基本律句構成：

1. 仄仄平平仄

2. 平平仄仄平

3. 平平平仄仄

4. 仄仄仄平平

七律也由四個基本律句構成：

1. 平平仄仄平平仄

2. 仄仄平平仄仄平

3. 仄仄平平平仄仄

4. 平平仄仄仄平平

五律和七律都由各自的四個基本律句錯綜變化，構成各自的仄起甲、乙式，平起甲、乙式四種平仄格式（見後附表）。

　　排律和絕句的平仄規則與五、七律同。排律是句數增多的律詩。絕句則等於半首五律或七律（參見後附表）。

　　律詩除了要遵守上述三條平仄規則外，還要避免犯孤平和三平調。所謂犯孤平，是指一句詩除了韻腳的平聲字外，只剩下了一個平聲字。如五律的「平平仄仄平」和七律的「仄仄平平仄仄平」兩個句式，其中「平平」兩個平聲字中的任何一個都不能改用仄聲，否則就是犯孤平。所謂要避免三平調，是指不要在句尾一連出現三個平聲字或三個仄聲字。

　　近體律詩體制的第三個特點，是要在固定的位置上使用對仗。五律和七律的第二、三聯必須對仗。長律除了首尾兩聯或尾聯不對仗外，中間各聯一律要用對仗。近體詩中的對仗要求是比較嚴格的。在對仗句中上下兩句不得出現重覆的字（絕句例外）。一聯對仗的出句和對句不得完全同義或基本同義。對仗要力求工整，用同類範圍內的詞語相對。

　　近體律詩體制的第四個特點，是用韻有嚴格的規定。近體詩以隔句用韻，即在每聯對句句尾用韻為常規。五律、五絕以首句不入韻的仄起式為正例；七律、七絕以首句入韻的平起式為正例。只能用平聲韻做韻腳，而且必須一韻到底，中途不得換韻。只能押同一韻部的字，鄰韻也不得通押。韻腳的字不得重覆。

◻近體律詩平仄格式簡表

仄起甲式①（首句不入韻）	句數③	仄起甲式（首句入韻）
五　　律		七　　律
仄仄平平仄②	1	仄仄平平仄仄平
平平仄仄平	2	平平仄仄仄平平
平平平仄仄	3	平平仄仄平平仄

五 律	句數	七 律
仄⃝仄仄平平	4	仄⃝仄平平仄⃝仄平
仄⃝仄平⃝平仄	5	仄⃝仄平⃝平平⃝仄仄
平平仄⃝仄平	6	平⃝平仄⃝仄仄平平
平⃝平平⃝仄仄	7	平⃝平仄⃝仄平⃝平仄
仄⃝仄仄平平	8	仄⃝仄平平仄⃝仄平

仄起乙式（首句入韻） 五 律	句數	仄起乙式（首句不入韻） 七 律
仄⃝仄仄平平	1	仄⃝仄平⃝平平⃝仄仄
同上仄起甲式	2–8	同上仄起甲式。

平起甲式（首句不入韻） 五 律	句數	平起甲式（首句入韻） 七 律
平⃝平平⃝仄仄	1	平⃝平仄⃝仄平平
仄⃝仄仄平平	2	仄⃝仄平平仄⃝仄平
仄⃝仄平⃝平仄	3	仄⃝仄平⃝平平⃝仄仄
平平仄⃝仄平	4	平⃝平仄⃝仄平平仄
平⃝平平⃝仄仄	5	平⃝平仄⃝仄平⃝平仄
仄⃝仄仄平平	6	仄⃝仄平平仄⃝仄平
仄⃝仄平⃝平仄	7	仄⃝仄平⃝平平⃝仄仄
平平仄⃝仄平	8	平⃝平仄⃝仄平平仄

平起乙式（首句入韻） 五 律	句數	平起乙式（首句不入韻） 七 律
平平仄⃝仄平	1	平⃝平仄⃝仄平⃝平仄
同上平起甲式	2–8	同上平起甲式。

注：①所謂仄起和平起是以第一句第二個字的平仄爲標準。

②表中字外帶○者，是指這個字在平仄上可以通融。

③句數，是指每首詩的第一句、第二句等。

7. 詞

　　詞是一種和音樂有密切聯繫的文學形式。詞在創始時期，是用來配合隋唐時代以所謂「讌樂」（宴樂）為主的樂曲演唱的。在唐、五代時，詞原被稱為「曲子詞」。曲子是指音樂部分，寫下來是一些歌譜；詞即歌詞，從文學角度看，這「詞」就是新起的詩歌樣式。詞是曲子詞的簡稱。曲子詞這個名稱，最清楚地表明了詞體的性質。詞到南宋時期，才逐漸與音樂脫離，成為一種獨立的文學體裁。詞還有樂府、長短句、詩餘等名稱。

　　詞同近體詩相比，在形式上有它自己的特點。

　　每首詞都有一個表示音樂性的調名──詞調。詞調是指詞的腔調，也就是歌譜。每個詞調都有自己特定的名稱，即詞牌，如：「菩薩蠻」、「訴衷情」、「憶秦娥」、「水調歌頭」等。每個詞調都屬於一定的宮調，詞調的創制必須依靠宮調來定律。詞調存在同調異名、同名異調、同調異體的情況。最初人們是按照詞調的音樂要求和聲情，來選調填詞。後來樂譜失傳，於是古人根據前人的詞作概括編撰出各種詞調、詞牌的格式（段數、句數、韻數、字數、平仄等），這就是詞譜。在詞的起始階段，調名即是詞的題目。後來的詞人只是依詞譜填詞，詞的內容與詞牌原意沒有關係。於是就在詞牌下另標題目，以點明詞旨。

　　詞調主要分為令、引、近、慢四類，它們之間的區別在於音樂上的歌拍節奏不同。令，又稱令曲、小令，來自唐代的酒令，一般調短字少。字數最少的「十六字令」，僅十六個字。引，本是樂府詩體的一種，稱為「引」，也就是在歌曲前面作為「引歌」的意思。詞中的引詞，大都來自大曲，是裁截大曲中前段部分的某遍製成。近，又稱為近拍。近詞和引詞一般都長於小令而短於慢詞。慢，是慢曲子的簡稱。它是與急曲子相對而言的，大部分是長調，是詞調中的長曲子。樂調的繁簡不同，詞的篇章長

短也不同。樂調失傳之後，人們就專從詞的字數著眼，將詞分爲小令、中調、長調三類。清代毛先舒認爲，五十八字以內爲小令，五十九字至九十字爲中調，九十一字以外爲長調。近詞和引詞接近中調，慢曲子大部分是長調。

分片是詞體制的一個特點。一首詞大多分爲數片，「片」是詞的段落的專門名稱。一片即是一段、一「遍」，是指音樂奏過了一遍。樂奏一遍又叫一「闋」，故片又叫闋。片與片之間的關係，在音樂上是暫時的休止而非全曲終了。一首詞分數片，也就是由幾段音樂合成完整的一曲。

詞的分片，即分段式可分爲四種：單調、雙調、三疊、四疊。詞不分段，僅有單片的稱爲單調。單調詞是小令中字數最少的詞。詞有二段的稱爲雙調。通常稱第一段爲上片或上闋、前闋；稱第二段爲下片或下闋、後闋。雙調詞在全部詞調中占大部分，令、引、近、慢各類都有。雙調詞有的上下兩段同詞調，有的不同。詞有三段的稱爲三疊。三疊詞很少，都是慢詞。詞有四段的稱爲四疊，現僅傳吳文英《鶯啼序》一首，是最長的詞調。

詞講平仄。其平仄組合與近體詩相近，大都以兩平兩仄相間。唐五代以後的一小部分詞不僅講平仄，還要論平、上、去、入四聲，特別在詞的轉折、結尾等緊要處，必須嚴格遵守所規定的字聲。

詞也要押韻。從整體上說，詞的用韻比近體詩要寬。詞韻可以互相通轉，又可以四聲通協和借協方音。但具體到每一詞調，對於用韻則都有嚴格細密的規定，不同詞調有不同要求，是要嚴格遵守的。

詞體的一個突出特點是長短句的句式。它打破了舊有詩歌五、七言的基本句式，句式參差不齊，從一字句到十一字句都有，所以詞又有長短句之稱。詞在句式中常使用「領句字」。所

謂「領句字」是在句子結構中起一種特殊作用的字。它用在句子
的開頭，可以是一個字、二個字，也可以是三個字，用來領起後
面的幾個字，或兼領以下一句至兩三句。以一個字爲領句字的稱
「一字逗」，在詞中數量最多。

8. 散曲

　　散曲是元代在北方出現的一種長短句的合樂新詩體。散曲又
稱清曲或清唱，在元、明時代也被稱爲樂府或詞。與「唐詩」、
「宋詞」並稱的「元曲」，包括雜劇和散曲兩部分，它們是兩種
不同的文學體裁。

　　散曲分小令和套數兩種主要形式。小令，在元代又叫「叶
兒」。它是一種單個的曲子，即用一個曲牌，相當於一首單調的
令詞。小令是散曲的基本單位。

　　小令中有一種特殊的體式，叫「帶過曲」。「帶過曲」是把
兩三個宮調相同而音律恰能銜接的曲調聯接起來填寫的曲子，但
最多不超過三個曲調，如〔雁兒落帶過得勝令〕等。小令中還有的
曲調後面有「么篇」（「么」是「後」字的簡字），就是按照原
曲調重覆寫一遍，中間加一「么」字。

　　套數，又稱套曲、散套、大令，是由若干隻曲子互相聯貫組
成的有頭有尾的一整套曲子。它是散曲中的大型體式。套數的組
成要遵守以下一些規則：這些曲子必須屬於同一宮調；全套曲必
須一韻到底，不得中途換韻；全套曲子的排列次序習慣上也有一
定。一般用一、二支小曲開端，中間選用的調數可多可少，少則
二、三調，多則二、三十調。結束時則必須使用「煞調」、「尾
聲」。「煞」曲有時可以連用若干隻，「尾」曲是只能用一曲放
在最後的。套數在開首的一隻曲調前都標明該套曲子所屬宮調。

　　同詞有詞調一樣，曲也有曲調。每個曲調的名稱叫曲牌，規

定著不同曲調的字數、句數、平仄、韻腳等。散曲中常用的曲調有四十左右。曲調都分屬於不同的「宮調」（略等於現代音樂中的調式）。散曲實際常用的只有九個宮調，即五宮四調（正宮、中呂宮、南呂宮、仙呂宮、黃鍾宮、大石調、雙調、商調、越調）。不同的宮調，往往有不同的感情色彩。

散曲與詞的一個很大不同，就是散曲除了每句規定的字數以外，根據所用腔調的許可，可以另外加添或少或多的「襯字」。這些加添的「襯字」是不拘平仄的。襯字的運用解決了固定的曲調與靈活的口語之間的矛盾，使散曲更加接近口語，更加通俗化。

散曲在聲韻方面的要求同詩、詞相比也有它自己的特點。散曲（北曲）的聲律是按照以當時大都（今北京）的語音爲主的北方實際語音制定的，和今天的普通話接近。其特點是沒有入聲，分四聲的陽平、陰平、上聲、去聲。散曲不避仄聲韻，以同一韻部中平仄（四聲）通押爲常規；不避同字押韻（「重韻」）；一韻到底，用韻較密，差不多是每句一韻。

散曲還不避字句重覆；經常出現三句相對的「鼎足對」。其風格一般都潑辣，詼諧，奔放，質樸。

(二)駢體文

駢體文是中國特有的一種以字句兩兩相對而成篇章的文體。它又有駢偶、駢儷、對仗、四六等名稱。

駢體文起源於古代民謠諺語中對偶的修辭方法。它醞釀於兩漢，確立於魏晉，至六朝達到鼎盛階段，在當時整個文壇上佔據了壓倒性的優勢。到了隋唐之初，其餘風尚熾。待至以唐宋八大家爲代表的「古文」出現之後，駢體文才完全失去了它的聲勢和地位。唐宋以後至明清之世，雖然在公文、應酬文等領域還有人

寫作駢體文，但那已經是强弩之末了。

　　駢體文的基本特徵，是語句方面的駢偶（對仗）和四六。駢偶、對仗，都是兩兩相對的意思。駢體文一般是用平行的二句話，兩兩配對，直到篇末。駢偶（對仗）的原則是：除了句首句尾的虛詞以及共有的句子成分外，上下聯的句法結構和詞性都相互配對。句法結構相對，即主語對主語、謂語對謂語、賓語對賓語等。詞性相對，即名詞對名詞、動詞對動詞、形容詞對形容詞等。在這一原則的要求下，駢文上、下聯的字數必然就是相等的。初期的駢體文，並不十分講究對仗的工整。後期的駢體文，則不僅要求對仗，而且要求分別「事類」，對得工整。一般說來要用同類的事物，相近的概念作爲對仗。比如：天對地、日對月、好對惡、夏暑對秋陰、看山對望水，佳菊對麗蘭等等。專名對專名，數目對數目，顏色對顏色，不一而足。

　　駢體文在句式上多以四字句和六字句爲主，所以它有「四六文」之稱。這種四六格式，在劉宋時代已具雛形，齊梁以後完全形成，至唐宋以後則完全定型化了。爲對仗所決定，「四六」的基本結構有五種：

　　(1)四字句對四字句，如：「石林萬仞，巖邑千重。」（駱賓王《兵部奏姚州破賊設蒙儉等露布》）

　　(2)六字句對六字句，如：「窮者欲達其言，勞者須歌其事」。（庾信《哀江南賦序》）

　　(3)上四下四對上四下四，如：「兩岸石壁，五色交輝；青林翠竹，四時俱備」。（陶弘景《答謝中書書》）

　　(4)上四下六對上四下六，如：「漁舟唱晚，響窮彭蠡之濱；雁陣驚寒，聲斷衡陽之浦。」（王勃《滕王閣序》）

　　(5)上六下四對上六下四，如：「屈賈誼於長沙，非無聖主；竄梁鴻於海曲，豈乏明時。」（王勃《滕王閣序》）駢文句式除

四、六外，還有五字句、七字句等。

駢體文講究平仄規律。駢文講究平仄，發端於齊梁，形成於初盛唐。它要求以平聲對仄聲，以仄聲對平聲。駢體文可以分爲有韻駢文和無韻駢文兩類。凡用駢體寫的賦、箴、銘、贊、頌、誄等，一般都是有韻的，其它體裁則一般不用韻。

駢體文在詞彙方面的特點是用典和藻飾。駢體文追求「典雅」，滿紙典故。用典可分爲用歷史人物、事跡和用前人詩文、話語等類。在具體運用上又有正用、反用、明用、暗用等多種手法。所謂藻飾，就是把詞藻修飾得很華麗。駢文崇尚文采，主張煉字、煉意，特別喜歡使用色彩極濃、富麗典雅的詞彙。

古人的文章不少是用駢體文寫的。這些駢文雖也有寫得好的，但一般說來，駢體文存在著過分追求形式美和技巧，輕視內容的缺點。

(三)散文

1.論辯體

論辯文，又稱論說文，是議論說明一類文章的總稱。這類文章在古代散文中數量相當多，其範圍包括相當於今天的議論文和說明文兩大類。

我國古代的論說文，源於先秦諸子散文。劉勰認爲，「論」這個名稱是從《論語》得來的。《論語》是孔子及其弟子語錄的集合，《孫子》、《墨子》已初具論說文規模，《莊子》、《荀子》、《韓非子》都是比較成熟的議論文了。漢代以後，議論文一直在不斷地發展，以「說」等名篇的說明文也日益增多。

古代論說文的樣式很多，古人往往從題名和寫作角度的不同，將它們分爲論、辯、原、說、解、釋等體類。這若干體類雖

然各有其一定的特徵，但它們之間的區別往往都不是絕對的。

論，是指著重於論斷事理的議論文，其特徵在於「立」。這類文章的題目有的作論某，有的作某論，其內容包括論政、論史、論學等。現存古籍中的單篇論文，以漢初賈誼的《過秦論》為最早。東漢以後以「論」名篇的文章越來越多，像柳宗元的《封建論》、蘇軾的《留侯論》等不勝枚舉。這些議論文大都根據一個論點進行推理論證，見解精深，邏輯嚴密，說理透闢，語言簡煉，而且講究氣勢充沛，情理兼備。

辨，是議論文中的駁論文，它側重於破。辨體的遠源雖是《孟子》、《莊子》，但它被視為古代論說文中的一體，還是在唐、宋以後。專門以「辨」名篇的駁論文是自韓愈、柳宗元以後才有的，如韓愈的《諱辨》、柳宗元的《桐葉封弟辨》等。這些文章往往通篇都是針對某一主張、某一觀點進行辨駁、辨論的批駁性文字。

辨體還常用於學術辨正方面，如柳宗元的《辨文子》、《辨晏子春秋》等。

「原」是推本求源的意思。原體論說文的特點是「溯原於本始，致用於當今」（《文體明辨》），就是針對現實的某些問題而發，對事物作推究本原的論述，從而表達作者的見解。《呂氏春秋》中的《原道訓》、《文心雕龍》中的《原道》篇等是較早地以「原」名篇的文章。韓愈的「五原」（《原道》、《原性》、《原毀》、《原人》、《原鬼》）是後世公認的原體代表作。

「說」體文近似於今天的說明文。古文中以「說」命名的篇章論著，其內容大都偏重於說明、解釋事理。說體文在韓、柳之後得到了很大發展。像韓愈的《師說》等都是名篇。古人稱為「說」的文章，其內容、寫法、風格都較為靈活多樣，那些屬於生活雜感、讀書心得、筆記之類的雜文性文字常常包括在內，如

宋陳亮的《西銘說》等，其內容都帶有闡釋、解說的性質，行文也較爲自由隨便。

「解」體文「以辨釋疑惑，解剝紛難爲主」（《文體明辨》），是解釋疑難性的文章。古人以爲揚雄的《解嘲》是此體之祖。這類文章可分兩種：一種是《昭明文選》所說的「設論」類。這類文章採用問答的方式，先假設有人提出某種疑問，然後再加以解釋，借以闡發作者的觀點，表達作者的感情，如揚雄的《解嘲》、韓愈的《進學解》等。另有一種，除用「解」名篇外，也多用「釋」名篇。其實，「釋」不過是「解」的別名而已。此類文章一般爲純學術性的小文，是一種爲解釋某類問題或書中的某些語句而作的完全屬於解說性質的文章，如清汪中的《釋三九》。它們雖然名「釋」或名「解」，但與「說」實際上都沒有什麼大的區別。

古代還有一些記載科學技術成就，解釋科學技術原理的文章，雖然它們不是以說、解、釋等標題，但實質上也都屬於說明文一類。如李時珍的《本草綱目》、宋應星的《天工開物》以及散見於各種筆記文中的科技文等。

2. 序跋體

序和跋性質相近，體例略同，它們都主要是對書籍、詩文或字畫、碑帖進行說明的文字，同現在書籍中的前言、後記相似。序跋文是序文和跋文的合稱。

序，又寫作「緒」、「敍」，有時又稱作「引」、「題辭」。序文可分爲三類：

第一類是以說明爲主的說明序文。這一類在序文中數量最多。它以說明書籍等的著作動機、經過、簡介該書的內容、編次體例等爲自己的任務。

第二類是以議論爲主的論說序文。這類序文的作者通過作序，主要是爲了表達、闡述自己的某種觀點主張，如歐陽修的《五代史伶官傳序》。

第三類是以記敍爲主的敍事序文，如李淸照的《金石錄後序》等。這類序文往往是自序文。作者以所序的書爲線索，在序中敍寫自己的生活遭遇及著作情況等。這樣一些序文對讀者閱讀或理解原著往往是很有幫助的。

另外稱作「題辭」（題詞）的序文，主要用來對作品表示讚許、進行評價或者敍述讀後感想，大都用韻文寫作，用散文寫的篇幅也都較短。

序的正式出現始於漢代。司馬遷《史記》的《太史公自序》是目前所見最早的序文。序跋體盛行於宋以後。

序文基本上都是放在一部著作的前面，但初期的序文是放在後面的，如《太史公自序》、《說文解字敍》等，後來像蕭統《文選》等書，序文才移到前面。後世也有把序放在後面的，稱爲「後敍」，但唐、宋以來後序少見，把序文放在前面則是極普遍的。

序的作者可以是書籍或詩文作者本人，也可以是其他人。自序本人的著作，常以「自序」命名。

跋，又稱「題跋」、「跋尾」、「書後」，是寫在著作後面的文字。跋文唐代稱「讀某後」或「讀某」。歐陽修《集古錄》「跋尾」若干篇是最早稱「跋」的文字。

跋文也可以分爲不同的種類。評價性跋文是對所跋的著作進行評價的文字。感想性跋文是記敍讀後感想的。商榷性跋文是對所跋著作中的論點等提出補充、批評或反駁意見的。考證性跋文是對書、文、畫、金石、碑文等的源流、眞僞進行考訂的。這些跋文大都以說明爲主，也有以議論、記敍爲主的。

跋文同序文相比，一般都篇幅較短，內容較少。

3. 奏議體

　　奏議主要是指臣下給帝王的上書，是一種上行公文。起源很早，《尚書》中就已經有這種文體。最早無「奏議」之名，及至戰國時代，臣子向帝王言事都還稱爲「上書」。「秦初定制，改書曰奏」（《文心雕龍‧章表》）。我國古代文獻中的大量奏議文實際都是針對各種具體政事而發的政論文。

　　古代臣子給帝王的上書，有「章」、「奏」、「表」、「議」、「疏」、「封事」、「對策」（「策」）、「奏折」等各種不同的名稱。這些名稱與上書的內容或功用等有關。

　　章，是用來謝恩的。奏，是用來揭發別人的。章、奏之類，公文性較強。表，就是「奏表」、又稱「表文」，是用來陳述衷情的，如諸葛亮的《出師表》、李密的《陳情表》，劉琨的《勸進表》等。南北朝時期的表文保存較多。唐、宋以後，諸如謝恩、勸進、辭免、慶賀、貢物等事項，一般都用「表」。唐、宋以後，表文多用工整的四六文寫作，多爲一般虛應故事的公牘文字。表文，作爲向皇帝上書的公文，是有一定程式的。一般開頭作「臣某言」，結尾作「拜表以聞」或「臣某頓首」之類。

　　議，又稱「駁議」，始於漢代，是朝廷議事時，陳述不同意見的上書，如劉歆的《毀廟議》、柳宗元的《駁復讎議》等，實際上是一種帶有辯論性的政論文。較常見的以「議」名文的上書，還有「諡議」。諡議是一種專門針對議諡時發生的不同意見而寫的奏議。

　　疏，本義是條陳，逐條陳說，如晁錯的《論貴粟疏》。

　　封事，是預防泄漏的意思，是一種機密的奏議，如宋胡詮《戊午上高宗封事》。

　　對策，又簡稱「策」，是奏議的一個附類。它是應舉時由皇帝出題目，應舉者陳述對某一問題的意見。漢代晁錯、董仲舒都

以對策著名。

奏折，是因向帝王奏議所用的紙須經折疊而得名的。

4. 書牘體

書牘，即書信，是一種常用的應用文體。春秋時期我國產生了最早的書牘文。但春秋戰國時期的書牘文，實際上還屬於以政治事物爲主要內容的公文性質。漢代以後它才明顯地成爲私人交往的工具，完全脫離了公文性質，爲我國後世書牘文的發展奠定了基礎。

書信同其它文體相比，其特點是比較明顯的。它是私人之間進行交際的工具，與人們的日常生活緊密相關，具有很大的實用價值。正因爲書信來往於私人之間，所以它較之一般文章，更加帶有個人的以及私人間的感情色彩，更能夠直接披露作者的眞實思想感情。書信所涉及的內容極爲廣泛多樣。生活瑣事、往來應酬、社會民主、政治經濟、學術思想，無所不可涉及，幾乎可以包羅個人生活、社會生活的各個方面。書信的表達方式特別靈活，無成法、無定體，長短不限，紋事、說理、言情都行。書信的具體針對性很強，它是寫給某個特定的人看的，所以它必須根據受信對象的不同，講究寫法、態度、語言的得體。

書信是我國古代文章中的一種獨立的重要的文體，歷代文人學士都很重視書信的寫作。如司馬遷的《報任安書》、曹植的《與楊德祖書》、嵇康的《與山巨源絕交書》、韓愈的《答李翊書》、柳宗元的《賀進士王參元失火書》、王安石《答司馬諫議書》等等，都具有一定的思想、藝術或學術價值，是書信佳作。

書信在古代有其它許多別名，如簡、札、牘、箋、素書、尺牘、尺素、尺翰、函、啓等。

簡、札、牘——古代沒有紙，書信寫於竹片（簡）、木片

（札、牘）之上，因而得名。

　　箋——是古代用以題詠或寫書信的小幅而華貴的紙張，故名，通作「牋」。

　　素書——古人將信寫在白絹（素）上，故名。

　　尺牘、尺素、尺翰——因用以寫書信的版牘、絹帛、筆（翰）約爲一尺左右長而得名。尺牘，後世又用以專指某個作者的書信專集。

　　函——因古代傳遞書信時所使用的封套而得名。

　　啓——陳述。用書信向對方陳述，故舊時書信也稱爲書啓、啓。

---

5. 贈序體

　　贈序文，是專門爲送別親友而寫的文章，與序跋文中的「序」是兩種性質不同的文體。

　　贈序體的興起較遲。古人有贈人以言的習慣。至六朝時，文人常常爲餞別詩作序。這種餞別詩序的性質還是序跋體的序。不過贈序卻是由這種詩序演變而來的。到了唐、宋時代，贈序作爲一種文體，已經很盛行了。

　　贈序文多推重、讚許、勉勵之詞。一般內容是暢敍友情、記述交遊，剖白離別之感，以表示對行者的祝願、安慰或規勸之意。也有一些贈序文，談論時事，抒寫懷抱，表達了作者的某些主張、理想或學術觀點，如韓愈的《送孟冬野序》、《送李願歸盤谷序》等就是。古代一些寫得較好的贈序文，寫法往往靈活多樣，熔敍事、說理、抒情於一爐，思想和藝術成就都較高。

　　唐代也偶有不是爲送別而作的贈序的，如韓愈的《送高閒上人序》、《送王塤秀才序》。

　　贈序中還有一種「壽序」，是專爲祝壽而寫的文章，多諛悅

之詞。這種壽序盛行於明代中葉以後，很多文集裡都有。如明歸有光《震川集》正集、補集有壽序 160 餘篇。

6. 詔令體

　　詔令同奏議一樣，也是一種古代朝臣、官府通常所使用的公文。但二者方向相反。奏議是上行公文；詔令則是下行公文，是帝王給臣民的命令。詔令和奏議這兩類文字在古代都是倍受重視的。

　　詔令最早源於《尚書》中的誓、誥、命。「誓」，用在軍事方面的誓師；「誥」用在政治方面發布政令；「命」用來封爵授官。以後因時代的不同和內容的區別，詔令又有過各種不同的名稱。戰國時稱作「命」和「令」。秦始皇時把「命」改叫「制」，把「令」叫作「詔」，屬於法度方面的命令稱為「制」，向臣下發布命令稱為「詔」。漢朝把皇帝的命令稱作策書、制書、詔書、戒敕。策書，用來封王侯；制書，用於頒布赦命；詔書，用來告百官；戒敕，用來告戒地方州郡。另外漢朝出題試士也稱「策」。皇帝的信叫作「璽書」。唐、宋時把皇帝的「恩詔」稱為「德音」，用來赦免和處理其他事物。

　　皇帝的詔令並非都是他們本人的手筆，經常是由文學侍從之臣用皇帝的口氣代擬的。

　　由於詔令是封建最高統治者對下發布的命令，所以它在內容上、口氣上、款式上都與奏議完全不同。它主要是講要辦什麼，不辦什麼，至於為什麼要這樣辦而不那樣辦，則語焉不詳，甚至完全不提。詔令的口氣強硬，很少有商榷的意思。皇帝的詔令，特別是到了封建時代的後期，還有些開頭結尾的款式，如開頭的「奉天承運皇帝詔曰」，末尾的「欽哉」、「欽此」等。

　　「檄」是詔令的一個附類、別體。它主要用於作戰之前聲討

對方、動員輿論，是古代的一種軍事性文告。它有時也用來徵召和曉諭臣民、部曲。檄插雞羽叫作「羽檄」，表示緊急。檄文又稱「露布」，是明白宣露的意思。檄，不一定是皇帝發出的。檄文在唐以前主要用散文，唐以後則多用韻文。陳琳的《爲袁紹檄豫州》、唐駱賓王的《爲徐敬業討武曌檄》等，都是古代有名的檄文。

「移」，同檄相近似。它也是一種責備、勸諭對方的文書。移雖也用來指斥對方，但它同戰爭無關，是行於內部的。它所責斥的對方不是要用武力打倒的敵人，如劉歆的《移太常博士》、南齊孔稚珪的《北山移文》等。

7. 傳狀體

傳狀文是專門記述個人生平事跡的文章，一般是記述死者的事跡。傳狀文除稱爲傳、狀、傳記之外，還有述、行述、事略、行略、軼事等名稱。我國古代的傳狀體文章大體可分爲兩種。一種是史書上的人物傳記，稱爲「史傳」；一種是史書之外文人學者所寫的散篇傳記，即所謂「私傳」。私傳又包括出於作家之手的一般人物傳記、自傳、行狀、逸事狀和事略等。

以「傳」名篇的傳狀文創自司馬遷的《史記》。《史記》中的列傳、世家、本紀，是在先秦歷史散文的基礎上產生的正式史傳文。《史記》之後，在我國歷代的正史中，史傳文都占有最大的篇幅。在古代一般人的心目中，正史中的列傳占有很高的地位。它基本上是官修。正史中傳記的寫作對象是所謂文臣武將、高士名流、達官貴人。在這類史傳文中，人物的姓名、生卒年、世系、里籍、生平活動以至子孫後代等大都寫得比較全面。

從唐代開始，一般作家文人所寫的人物傳記逐漸增多，成爲傳狀文中的一體。這些人物傳記，有的同今天的人物傳記相同，

有的則類似於今天的人物通訊或報告文學。他們大都是作家受到傳主某些事跡的啓發、教育，有所感而寫。它同史傳文的區別主要在於：這些人物傳記的對象，主要是下層社會的一些不知名的人物，在寫法上也不拘於一般史傳的舊格套，而只是專注於其事跡的某個重要方面或特異部分，如韓愈的《圬者王承福傳》、柳宗元的《種樹郭橐駝傳》、清侯方域的《李姬傳》等。

「自傳」是傳狀文之一種，有的以「自傳」名篇，有的不以「自傳」名篇，還有的甚至不用第一人稱來寫。這些自傳文，於敍述生平之中，往往偏重於理想和懷抱的抒寫，如陶淵明的《五柳先生傳》，歐陽修的《六一居士傳》、清邵長蘅的《青門老圃傳》等，都行文暢達、情趣並茂。

以「行狀」、「狀」名篇的傳狀文始自漢丞相倉勞傅幹所作的《楊原伯行狀》。行狀，又名述、行述。它具有以下一些特殊用途：一是提供給禮官，向朝廷爲死者請求謚號；二是提供給「史館」，請求在史書中爲死者立傳；三是出於請人給死者撰寫墓誌銘文的目的而寫。後來的大量行狀文都是出於第三種需要而作。行狀文，實際上是關於死者生平事跡的原始素材、資料，一般出於死者的親屬、朋友、門生之手。行狀文有一定的要求和格式。它要求對死者的生平事跡作比較詳盡全面的介紹，以供取材。行狀文在文末還要寫明撰寫送交的目的或撰寫原委，如李翶的《韓文公行狀》最末一句是：「謹具任官事迹如前，請牒考功下太常定謚，並牒史館，謹狀。」說明此狀是爲了進呈朝廷和史館，請求爲韓愈定謚號和立傳而寫。

逸事狀，是行狀的一種變體。逸事，即軼事，指散逸之事。它不像正式行狀那樣全面介紹死者的生平事跡，而僅記死者的某些逸事軼聞，如柳宗元的《段太尉逸事狀》。

另外還有「事略」一體。名爲「事略」的文章，有的以記人

為主，有的以記事為主。其中以記人為主的就是一種傳狀體文章，如明歸有光《震川集》中有《先妣事略》一文，記載了其母親的生平。以記事為主的，如宋王偁《東都事略》，記載了北宋九朝的事跡。它們之所以名為「事略」，是表示地位要低於正史、國史的意思。

《傳狀文》，無論是史傳還是其它一般傳記，內容一般都比較真實，保存了不少的歷史資料，具有一定的史學價值。但也有由於作者阿諛權貴或獵奇而違背歷史真實的情況。有時傳狀文還具有文學價值。

8. 碑誌體

碑誌文，又稱碑文、碑銘，是指具有一定體制的刻在石碑上的文章。誌，又作志，是記載的意思。碑誌，即用石碑記事之意。銘，是銘刻。碑銘，即用石碑刻字的意思。碑誌文是由殷商時代在銅器彝鼎等類器物上刻字記事轉化發展而來的一種記事文體。現存最早的刻石碑文，是秦代李斯用韻文寫的為秦始皇歌功頌德的碑文。漢代以後，碑誌文形成了前有誌（序），後有銘的基本體式。誌（序），是碑文前一部分用散體寫成的較長的文字。銘，是碑文後一部分用韻文寫成的頌贊文字。碑文雖有誌、銘兩部分，但實際上誌是主體。從語言風格講，碑誌文一般都比較典雅、樸素、凝煉、莊重。

古代的碑文，按其用途和內容大致可分三種：功德碑文、工程紀念碑文、墓碑文。功德碑文，是記述功德的碑文。這類碑文，或歌頌封建帝王的功德，或記載名將大臣的偉業等等，往往摻雜虛誇成分。古代興建、改建宮室、廟宇、廳堂以及進行其它土木、水利建築工程時，往往立碑以記其興建緣起、經過、規模和主其事者等情況。這類碑文就是工程紀念碑文。其中神廟碑

文，如唐代王勃的《益州錦竹縣武都山淨惠寺碑》；水利碑文，如白居易的《錢唐湖石記》等。

古代的墓碑主要是死者家屬為紀念死去的親人而立。墓碑文在古代碑文中數量最大。墓碑文可分為兩種：一種是埋於地下的，稱墓誌銘，又稱葬誌、誌文、墳記、壙誌、壙銘、槨銘、埋銘等。另一種是立於地上的，稱墓碑文、碑碣文、墓表文，後世常用墓表文作此類碑文的總稱。

墓誌銘的基本體制是：前有一篇「志（銘）」，即記述死者生平的傳記，按照體例它應包括：死者的世系、名字、爵位、行治、壽年、卒葬月日、子孫大略和葬地等事項。後有一篇對死者進行褒揚頌贊的銘文。

墓誌銘還有一些別體。有的在誌和銘前又另外加序，稱「墓誌銘並序」；有的有誌無銘；有的有銘無誌；有的題作誌而卻是銘；有的題作銘而卻是誌。

另外，由於墓葬時情況以及墓碑所用材料等一些原因的不同，墓誌銘還有一些別名。明代徐師曾在《文體明辨》中說：「其未葬而權厝者曰權厝誌，曰誌某；殯後葬而再誌者曰續誌，曰後誌；歿於他所而歸葬者曰歸祔誌；葬於他所而後遷者曰遷祔誌。刻於蓋者曰蓋石文；刻於磚者曰墓磚記，曰墓磚銘；書於木版者曰墳版文，曰墓版文」。僧尼的墓誌銘稱塔銘、塔記。

墓誌銘因為埋於地下，所以文辭寫得比較簡要。

墓碑文、墓碣文、墓表文其內容和體式與墓誌銘相同，只是因為立在地上供人觀看，所以寫得詳細，篇幅長。它們的區別就在於，官階不同，碑文的題名不同；不同官階所用石碑的形狀、高低也不同。其中墓碑文、墓碣文是必須具有一定官階的人才能用的；墓表文則有官無官都可用。

墓碑文、墓碣文、墓表文還有神道碑文、墓神道碑、神道碑

銘的名稱。神道，就是墓道，意思是神行走的道路。古代所謂的
風水先生（堪輿家）認爲墳墓的東南爲「神道」，碑立在神道
上，所以墓表文又有神道碑銘的名稱。

9. 雜記體

　　雜記文主要指以「記」名篇的一類文章。它是以敍事、記事
爲主的文體，範圍幾乎包括了傳狀、碑誌、敍記以外的一切記敍
文。我國古代的雜記文內容「雜」，具體類別常常不易截然劃
分。曾國藩在《經史百家雜鈔》中將它分爲四類，林琴南在《春香
齋論文》中將它分爲六類。參考曾、林分法，可將雜記大體分爲
四類：亭臺名勝記、遊覽山水記、圖畫器物記、人物事件記。

　　(1)**亭臺名勝記**

　　亭臺名勝記可包括建築物記和歷史名勝記二種，是指那些以
記敍亭臺樓閣、名勝古跡的營建、修葺過程、歷史沿革以及作者
的議論感慨爲內容的記文。這類記文無論是以建築物爲對象，或
以歷史名勝爲對象，在行文上都比較隨便，不拘於一定的寫法。
一般是刻石的，但卻不是碑文那種前有序、後有銘的體式，也不
像碑文那樣以歌功頌德爲目的，如韓愈的《新修滕王閣記》、范仲
淹的《岳陽樓記》、曾鞏的《墨池記》等。

　　(2)**遊覽山水記**

　　遊覽山水記，是指以記敍作者遊歷名山大川的所見所聞和切
身感受爲主要內容的專門記遊的文章。柳宗元的《永州八記》是此
類遊記的開山作。遊覽山水的記文又可分爲三種體式：自由體、
日記體、地理考察體。

　　自由體記文在形式上不受限制，寫法靈活多樣。有的專寫山
川勝景；有的寫景兼抒情，富於詩情畫意；有的記遊、議論融爲
一體，富有理趣。

　　日記體遊記是南宋以後發展起來的。它同自由體的區別在於：要按照日子記寫，如徐宏祖的《徐霞客遊記》。

　　地理考察體同前兩體的區別是在內容上。這類記文主要著重於水文、地貌、地理位置沿革等方面的考察，是屬於地理學範疇的著作。

　　(3)圖畫器物記

　　圖畫器物記可分爲圖畫記和器物記二種，是記述、說明圖畫的內容、物件的形狀以及它們的其它特點和得失等情況的文章。圖畫記文，有的以記畫的內容、得失爲主，近於爲畫作題跋。有的因畫立論，具有畫論性質；有的借畫抒情，頗似文學小品。器物記中記古器物的文章，一般與古金石題跋無大區別。

　　(4)人物事件記

　　人物事件記又可略分爲人物記和事件記兩種，是專以記人或敍事爲內容的文章。這些人和事，有的較瑣細，有的奇駭，不入正傳，而又有一定的記載價值。這類雜記有的是純粹記事的實用體散文，有的則具有一定的文學色彩。

　　唐、宋以後，還有一種稱爲「廳壁記」或「廳壁題名記」的文章。廳壁，是指官府的牆壁。這類寫於「廳壁」上的文字，記述「官秩創置及遷授始末」（封演《封氏聞見記》卷5），是一種記錄官府歷任官員姓名、經歷、政迹等情況的官樣記事文字。其所以題於廳壁是爲了用來供後人借鑒參考。廳壁記一般都記事詳細，對事實不虛誇修飾。有些廳壁記還諷刺時政或闡發自己的某些觀點見解，寫得既不失廳壁體制又別具一格。

　　┌─────────┐
　　│ **10. 箴銘體** │
　　└─────────┘

　　箴銘體實際可分爲箴、銘兩體。箴、銘兩體相通的地方在於：箴文和大部分銘文的內容性質，都是在品德、行爲等方面提

出警戒，勸勉的。它們的主要區別是：箴文全是用以警戒勸勉的，銘文有些可以用來頌贊。箴以警戒別人為主，銘以自我警戒為主。銘一般是刻鑄於器物金石等之上的，而箴則不是。

(1)箴體文

箴，是警戒、規勸的意思。古代的箴體文，又稱戒文、規文。箴有「官箴」、「私箴」二類。官箴文，是臣下對君王或其他上層執政官員所作的勸諫性文字。《左傳‧襄公四年》轉錄的《虞箴》是目前所見最早最完整的官箴文。唐、宋以後此類箴文已屬少見。私箴文的內容主要是通過自我揭露和自我剖析，以圖自警自戒。它也用來在臣子同僚之間互相規諫和警戒一般世俗之人。私箴如韓愈的《五箴》、柳宗元的《敵戒》都是名篇。

箴體文，一般前有序，後有箴辭。序用散體，箴辭用韻語，以四言為主，兼以雜言。

(2)銘體文

銘體文大略可分四類：器物銘、山川銘、居室銘、座右銘。

器物銘，是勒刻或題寫在身邊日常器物上的文字。山川銘，是立石勒刻於某些名山大川的文字。這兩類銘文都包含著兩種不同性質的內容。一種是警戒性的，與箴文性質相同；一種是頌贊性的，即詠物、贊景、以物寓意，這類內容性質實與贊體相通。

居室銘，是勒刻或題寫在居室屋壁上的銘文，有自題，也有請人代作的。座右銘是勒刻或題寫在身旁座右的文字。這兩類銘文的內容都是勸勉、規戒自己。特別是座右銘，是自戒銘文中相當流行的一種。

銘文主要習慣於用四言、韻語。一般都具有文句簡煉、用意深遠、語言溫和圓潤的風格特點。

11. 頌贊體

頌和贊是兩種相近的文體，都是歌功頌德的作品，一般是對

別人的歌頌和讚揚。

(1)頌體文

頌體文以「頌」名篇。「頌」的名稱來自《詩經》「六義」之一的「頌」。頌的特點是「美盛德而述形容」（《文心雕龍・頌贊》），就是通過形容狀貌來讚美盛德。它最初只是用來歌頌帝王、貴族的功德，後來對於功臣以及其他事物都可以歌頌。魏晉時期有的頌體文，雖以歌頌為主，但也有貶抑之詞在內，褒貶相雜，如陸機的《漢高祖功臣頌》。

頌體文，有的只是「頌」文本身，有的頌前還有序，序用散文。如東漢崔瑗的《南陽文學頌》、蔡邕的《京兆樊惠渠頌》，序文都寫得很長，篇幅超過了頌文。後來頌前的序文都寫得比較短，如唐代元結的《大唐中興頌》。

初期的頌體文有的用韻文，四字一句，如西漢揚雄的《趙充國頌》、東漢史考山的《出師頌》。有的也用散文，如東漢班固的《車騎將竇北征頌》、傅毅的《西征頌》。後來的頌則一般從頭到尾都是韻文，如韓愈的《子產不毀鄉校頌》。

(2)贊體文

贊，也寫作「讚」，本義是對事物的贊美、頌揚。贊體始自漢代司馬相如的《荊軻贊》。

明代徐師曾在《文體明辨》中將贊體文分為三類：「一曰雜贊，意專褒美，若諸集所載人物、文章、書畫諸贊是也。二曰哀贊，哀人之沒而述德以贊之者也。三曰史贊，詞兼褒貶，若《史記索隱》、東漢、晉書諸贊是也」。

贊的篇幅一般都短促不長，用四言句子，一般在一、二十句左右，全篇用韻。個別的贊也有有序的（散文），如柳宗元的《伊尹五就桀贊》，但韻語仍是全篇的主體。

　　贊體文後來也用於評述。古人的許多文史著作，都在結尾處附以贊語，用來總結全篇。這即是所謂「史贊」，如劉勰的《文心雕龍》每篇末尾的「贊曰」就是。這種贊也是用韻的。

　　頌文要求寫得內容典雅，文辭明麗，嚴肅莊重。贊文也要求寫得簡明扼要，清楚明白。

　　頌、贊之文往往有虛誇的特點。

12. 哀祭體

　　哀祭體包括古文中以「祭」、「弔」、「誄」、「哀」、「告」、「祝」等題名的文章，除祝文外，都是哀悼死者的文字。

　　祭文是為祭奠亡親故友而寫的哀悼文字。它雖然也追記死者的生平並稱頌死者，但內容是偏重於對死者的追悼哀痛，多帶有較濃的感情色彩。祭文是設祭時拿來宣讀的，所以一般都有一個表示祭享的格式。如開頭都有某年月日，某某致祭的話，結尾則是「嗚呼哀哉！尚饗！」一類語言。祭文有散文、有韻語、有駢語；而韻語之中，又有散文、四言、六言、雜言、騷體、駢體的不同。

　　弔，最早是慰問遭遇凶喪災禍的生者，是一種口頭上的慰問。後來從慰問生者轉為哀悼死者，都寫成書面弔文。弔這種文體主要指後一種。弔文還用來憑弔古跡。弔文一般偏重於憑弔之意，大都是借憑弔古人古跡以抒發個人情懷的作品。

　　誄文是一種哀悼死者並稱述其功德的作品。在最初的時候它有二個特點：

　　一是賤不誄貴，幼不誄長，即只能用於上哀下。

　　二是「累列生時行跡，讀之以作諡」（《禮記‧曾子問》鄭注），具有為死者定諡的功用。目前所見最早的誄文，是《左

傳·哀公十六年》所載的魯哀公誄孔子文。由於文體的演變，後來誄不但可用於平行之間，也可用於下誄上，定諡的功用也沒有了。誄文一般都先敍述世系、行跡，末尾部分寄寓哀傷之意。前一部分內容與傳體同，後一部分內容則類似頌體。

哀辭，又稱哀文。它的寫作對象只限於未成年而夭折的小孩和身遭不幸而暴亡的人。哀辭一般前有序，記其生前才德及死因。後用韻語，或四言，或騷體，抒發對死者的哀悼之情。哀辭始自東漢班固的《梁氏哀辭》。

告，是告祭的意思。告文主要適用於晚輩對祖先或先師的祭禱。

祝文是一種祭神之詞。最初的祝文可分兩類：告神求福的稱為「祝」，告神咒敵的稱為「詛」。後來，舉凡祭告天地、山川、社稷、宗廟的祭神文字都稱為「祝」。祝詞於祭奠時宣讀，所以也有一定的表示祭享的格式。

另外，哀悼死者的文章還有用哭某、悼某、葬某、奠某、悲某等名稱的。

13.典志體

典志體，是記載古代各種典章制度史和地方史的歷史散文。

記載各種典章制度的文章出現得很早。這類文章有的屬於二十四史等史書，有的不屬於。如《禮記》中的《王制》、《月令》、《明堂位》等，又如《史記》中的「八書」、《漢書》的「十志」等。

典誌體史書，如「十通」及各種會要，會典等，源於正史中的「書」、「志」。唐代劉秩《政典》的出現，標誌著政書（封建時代的圖書分類法、把「十通」和會要、會典等歸入史部政書類）這種體裁正式誕生。

從唐代杜佑《通典》到清末劉錦藻的《清朝續文獻通考》，一共

產生了「十通」。十通是通史性的政書，是政書的主流。「會要」創始於唐代蘇冕所撰九朝（自高祖至德宗）的會要。「會典」為會要的別體。它們都是斷代的政書。會要一般是私人編纂，會典一般是官修。會要採用以類相從、分門編纂的方法。會典採用以職官為綱的編纂方法。政書把各種有關典章制度的材料加以組織熔煉，使之成為一個完整的有機體，從而或貫通古今，或專注一代，對各個朝代的典章制度及其損益沿革，做出了比較有系統的說明。

這些政書的一個顯著特點，是有系統地分門別類地對史料進行排比、整理、編纂。如《通典》分為 8 門，《文獻通考》分為 24 考。這樣詳細科學的分類，次序清楚，條理井然，裡面包含著編纂者對眾多史料的融會貫通和重新組織，與類書只是排比資料，述而不作，顯然是有極大區別的。

這些政書的另一特點，是以說明的語言為主，文字簡潔、樸實。

地方志書（方志）是記載地方史的史書。各種地方史資料有分屬於二十四史的，如各史的《地理志》，也有獨立成書的。方志主要指後者。方志可分為兩類：全國性的統志和州郡志。方志中以省為單位的常稱「通志」。通志的體例大體有二種：一種和統志相同，分一地為若干目；一種是「地方史」式的，立有紀、傳、表、志、略、錄等款。宋代開始，方志的編製體例日趨完備和標準化，舉凡輿圖、疆域、山川、名勝、建置、職官、賦稅、物產、鄉里、風俗、人物、方技、金石、藝文、災異等各方面的資料無所不包。

方志也具有分門別類、以說明語言為主等特點。

14. 敘記體

敍記體，指的是以歷史事件爲記敍中心的歷史散文。我國傳統所說的史書的體裁可分三大類：紀傳體、編年體和紀事本末體。二十四史是以人物爲中心的紀傳體，屬傳狀散文一類。敍記體指的則是編年體和紀事本末體這兩體史書。

編年體是一種按年、月、日順序，以年月爲經、以史事爲緯，編寫史書的體裁。《春秋》和《竹書紀年》是我國最早的編年體史書。東漢荀悅的《漢紀》及以後的《資治通鑒》及歷朝起居注和實錄等史書用的都是這種體裁。編年體有斷代編年體和通史編年體兩種。前者如《漢紀》，後者如《資治通鑒》。編年體容易從橫的方面看出同一時期發生的事件及其聯繫，可以說是一種內容更加複雜、詳細的大事年表。但它將一件事分割在幾年中記載，歷史發展縱的方面缺乏聯貫，不便於察考。

紀事本末體是以歷史事件爲綱的史書體裁。南宋袁樞的《通鑒紀事本末》開創了紀事本末體。之後明代陳邦瞻的《宋史紀事本末》、《元史紀事本末》以及清代高士奇的《左傳紀事本末》等等，都屬此體。

紀事本末體可以說是綜合紀傳體和編年體而產生的一種體裁。其特點是將重要史事分別列目、自爲標題、獨立成篇、記述事件的始末，各篇按年月日的順序編寫，將某一歷史事件的起因、經過和結果都交代得很清楚。這樣就吸取了紀傳、編年兩體的長處。其缺點是，往往不能照顧好同一時期發生的各個事件之間的聯繫。

(四)語體文

1. 語錄體

語錄體是指記錄講學、論政、傳教、交際等方面問答的文

字。因爲這些文字是用所謂俗語、俚語，即口語來記錄，不重文字修飾，所以稱爲語錄體。

《論語》是我國最早的語錄體散文著作。它主要是記載孔子的言行的，約成書於戰國初期。《墨子》、《孟子》等書也基本上是語錄體。《論語》等書雖是語錄體，但它們並未以「語錄」二字命名。《舊唐書·經籍志(上)》《雜史類》所載孔思尚《宋齊語錄》一書，爲用「語錄」二字作爲書名之始。

唐代僧徒記錄其師講法之語，因大多是用口語，所以也稱爲「語錄」。如宋代釋道原所輯《景德傳燈錄》（燈能指明破暗，佛家常用燈比喻佛法，稱傳法爲「傳燈」）30卷，書中專記佛教禪宗各家語錄。

後來理學家的門人弟子也用語錄體來記錄其師有關哲學、政治等方面的講學之語。如《宋史·藝文志》曾著錄程頤《語錄》2卷、朱熹《語錄》43卷等。

另外，古代凡奉使、伴使，也要用語錄體將出使時所講的話記錄下來，並送存於朝廷。如宋代倪思有《重明節館伴語錄》。

2. 筆記體

筆記是用散文隨筆記錄的零星瑣碎的短文的總稱。用「筆記」二字作書名，始於北宋宋祁，他著有《筆記》3卷。古代筆記文還有一些其他名稱，如叢談、雜俎、瑣言、漫鈔、隨筆等。

筆記的內容很雜，不拘類別，有聞即錄，寫什麼均無不可，以記瑣事趣聞最爲常見。如果將其粗略分類，大致有三：

第一是小說故事類的筆記。都是些情節簡單、篇幅短小的故事，帶有小說的味道。其早期作品是唐、宋以來短篇小說的前身，而這種簡樸的樣式，後世仍然沿用了下來。爲了區別於近代的小說，人們又稱之爲「筆記小說」。像《搜神記》、《世說新語》

等志怪、軼事故事小說均屬此類。

第二是歷史瑣聞類筆記。魏晉以來記野史、談掌故、輯文獻的雜錄、叢談等都屬於這一類。如《西京雜記》、《志林》等。

第三是考據、辯證類的筆記。魏晉以來的讀書隨筆、札記均是。

第二、第三兩類的內容極爲複雜，舉凡天文、地理、文學、藝術、經史子集、典章制度、風俗民情、軼聞瑣事以及神鬼、怪異、醫卜星相等等，幾乎無所不包。

上面的分類僅能畫個粗略的眉目。事實上，一本筆記，甚至一則記載裡，也有雜有以上三類內容的。按照約定俗成的觀念，內容越雜，越屬於筆記體的正格。

小說故事類與歷史瑣聞類的筆記，淵源於先秦而形成於魏、晉。考據辯證類的筆記，始於漢代而發展於唐、宋。筆記一體，至明、清而極盛。

❖筆記體的形式特點有以下幾點：

一是「散」。筆記體思想束縛較少，信筆爲之，不拘一格，似乎不受任何文體的束縛，是個「四不像」，而又能自成一體。

二是短小精悍。筆記文一般都文字概括簡潔，敘事則粗陳梗概，記人則多採片斷，不事渲染鋪陳，節奏明快單純。

三是語言通俗易懂。筆記文多以淺近的文言寫作，並常常將口語融入文言中，質樸雋永，較之正規古文自然活脫得多。在筆記文中幽默、風趣又帶有一定諷刺力的通俗語言，觸目皆是，大都使人讀後產生一種輕鬆之感。

3. 章回體

章回體是我國古代白話長篇小說的唯一體裁。它是由宋、元講史話本發展而來的。其體制特徵如下：

一是分回標目

宋、元說話藝人演說有關歷代興亡和戰爭等完整的長篇故事，需要連續講若干次才能講完。每講一次就等於小說的一回。每次的篇幅長短大致相等，顯得十分整齊勻稱。在每次講說以前，要用一個題目向聽眾揭示主要內容。這就是章回體回目的起源。元末明初章回體長篇小說正式形式。最初的章回體長篇小說，一般都明確分為若干卷，每卷又分為若干節，每節前都有一個標題，標題一般是單句的。如羅貫中的《三國志通俗演義》，全書分為 24 卷，每卷 10 節，其第一卷第一節的標題為「祭天地桃園結義」。

至明代中葉，章回體長篇小說已發展得更加成熟。它已明確分為若干回，回目也由單句發展成為參差不齊的雙句，最後成為對仗工整的偶句。如清初毛宗崗評本的《三國演義》等。

二是應用白話

章回體接受話本的影響，大多用的是純熟流利的白話文，如《水滸傳》、《西遊記》、《金瓶梅》等。個別的如《三國演義》，也是白話中夾用通俗的文言，半白半文。

另外，章回體長篇小說在敘事中還常帶穿插一些詩詞等。

三是故事連貫

章回體是一種具有中國民族特點的敘事體。它要求長篇小說具有嚴格的可敘述性，就是要情節連貫、故事完整、意象明朗，頭緒盡量不紛繁。

四是運用開場詩與散場詩

在宋、元整部講史話本的開端和篇末，通常都有一、二首七絕或七律詩。用在開端的稱「開場詩」；用在篇末的稱「散場詩」。後來的章回體長篇歷史小說等也襲用了這種體制。如《三國志通俗演義》全書篇末有一篇「古風」，《水滸全傳》篇末有七

律二首。這些詩或用以總結全書內容，或用作評論以爲借鑒敎訓，往往用得恰到好處。

　　章回體分回標目等體制特點也爲一些短篇小說套用。像「三言」、「二拍」中的小說，也加上了第幾回的標目，甚或採用偶句回目。因此「章回小說」幾乎又成了中國舊白話小說的別稱。

三、歷代文體專著介紹

(1)《文章流別集》、《文章流別志論》

　　《文章流別集》41卷、《文章流別志論》2卷，晉代摯虞撰。摯虞（？——311），字仲洽，京兆長安人。晉泰始年間擧賢良，拜中郎。官至太常卿。遭亂餓死。

　　《文章流別集》是一部按各類文體選輯的文章選集。

　　《文章流別志論》是我國古代的第一部文體論專著。《晉書·摯虞傳》說：「虞撰《文章志》4卷……又撰《古文章類聚》，區分爲30卷，名曰《流別集》，各爲之論」。據此，「論」可能原來附於集中，後來又摘出別行。這兩部書，均已亡佚。

　　從《藝文類聚》和《太平御覽》保存的片斷佚文看，《文章流別志論》在占有大量歷史資料的基礎上，對各類文體的性質、體制特點、來源及歷史演變等問題，都作了比較細緻的研究，表現出了一定的科學性，所以《晉書·摯虞傳》說它「辭理愜當，爲世所重」，《隋書·經籍志》說它「各爲條貫而論之」。《文章流別志論》究竟分了多少種文體，說法不一。現存佚文中，至少論列了：頌、賦、詩、七、箴、銘、誄、哀、辭、解嘲、碑、圖讖十幾類文體，可見摯虞是把文章體裁區分得相當細的。

　　摯虞之前，曹丕的《典論·論文》，陸機的《文賦》已經涉及到

了文體論。《文章流別志論》則是我國古代文體論進一步發展的重要標誌。劉勰《文心雕龍》中的不少材料和論點都引自《文章流別志論》，由此可以看出這一著作的影響。

清人嚴可均《全上古三代秦漢三國六朝文》卷 77，輯有此書佚文。

(2)《文章緣起》

此書又名《文章始》，1 卷，是一部文體論著作。舊本題南朝梁任昉撰。內容主要是論述各類文體的起源，包括：詩、騷、賦、歌、詔、策、表、書、奏、啓、疏、令、論、議、銘、箴、贊、頌、序、引、志、記、碑、誄、誓、檄、傳、訓、弔文、行狀、祝文、圖、勢、約等，共85種文體。雖然論述得很簡單，而且有疏漏謬誤之處，但對認識和辨別各類體裁仍有一定的參考價值。

原本至遲於隋朝就已失傳。《新唐書·藝文志》三，丙部子錄「雜家類」有目，注說「張績補」。有人懷疑現今流傳的本子，可能就是張績補作之書，後人誤認爲是任昉原著。

此書明代陳懋仁曾爲之注釋，清代方熊曾爲之補注，有《學海類編》、《文學津梁》、《國學基本叢書》等版本。

(3)《文心雕龍》

《文心雕龍》是我國現存最早的一部系統闡述文學理論的專書，在文學批評史上占有極其重要的地位，影響極爲深遠。從文體論方面講，這部書比以前所有的文體論著作更爲精密，並且形成了一個周詳的體例，是我國文體論的奠基作。

著者劉勰（約 465～約 520），南朝梁人，字彥和，東莞莒（今山東莒縣）人，世居京口（今江蘇鎭江）。少時家貧好學，

依沙門僧祐居定林寺十餘年。梁初入仕，作過仁威將軍南康王蕭績的記室，還兼任昭明太子蕭統的「東宮通事舍人」。後又回到定林寺整理佛經，出家作和尚，改名慧地。《文心雕龍》的完成，大約在南齊末年（499～502）。

《文心雕龍》，10 卷。全書分上、下篇，各 25 篇，篇末又各繫以「贊」。從「明詩」篇至「書記」篇，計 20 篇，均爲文體論。提到的文體共 33 類：詩、樂府、賦、頌、贊、祝、盟、銘、箴、誄、碑、哀、弔、雜文、諧、隱、史傳、諸子、論、說、詔、策、檄、移、封禪、章、表、奏、啓、議、對、書、記。同時又提出許多細類。這就比曹丕《典論・論文》、陸機《文賦》、摯虞《文章流別志論》和李充《翰林論》諸書的分類更加全面、細緻、完備。

劉勰對每一類文體都進行了深入的探討。這種探討是以下面四項爲綱領的：「原始以表末，釋名以章義，選文以定篇，敷理以舉統」（《序志》篇）。就是論述每一體文章的起源和演變，解釋各種文體名稱的含義，選出各種文體的代表作來加以評定，闡述每種體裁的寫作道路，說明每一體文章的特點、規格和要求。內容豐富、完整、體系嚴密，爲古代文體論開創了一個周詳的體例。

劉勰以有韻與否爲標準，把文章分爲二大類：文（有韻者）和筆（無韻者）。「文」分十類（「明詩」至「諧隱」篇）、「筆」分十類（「史傳」至「書記」篇）。把文和筆放在同等重要的地位分類，在那個重文輕筆的時代，其見識確是高於同時代人的。

《文心雕龍》常把兩種比較近似的文體進行比較，因而能較清晰地說明某種文體的性質和特色。對每類文體的說明，都是和文學發展歷史的敍述，作家作品的評論，寫作方法和要求的闡明等

等，一一結合著。並且對各種體裁的寫作經驗，也作了初步的總結。

所有這些都說明，《文心雕龍》的文體論也確實是「體大而思精」（章學誠《文史通義‧詩話篇》）的，在文體論方面的成就是空前的。

當然，《文心雕龍》的文體論也有它的缺點和局限性。比如：劉勰處處以儒家經典爲唯一準則，徵聖宗經，不把經書包括在文體分類之內。他的論點中雜有不少封建性糟粕，有些釋名是牽強附會的，分類中也有囿名失實的地方，等等。

❖原來爲《文心雕龍》校勘箋釋的學者很多。清代以來較重要者有：

- 《文心雕龍輯注》〔清〕黃叔琳注　紀昀評
- 《文心雕龍札記》　近人黃侃著
- 《文心雕龍注》　范文瀾注
- 《文心雕龍校注拾遺》　楊明照著
- 《文心雕龍校釋》　劉永濟校釋
- 《文心雕龍校證》　王利器校箋

另外，1949 年以來還出版了一些選譯、全譯本。

⎾(4)《文選》⏌

《文選》是我國現存最早的一部詩文選集，舊時列爲「總集」之祖。編選者南朝梁代蕭統（501～531），字德施，南蘭陵（今江蘇常州西北）人。他是梁武帝蕭衍的長子，天監元年（502）立爲皇太子，未繼位而卒，死後諡「昭明」，所以後來又稱《文選》爲《昭明文選》。

今本《文選》計 60 卷，共收周代至六朝梁初七、八百年間130 個知名作者和少數佚名作者的詩文作品 700 餘篇，各種文體

的主要代表作大致具備，先秦至梁各種文體發展的輪廓在這裡也得到了反映。

《文選》又可看作是古代文體論的一部專著。它對後世的文體論，特別是文體分類學，作出了重大貢獻，影響十分深遠。

《文選》對古今文體做了普遍的考察，細加辨析，對當時流傳著的眾多文章，完成了比較全面的分類，這在當時是一件空前的具有創造性的工作。《文選》將所選收的作品分爲 37 種體類：賦、詩、騷、七、詔、册、令、教、策文、表、上書、啓、彈事、牋、奏記、書、檄、對問、設論、辭、序、頌、贊、符命、史論、史述贊、論、連珠、箴、銘、誄、哀、碑文、墓誌、行狀、弔文、祭文。另外還特別對詩、賦類做了更進一步的劃分。當然，《文選》在文體分類上存在著過分拘於作品的名稱、瑣碎雜亂的缺點，甚至誤標題目的情況，也不乏其例。但總的說來，它在文體分類上所作出的開拓性貢獻，是值得充分肯定的。

蕭統不僅在《文選》中對文體進行了實際的分類，在《文選序》中還用很大的篇幅，從理論上對各類文體進行了辨析。他以「事出於沈思，義歸乎翰藻」爲準繩，給文學作品與非文學作品劃出了一條界限，並把它作爲《文選》的選錄標準。他一方面溯源以明「本」，一方面沿流以表「末」，對各類文體的源流、發展，都論述得比較精密，其中的一些觀點，對後來的文體論研究，起到了積極的作用。

《文選》的版本以清代胡克家重刻宋刊本李善注《文選》和四部叢刊宋本《六臣注文選》爲最善。1977 年中華書局將胡刻本縮小影印出版，全三册。

(5)《文苑英華》

宋太宗時李昉等編，1000 卷。這是一部大型的詩文選集。

全書選集了從南朝梁末到晚唐五代的詩文作品近 2 萬篇，作者近 2200 人，其中唐代作品約占百分之九十。

這部總集的選材斷限，內容上繼《文選》，分類編排體例也與《文選》基本相同。它把所收作品分爲38類，但每一大類之中所分的門目，比《文選》更細。這是由於後來文體日增，舊目已不能完全包括的緣故。這些門目雖然比較煩瑣，但從中我們可以看到梁代至晚唐五代這一時期各類文體的發展、演變情況，也還可以看到編選者的文體分類觀點，所以《文苑英華》這部選集對文體分類學是有貢獻的。

這部書卷帙浩繁，輯錄的文獻相當豐富，給後人的輯佚、校勘工作提供了寶貴資料，爲《全唐文》等重要總集所取材。

此書有 1966 年中華書局影印宋刊配明本，精裝六冊。

(6)《文章正宗》

宋眞德秀（1178～1235）編。正、續集各 20 卷。正集選錄《左傳》、《國語》以下至唐末的作品，分辭令、議論、紋事、詩歌四類。續集所選都是北宋文，僅分紋事、議論兩類；末卷議論之文只有目錄而無文章，「蓋未成之本」（《四庫全書總目》卷187）。

《文章正宗》的選文，以「明義理，切實用」爲主，否則辭雖工也不選錄。它著重選錄的是那些「其體本乎古，其指近乎經」（《文章正宗》自序）的作品。編者這些選錄標準，顯然反映了當日道學家的文論、文體論觀點。但《文章正宗》對古代文體分類理論還是有貢獻的。它提出了把文章分爲辭令、議論、紋事、詩歌四大類，是很有見地的，開了後世分門系類的作法。另外，文章選集選錄《左傳》、《國語》這些歷史散文，也是從《文章正宗》開始的，這也應看作是對文體分類的一個貢獻。

本書有宋、元至正及明正德刻本等。

(7)《文體明辨》

總集名。明徐師曾撰，84卷。本書係取明吳訥《文章辨體》加以修訂補充而成。它分體選文，每一文體前都有一篇序說。這些序說，可以說是我國明以前文體論的集大成之作。《文體明辨》在文體搜羅上，比《文章辨體》更為完備，有127類之多（僅詩歌就有25類），較為全面地反映了我國古代文章的各種體類。特別是本書對文體的研究已經達到了相當深入的程度。它把每一文體的來龍去脈、式樣、特點，都敍述得較為詳明、清楚，豐富和發展了我國古代的文體論。

此書卷首有《文章綱領》，分總論、詩論、論文、論詩四類，輯錄歷史作家的評論，對於宋代呂本中、嚴羽，明代七子之說採取較多。

此書有分類煩瑣的缺點，《四庫全書總目》批評它：「千條萬緒，無復體例可求，所謂治絲而棼者歟！」（《四庫全書總目》卷192）

此書有明抄本和萬曆年間刻本。1962年人民出版社出版了羅根澤校點的《文體明辨序說》，專門輯錄該書序說部分，同於北山校點的《文章辨體序說》合為一書印行。

(8)《古文辭類纂》

此書75卷。清人姚鼐（1731～1815）編撰。姚鼐，字姬傳，安徽桐城人，是桐城派的集大成者。

《古文辭類纂》是一部頗有影響的文章選集和文體論著作。該書選錄戰國至清代各大家的有名文章700餘篇。它從文體性質著眼，把歷史上流傳的主要文體作了極簡要的概括，使文章類別大

大簡化了，一改從《文選》開始分類比較煩碎的弊病，從而對文章分類作了很大的改革。該書把前人所分的文體加以分合調整，分為 13 類：論辯、序跋、奏議、書說、贈序、詔令、傳狀、碑誌、書記、箴銘、頌贊、辭賦、哀祭。劃分得比較嚴而精，文章歸屬也較恰當，具有相當的合理性，使我國古代文章分類走上了基本定型的道路。

此書每類文體前，都有一篇小序，簡要清晰地說明了各類文體的性質、特徵、源流演變，豐富了我國古代的文體理論。

這部書也存在一些不足之處。它選錄的範圍不夠寬廣，不收經子史傳和詩賦。入選的作品也有不很精當的，如奏議、碑誌兩類就選得太多。儘管這樣，這部書從當時到清末一直被看成是選文的範本，其文體分類方法也得到了後人較普遍的肯定。就是在今天，它對於我們研究古代文體，仍然有比較重要的參考價值。

此書有清道光、同治年間刻本及《四部備要》本。

(9)《經史百家雜鈔》

文章選集名。26 卷。清代曾國藩編選。姚鼐《古文辭類纂》不選六經，史傳文選取也很少，曾氏認為這樣取材太窄，他編選這部總集的目的，就是要彌補姚氏的不足之處。曾氏所選文章，確實比姚氏為寬，經、史、諸子之文都選。曾氏還以《古文辭類纂》的分類為基礎，將文體合併為 3 門 11 類。著述門：論著、序跋、詞賦；告語門：詔令、奏議、書牘、哀祭；記載門：傳志、敘記、典志、雜記。曾氏的分類更趨簡化，而且把文體列出三大綱，既便於掌握，又易於區分。其中敘記、典志兩類是曾氏新增加的。古文家吳摯甫說：「此二門（指敘記、典志）曾公於姚郎中所定諸類外，特建新類，非大手筆不易辨」（《吳汝綸答嚴幾道書》），對曾氏所立兩體頗為贊許。

　　這部選集雖然有所創新，但從總的體例上看，並未軼出《古文辭類纂》的範圍。《經史百家雜鈔》的分類方法也得到了後人較為普遍的肯定。

（楊佐義）

11 常用工具書

工具書亦稱參考書。所謂工具書，顧名思義，就是作爲工具，專供人們讀書治學時翻檢查考用的書。它是由一定學科或專題的必要資料，按照特定的檢索方式方法，系統編排而成。由於它供人們經常翻檢使用，能夠解決讀書治學中的疑難問題，爲科學研究提供資料或資料線索，大大節省人們的時間和精力，因而學會善於使用工具書就成爲人們讀書治學的一項基本功。

一、工具書的編排方法

要想熟練地使用工具書，必須先熟悉工具書幾種常用的編排方法。

工具書的編排方法，大體可分爲兩大類別：一是類序法，一是字序法。

(一)類序法

類序法可分爲以下幾種：

一是以學科體系編排

有些工具書的內容涉及範圍廣泛，特別是大型的綜合性工具書更是如此，必須按照知識門類，將所包含的內容——詞語或材料，分門別類地加以編排，把性質、屬性相同的內容集中在一起，以便科學研究工作者按學科體系翻檢查考。如《四庫全書總

目》、《中國叢書綜錄》、《中國史學論文索引》等，都使用這種編排法。

二是以事物性質編排

古代的類書和政書，就是按照事物的性質來分類編排的，大體是以天、地、人、事、物爲綱，再分細目。這種編排法不夠精密，不便查找，往往需要深入了解各種類目的含義，才能運用自如。所以後人爲了檢索的方便，就補編了一些輔助索引，另闢蹊徑，通過其他途徑查檢。

三是以內容主題編排

就是把論述一定問題或對象的資料，不論其學科屬性，統統彙集起來，每一主題再按其字頭字順加以編排，這是類序和字序相結合的編排法。它可彌補按學科體系編排法的不足，便於全面廣泛地查檢涉及不同學科領域某一問題的有關資料。近現代編製的一些書目索引之類，多有採用這種編排法的趨勢。

四是以時空概念編排

就是按照事物發生、發展的時空順序進行編排。依照年月日時間先後順序編排的方法，又叫時序法，如《二十史朔閏表》、《中國歷代人物年里碑傳綜表》就是按此法編排的。依照省市縣行政區劃順序編排的方法，又叫地序法，有關查考地理或方志資料的工具書，如《中國地方志綜錄》等都按此法編排。

(二)字序法

字序法，又叫字順法、查字法或檢字法。漢字的字序法可以分爲形序法和音序法兩大類。

1. 形序法

形序法就是按照漢字的形體結構特點加以排列的方法。形序

法主要有部首法、筆數法、筆形法和號碼法四種。

一是部首法。

這是我國流行最久，應用較廣，按照漢字偏旁部件分類排列漢字的方法。漢字的結構，大多數都由若干偏旁部件組成，不能或不易分割的獨體字只占少數。部首法就是分析概括漢字的偏旁部件而得出來的。漢字大多是合體的形聲字，占百分之八十以上。形聲字是由表義的意符——形旁和表音的聲符——聲旁組成。舊的部首法，確定部首，原則上都是取其表義的偏旁作為部首。例如被、裙、裘等表義的偏旁「衣」就是部首，而表音偏旁「皮」「君」「求」就不是部首。會意字，每個偏旁都表義，一般部首都在左，只有少數例外。例如：「吠」入口部，「信」入人部，而「明」入月部，「初」入刀部。各種部首先按筆畫多少排列，同類部首的字再按筆畫多少順序排列。常用的工具書如《康熙字典》、《中華大字典》、舊本《辭源》、《辭海》，以及臺灣的《中文大辭典》等都是採用這種部首法。雖然這種方法沿用已久，能夠反映多數字同部首意義的聯繫，如鳥部字，多為鳥名，魚部字，多為魚名，疒部字多與疾病有關，金部字，多同金屬相連，這在一定意義上具有科學分類的性質，但是由於部首位置不定，數量太多，形態變化大，也有手續繁雜不易掌握等缺點。所以按舊部首法查字，還要注意以下幾點：

A 熟悉部首的位置。

如「銅」、「銀」屬「金」部，部首在左邊；「剝」、「削」屬「刀」部，部首在右邊；「企」、「介」屬「人」部，部首在上邊；「盒」、「盛」屬「皿」部，部首在下邊；「團」、「圓」屬「囗」部，部首在外邊；「中」、「串」屬「丨」部，部首在中間；等等。

B 分辨形體相近的部首。

如「圈」「嚎」分別屬於「囗」部和「口」部，區別大口和小口；「夕」「夊」也分別各自屬於不同的部首。

C 掌握簡化或變形偏旁的原形，應按原形部首筆畫查字。

如偏旁「扌」的原形部首為「手」；「亻」為「人」；「氵」、「水」為「水」等，簡化或變形的偏旁主要有：

簡化偏旁	亻	刂	忄小	㔾	〈〈〈川	彑	扌	攵	灬	氺	⺍	罒	牜
原形部首	人	刀	心	卩	巛	彐	手	攴	水	火	爪		牛

簡化偏旁	犭	王	礻	罒⺲冗冈	月	艹卝	衤	辶	長	阝(左)	阝(右)
原形部首	犬	玉	示	网	肉	艸	衣	辵	長	阜	邑

D 難於確定部首的字，可查難字檢查表，亦簡稱「檢字」。

如「甫」在「用」部，「承」在「手」部，「吏」在「口」部，「民」在「氏」部等，不查檢字表，是難於確定其部首的。

E 按部首法查字，必須先數出部首的筆畫，然後再計除去部首的筆畫。

例如查「煤」字。「火」部四畫，「某」是九畫，即到火部的九畫裡去找。

《康熙字典》、《中華大字典》等還按照部首筆畫的多少，順次編入子、丑、寅、卯、辰、巳、午、未、申、酉、戌、亥十二地支中，即十二集。爲便於掌握，有口訣助記：「一二子中尋，三畫問丑寅；四在卯辰巳，五午六未申；七酉八九戌，其餘亥部存」。

解放後新編的工具書，爲了便於查字，對原部首作了刪、併、分、改、增等方面的調整，改變了從義歸部的原則。依據字形定部，一般採取字的上、下、左、右、外等部位的部件作部

首，左右結構的取左，上下結構的取上，內外結構的取外，上下
左右外部件不明顯的，可取其中座或左上角的部件爲部首。如
「夾」入「大」部，「辦」入「力」部，「世」入「一」部，均
屬取中座；「疑」入「匕」部，「整」入「束」部，「嗣」入
「口」部，均爲取左上角。這就破除了「從義歸部」的傳統辦
法，一般能「見字明部」，比較方便和易於掌握。新編《辭海》等
即採用這種新的部首法編排。

二是筆數法。

也叫筆畫法，就是按照漢字筆畫多少順次編排的方法。把筆
畫數相同的字排在一起，筆數相同的字，再按部首區分。這種方
法和部首法查字的順序正好相反，即先數筆畫，再看部首。

筆數法簡單易學，但查字費時麻煩，有些字的筆畫不易數得
準確，有時可以增減一兩筆，仍可查到，只是速度稍慢一些。

三是筆形法。

又叫筆順法，就是按照漢字書寫起筆筆形分類編排的方法。
有所謂「一」（橫），「、」（點），「丿」（撇），「｜」
（直）次序的「元亨利貞」法，還有「江山千古」（、｜丿一）
法和「寒來暑往」（、一｜丿）法等。現在使用、一｜丿乛（點
橫直撇折）順序的較多。此法比較費時費力，而且遇到異體字，
或筆順習慣不同，那就更困難了。

四是號碼法。

就是把漢字的各種筆形取以代號，再按各個漢字號碼大小順
次編排的方法。號碼法有四角號碼法和中國字庋擷法等，而以四
角號碼法使用最爲普遍。

四角號碼法是根據漢字方塊形狀的特點，以字的四角筆形各
取代號，再按四角組合號碼的大小順次編排的方法。所有漢字的
筆形，可分爲十類，用阿拉伯數字0～9分別表示：

筆形	ㅗ	一ノ ㄴㄴ	ㅣノ ノ ㅣ	丶 丶	十才 七 乂彳	扌戈 キ ≠	口	𠃌 ㄴ𠃌 𠃌 厂	八个 人 ⅄入	小个 ⅄ ㅛㅏ
名稱	頭	橫	垂	點	乂	插	方	角	八	小
號碼	0	1	2	3	4	5	6	7	8	9

　　爲了便於記住筆形號碼，可讀對照口訣：「橫一垂二三點捺，乂四插五方框六，七角八八九是小，點下有橫變零頭。」

　　每字四角號碼的取號方法是：先左上角，次右上角，再左下角，後右下角。例如「浴」字的四角號碼是 3816。

　　要想取號迅速準確，還必須熟悉四角號碼法的一些取角規則：

　　(1)一筆取過一次，再取，則爲 0，例如「大」字爲 4003，「十」字爲 4000。

　　(2)上下有突出之筆，位在中間或右邊，都按左角取號，右角爲 0，如「弓」字爲 1720，「箋」字爲 8850，「宣」字爲 3010。

　　(3)獨立或平行之筆，取左右，不取上下，如「制」字爲 2220，「非」字爲 1111，「市」字爲 0022，「浦」字爲 3312。

　　(4)交叉之筆，取上下，不取左右，如「中」字爲 5000，「功」字爲 1412，「頗」字爲 4128。

　　(5)上有蓋筆，下有托筆，則上取蓋筆，下取托筆，如「幸」字爲 4040，「君」字爲 1760。

　　(6)左上的撇應爲左角，其右角取右上筆，如「句」字 2762「侔」字爲 2325。

　　(7)轉折的筆形，應分別位置，截斷取號，如「乙」字 1771「月」字爲 7722。

　　(8)點下的橫，右方和他筆相連的都作 3，不作 0，如「之」

字 3030，「初」字 3722，但左方與他筆相連的則仍作 0，如「病」字爲 0012。

(9)方形字必須是四邊整齊的封閉形，四邊任何一端延伸於外，則不作 6，而爲 7，中間穿出，可不在此例。如「田」「目」「甲」等字上角均爲 6，「屍」「巴」「皿」等字上角均爲 7。

(10)一筆的上下兩段和他筆構成兩種筆形，可分段取號，如「火」字爲 9080，「木」字爲 4090，「米」字爲 9090，但「大」「天」「水」等字則不能分段取號。

(11)左提鉤爲 7，右提鉤可分別爲 2、4、5，例如「食」字爲 8073，「衣」字爲 0073，而「同」字爲 7722，「守」字爲 3034，「手」字爲 2050。

(12)框形字，指方框字如「因」，門框字如「問」，行框字如「衡」三類，一律上取外，下取內，如「田」字爲 6040，「囚」字爲 6080，「閥」字爲 7725，「關」字爲 7780，「衙」字爲 2160，「衡」字爲 2143。但是，外有附加之筆，則不在此例，如「菌」字爲 4460，「潤」字爲 3712，「蘅」字爲 4422。

(13)爲區別同號碼字，可取右下角上方最露鋒芒之筆作第五角取號，即附角號碼，如「女」爲 4040_0，「幸」爲 4040_1，「支」爲 4040_7 等。

熟悉四角號碼法，用來查檢工具書，方便迅速，但因取號規則繁雜，卻不易準確熟練掌握，如能多翻多查，反覆實踐，亦可熟能生巧，運用自如。近年來，由於大陸採用簡化漢字，字形變化較大，對舊的四角號碼法進行適當的調整和改良，但只要我們熟悉舊法，對新法稍加辨別，也就能很快掌握。

2.音序法

音序法，這是按漢字字音排列漢字的方法。過去以韻目為序和以注音字母為序，現在則以漢語拼音字母為序。

一是韻目順序法

也叫韻母順序法和韻部排檢法。這是古代按音排列漢字的一種檢字法。

按韻編排，對懂得古韻的人來說，較易檢索，現在一般人難於掌握。不過可借助《中華大字典》和舊本《辭源》、《辭海》查出單字的韻屬，然後再按韻查字，也可利用有關的輔助索引改變檢索途徑查找。

二是注音字母順序法

即按照ㄅㄆㄇㄈ……等三十七個注音字母之順序排列的方法，此法今僅在臺灣地區使用。

三是漢語拼音字母順序法

就是按照 abcde……二十六個漢語拼音字母順序排列漢字的方法。此法比較科學，已為大家所掌握。不過此法也有局限，對那些不認識讀音的漢字就無法查檢，普通話說得不好的人，也有查不準的困難。

綜上所述，以上各種編排法，各有所長，也各有所短，我們只有學會和熟悉多種編排法，才能有效地利用各種工具書，提高運用工具書的能力。

古籍整理研究工作，經常會遇到哪些方面的問題？解決這些問題又需要查考哪些工具書呢？

二、查文字

(一)常用字

　　漢字是隨著時代的發展而逐漸增多的，直到目前，字數大體上有六萬左右，其中絕大多數已經不用了，常用的大約六千，只占總數的十分之一。古漢語常用字大體也是這個數字，只是其範圍不同罷了。查找常用字，主要是利用常用字字典，這類字典收字大多在七千到一萬之間，釋文簡明扼要，通俗易懂，體例嚴謹，查找使用，較為方便。

《新華字典》

　　1979 年修訂本，商務印書館 1980 年版，是我國流行最廣的常用字字典。此書所收單字，包括異體字、繁體字在內，併計 11,100 個字左右，以現代常用字為主，也兼收部分古漢語常用字。按漢語拼音字母順序編排，附有部首檢字表，書後有《我國歷史朝代公元對照簡表》等八個附錄。

《古漢語常用字字典》

　　商務印書館 1979 年版。共收字 3,700 多個（不包括異體字），雙音詞 2,000 多個。書後的《難字表》，收字 2,600 多個，只注音釋義，不引例證，是正文的補充。全書按漢語拼音字母順序排列，書前有《漢語拼音音節索引》和《部首檢字》，書後還有《古漢語語法簡介》、《我國歷代紀元表》附錄兩種。

《正中形音義綜合大字典》（增訂本）

　　高樹藩編撰，臺灣正中書局 1974 年增訂版，共收字 7,600 多個，異體字 1,500 多個，每字下分「形」、「音」、「義」三部分，對於同字異體，復詞異體、專名異體、同訓異體、本字辨

似、本字正訛等，都在每字後加列「辨正」一欄，以便糾正使用上的錯誤。全書按部首排列，書前有部首索引、筆畫檢字索引，書後有注音符號檢字索引及附錄十種。

《李氏中文字典》

李卓敏撰，香港中文大學出版社 1980 年版。共收字 12,800 多個字，按 1,172 個部首排列，部首中絕大多數是聲旁，部分為形旁。部首相同的，再按筆畫多少排，筆畫相同的，按起筆、ノ｜丶一為序，即所謂「垂扇檢字法」。書前有部首表、部首檢字表、總檢字表，書後有國語羅馬拼音索引、粵語國際注音索引。

(二)冷僻字

冷僻字與常用字相對而言，漢字除了十分之一是常用字外，大多屬冷僻字。而我們閱讀古籍時就常常會遇到許多冷僻字，有時查閱常用字字典能夠解決一部分，但更多的情況下就需要查考大型字典。主要有：

《康熙字典》

清代張玉書等編，中華書局 1963 年影印版。全書收字 47,035 個，另收重覆的古文 1995 個，字頭按 214 個部首排列，部首按筆畫多少，分為十二集，以十二地支分別標示，每集又分上、中、下三卷。書前有《總目》、《檢字》、《辨似》、《等韻》各一卷。書後有《補遺》一卷，收冷僻字；《備考》一卷，收不通用的字。這是我國古代收字最多的一部字典。

部首之下的單字，都按筆畫多少順次排列。每字之下，先注音，分列古代韻書的反切，有時加注直音，然後解說字的本義，再列別音別義和古音。一般都引用古書為證，並加考辨，附於注

末，說明「按」字，以示區別。遇有古體字，即列於本字之下；重文、別體、俗體、訛字則附於注後。

《康熙字典》收字較多，資料豐富，繼承了歷代字書的一些優良傳統，可謂集字書之大成。查找古籍中的一些冷僻字，此書實用價值較大。但由於此書成於眾手，校勘不精，錯誤也較多，使用徵引時，需要參照書後王引之的《字典考證》。

《中華大字典》

歐陽溥存等編，中華書局 1979 年影印版。此書是繼《康熙字典》之後規模最大的一部字典。全書收字 48,200 多個，編排方法及體例與《康熙字典》大同小異。總的看來也作了一些有益的改進。每字之下，除本字之外，兼列籀、古、省、或、俗、訛各體，近代方言，翻譯新字，也都收錄。內容範圍廣泛，兼收重要詞語。注音以《集韻》為準，比較接近口語，並加注直音，標明其韻部，比較簡明合用。釋字詳盡完備，字義分條列舉，一條一義，多的則有幾十條，先本義，次引申、假借等，條理清晰；徵引書證較少，多為編者直釋，通俗易懂。對於形體相同，音義各異的字，則另立字頭，並列於後，眉目也較清楚。雖然訂正了《康熙字典》的一些訛誤，但仍有不少缺點錯誤。如釋字，羅列各義，過於貪多求詳，不善概括歸納，顯得支離瑣碎；有些解釋仍沿用錯誤舊說，未加校正；任意刪節引文，因而意義不夠詳明。就查找冷僻字來說，使用《中華大字典》要比《康熙字典》簡便，但並不是說前者完全可以取代後者，有時兩者還可以互相參用。

《漢語大字典》

徐中舒主編，四川、湖北兩省辭書出版社 1986 年起編輯出版，全書 8 册，第 8 册為附錄，共收楷書字頭 27,104 多個，是

古今楷書漢字單字的大彙編，凡古今文獻、圖書、資料中出現的漢字，在此字典中幾乎都可查到。此書對每個漢字的形、音、義都有歷史的全面的反映。字形方面，對古今楷書漢字作了整理，收列能夠反映漢字形體演變關係的甲骨文、金文、小篆和隸書形體，並簡要說明其結構和演變。字音方面，採取三段標注法，對所收的單字注出其現代讀音，並收列其中古的反切，標注其上古的韻部。字義方面，義項完備，根據古今著作中的書證，確立義項，並一一分列。有些名物字，用文字難以描繪，或較罕見，則附插圖，以助釋義。對多義字的解釋，按照本義、派生義、通假義順序排列，理清其源流，反映其發展。此書吸收古今研究成果，補充了舊字典的不足，糾正了舊字典中的訛誤。所引書證，均經過反覆核查，並參閱各種版本，擇善而從。對漢字的各種不同筆形，都作了規範化、標準化的處理，可說是當今世界上收集漢字最多，注音釋義最全，集古今漢語文字研究精粹的大型字典。全書按部首編排，各分卷附該卷部首檢字表，末卷附總檢字表。

(三)古體字

　　幾千年來，漢字經歷了甲骨文、金文、籀文（大篆）、小篆、隸書、草書、楷書等幾種形體的變化，一般所說的古體字，是指秦漢以前難於辨識的甲骨文、金文和篆書。

　　查考甲骨文的工具書有《甲骨文編》，中國科學院考古研究所編，中華書局 1965 年影印版。這是我國一部比較完備的甲骨文字典。全書分正編和附錄兩部分。正編收 1,723 字，依《說文解字》部首次序編排，上列《說文》篆書。附錄收 2949 字，大多是不能辨識或考釋尚無定論的字。所收各字都編有順序號，末附楷體筆畫索引，以便檢字和引用。

《甲骨文合集》

　　郭沫若主編，中國社會科學院歷史研究所編輯，中華書局1979 年開始出版。選收在文字學、歷史學上具有一定意義的甲骨約 50,000 片，圖版部分分十冊出版，現已出齊，甲骨按時代分期分類編排。

《甲骨文字集釋》

　　李孝定編，臺灣中央研究院歷史語言研究所 1965 年版，全書 18 卷，16 冊按《說文解字》次序排列。取材以殷墟出土的甲骨文字，經諸家著錄並考釋者為主。每字眉端首列篆文，次舉甲骨文的各種異體，再次列各家考釋，並注明出處，最後加編者按語，編有筆畫索引。

《金文編》

　　容庚編，中國科學院考古研究所校訂，科學出版社 1959 年增訂版。共收金文 18,000 多字，可認字 1984 個，重文 13,950個，尚未辨識而列入附錄的疑義字 1,199 個，重文 985 個。所收各字也依《說文》編排，並標順序號，上列篆文、下注楷體，還注明金文出處。《金文續編》，商務印書館 1935 年版。共收 951字，重文 6,084 字，附錄 34 字，重文 14 字，正續編書後都附有採用彝器目錄，銘文，以及楷體筆畫檢字。

《金文詁林》

　　周法高主編，香港中文大學 1975 年版。它以容庚《金文編》增訂版為據，共 16 冊收單字 1,894 字，重文約 18,000 字，殷周彝器 34 餘，第 16 冊為附錄。廣為羅列諸家之說於每字之下，是金文注釋的總彙。此為研究中國上古文字，歷史、考古、藝術等

必備的參考書。1977年，李孝定、張日昇等編纂《金文詁林附錄》，由香港中文大學出版。

《金文詁林補》

周法高編撰，臺灣中央研究院歷史語言研究所 1982 年版。共 8 冊，卷首有 14 卷所收字詳目，第 1～7 冊為 14 卷所收諸字，第 8 冊別冊，為本書各字之索引，全書體例與正編大抵相似，增收彝器編號，分類目錄，索引等 12 種。

《金石大字典》

汪仁壽輯，臺灣大通書局 1,971 年影印版，3 冊，據民國15年求古齋本影印。上自籀文，下及碑文，以楷體為主，下列說文、小篆、古文等，注明出處，書後有容媛編著的金石書目錄。

《金石字典》

湯成沅編撰，臺灣維新書局 1,982 年版。本書是金石各體文字選自汪仁壽《金石大字典》，甲骨文選自商承祚《殷墟文字類編》等書，共收 10,569 字，依《康熙字典》之字序排列，以楷書為主，再列其他鐘鼎文、石鼓文等金石文字。

《中國篆書大字典》

臺灣大通書局編，1979 年影印版。太甫熙永編，據 1979 年日本東京國書刊行會印本影印，原書名《篆書字典》，本書以篆書為主，並參考《說文解字》、《正字通》等，共收 13,359 字篆書，古文、大篆、小篆共 41,228 字，後附唐韻、集韻、韻會的反切。然檢索不易，須先閱讀書前凡例。

《古籀彙編》

　　徐文鏡編。商務印書館 1934 年版。這是綜合彙輯排比甲骨文、金文和篆書的字書。共收 27,772 字，依《說文》次序編排，以《說文》小篆爲字頭，其他形體則分別附列，注明出處和古今文字學家對字義的考釋，書前附楷體筆畫檢字，這是查考古體字比較適用的綜合性字典。

㈣古音韻

　　研究古代韻文，常需要查考古音韻。因爲古代韻文都要講究押一定的韻，古代的韻書就是押韻的根據和標準，也是我們查考古音韻的工具書。

《廣韻》

　　宋陳彭年等編，共 5 卷是《大宋重修廣韻》的簡稱，它是我國現存最早最完整的一部古代韻書。共收 26,194 字，分爲 206 韻。使用《廣韻》來查考古音韻，一般都不大熟悉它的韻目，查找比較困難，需要利用輔助索引之類的工具書。《十韻彙編》附有《廣韻索引》，依《康熙字典》部首排列，每字注明聲調、韻部、行數，可以據此轉查。還可利用丁聲樹編《古今字音對照手册》，科學出版社 1958 年版，按普通話韻母次序排列，同韻按聲、同聲按調，同音字按古音分條，據此可查《廣韻》，了解中古音韻。周祖謨著《廣韻校本》，中華書局 1960 年版，是目前最完善的版本。

　　查考古音韻的還有宋代丁度的《集韻》，清代張玉書的《佩文詩韻》等。

㈤古字義

閱讀注釋古籍，必須了解一些漢字的本義、古義，才能疏通文意。查考古字義的工具書主要有：

《說文解字》

東漢許愼撰，中華書局 1963 年影印版。這是我國第一部系統研究漢字的專著，也是我國第一部字典。收字 9353 個，重覆的異體字 1,163 個，按 540 個部首排列。它以「六書」爲理論，說解文字的意義，分析字形結構，可以探究文字的本源。它對每個字本義的訓釋，有助於加深對古籍文意的理解。

《說文》的原文比較簡單，我們要讀通它，得依靠注本。段玉裁的《說文解字注》，在校訂、闡釋方面很有貢獻。桂馥的《說文解字義證》，主要是徵引古書，提供例證。王筠的《說文釋例》，詳解「六書」的體例，另著《說文句讀》，删繁舉要，便於初學。朱駿聲的《說文通訓定聲》是查考古書假借字的重要工具書。丁福保的《說文解字詁林》及其《補遺》，把歷代研究《說文》的著作，彙集起來，每字下面羅列各家解說，查一字而各家解說皆備，爲利用和研究《說文》提供了極大的方便和豐富的資料。

《經籍纂詁》

清阮元主編，成都古籍書店 1982 年影印版。這是一部彙輯訓釋古字義的專門字書。全書 106 卷，每卷之末，各附「補遺」。其書按 106 韻分部，一韻一卷。一字數音，依韻分入各部，分別解釋。它只解字義，不注音讀。每字之下，羅列唐代以前經、史、子、集各書的注釋，以及歷代字書、詞書的解釋。把散見各訓釋字義的材料系統地排比在一起，詳注出處，這爲查考

古字義提供了極大的方便。本書各字只解字義，而不注其音，是美中不足的地方。

《經籍纂詁》按韻編排，不便查檢，但世界書局 1936 年影印版，附有筆畫檢字，較為方便。本書各字只解字義，而不注其音，是美中不足的地方。

三、查詞語

(一)語文詞語

查考語文詞語，主要是解決有關語言詞彙方面的困難，了解這些詞語的意義和用法。現在常用的語文詞書有：

《現代漢語詞典》

中國社會科學院語言研究所詞典編輯室編，商務印書館 1979 年版。這是一部以記錄普通話語彙為主的中型語文詞典。全書所收條目，包括字、詞、詞組、熟語、成語等共 56,000 多條。其中也收了一些常見的詞語、舊詞語、文言詞語，以及一些普通的專門術語等。字頭按漢語拼音字母順序編排，另附部首檢字表和四角號碼檢字表，查檢極便。有關近現代語文方面的疑難問題，查《現代漢語詞典》基本上都可以得到解決。

《漢語大詞典》

羅竹風主編，上海辭書出版社 1986 年起編輯出版，全書十二卷。共收詞語 37 萬 5 千餘條，約 5 萬字，插圖 2,253 幅，是古今字詞兼收，源流並重的大型語文詞典。收詞範圍包括古今語詞、熟語、成語、典故及古今著作中進入一般語詞範圍和比較常

見的百科詞等。在其他詞典中無法查到的語詞條目，在此詞典中大體上都能查到。此詞典釋文準確，義項豐富，資料翔實，從整體上歷史地反映了漢語詞彙發展演變的面貌，糾正了以往詞典中收詞過濫，釋義不當，引書錯誤，資料缺乏的弊病。全書按部首編排，另有附錄及索引一卷。

《辭源》（修訂本）

商務印書館 1983 年 12 月出版，分上、下册。這是一部專供閱讀、研究古籍、查考古代語文詞語的大型詞典。此書在舊《辭源》的基礎上作了較大的修訂，根據與《辭海》和《現代漢語詞典》分工的原則，刪去原有的自然科學和社會科學的新詞條目，專收 1840 年以前古代語文詞語，以及文史方面的百科性條目，收詞目 10 萬餘條，仍以字帶詞，依部首編排，詞目按字數多少排列。每册書後有四角號碼和漢語拼音索引。此書釋義簡明確切，注意詞語的本源及發展演變，改換了一些不理想的書證，選用出現較早的書證。對所有書證都作了覆核，標明作者、篇目和卷次，便於核對，並可用來查考詩文詞句的來源出處。有些詞目之後還略舉參閱書目，可供專門研究者參考。

《中文大辭典》

中文大辭典編纂委員會編，臺灣中國文化學院出版部 1968 年版。共 40 册，前 38 册爲正文，後 2 册是索引；1976 年出版修訂普及本，分裝 10 册。這是一部以語文詞語爲主的綜合性特大型辭典，爲台灣規模最大的中文大辭典。全書共收單字 49880 個，詞語 376231 條，依《康熙字典》部首編排，字下詳列甲骨、金文、篆、隸、草、楷各體，有的還列或體、古字、俗字、略字、後起字等。釋字廣引書證，少則三、五條，多則一、二十

條，並注明出處。後附部首檢字表和筆畫檢字表，此書主要來源
於日本的《大漢和辭典》，缺點錯誤不少，參考使用時，需要注意
覆核。

《大漢和辭典》

日本諸橋轍次編，大修館書店 1974 年修訂版。這是近世規
模最大的一部以語文詞語為主的綜合性辭典。全書 13 册，最後
一册為索引，收錄中國單字語彙，而以日文釋義，收單字 49,964
個，詞語 526,000 條，收錄的文字，除正字外，並包括略字，俗
字，及日式漢字。內容以殿版《康熙字典》為中心，旁及《說文解
字》等字典，排列依《康熙字典》部首次序。第 13 册是索引部，有
總畫索引，字音索引，字訓索引，四角號碼索引等 4 種。雖收詞
稍濫，解說也不免偶誤，但仍有一定參考價值。

《辭通》

朱起鳳編，開明書店 1934 年版。這是一部專門彙釋古籍中
雙聲詞語的詞典。全書共 300 多萬字，把音義相同而形體各異的
詞語列在一起，成一詞條，常見通用寫法的排在前面，其他各種
不同寫法的，排在後面，分別徵引書例說明，詳注書名、篇名和
卷次，有的還加按語，指出哪些是音同或音近通假，哪些是義同
通用，哪些是形近而訛。此書所收各詞，按詞尾字的平水韻部順
次編排，書後附有詞頭的筆畫索引和四角號碼索引，不熟悉韻部
的可按索引查檢。

《聯綿字典》

符定一編，商務印書館 1943 年版。這是同《辭通》相近的一
部以集釋聯綿詞為主的詞典。此書除大量收集聯綿詞外，還收錄

了一些一般的雙音詞。先按《康熙字典》部首編排，部首之下再依筆畫。每個詞目分項解說，並廣引六朝以前古籍中大量資料，詳注書名、篇名，引文也較完整。因此，它和《辭通》一樣，又可作爲查考古籍詩文句的出處之用。從聯綿詞查找詩文句的來源，方法更爲簡便。另外，書證之後，還附加按語，把字詞的轉語，異文以及本字、借字、正字、俗字、今字、古字等聯繫起來，分別辨析，提供了豐富的語文資料，《聯綿字典》和《辭通》有異曲同工之妙，是我們閱讀和注釋古籍的重要工具書。

(二)成語典故

古人寫詩作文，多喜用典，而成語典故來源較爲複雜，寓意又極其深刻，包含著豐富的思想內容，往往從字面意義是難於理解的，所以閱讀古籍遇到一些不熟悉的成語典故時，就必須查索一定的工具書，才能知其出典，加深理解，掌握其意義和用法。查考成語典故，主要是利用各種成語詞典：

《漢語成語詞典》

西北師範學院（原甘肅師範大學）中文系《漢語成語詞典》編寫組編，上海教育出版社 1978 年初版。1982 年出版修訂本，1983 年又出版《漢語成語詞典‧續編》。該書正編中包括了少量的常用熟語，兩書共計 8,600 多條。按漢語拼音字母順序排列，並附有條目筆畫索引。許多詞目盡可能地引注原始出處，並大都注明書名、篇名和卷次，以便核查。溯源時，注意其歷史演變，這對理解成語原意及現在意義和用法，大有好處。對成語中容易讀錯、寫錯和解錯的字詞，還作了「辨誤」。這是目前成語詞典中較全較好的一部。

「《古書典故辭典》」

　　杭州大學中文系《古書典故辭典》編寫組編，江西人民出版社1984 年版。這是專門彙釋古籍中經常引用古代故事或有來歷出處詞語的工具書。所收典故，上自周秦，下至明清，共計 5,400多條，詞目先按筆畫順序排列，再依一｜ノ、丶的筆形順序排列，書前有筆畫檢字表。

　　除了專門的成語典故辭典之外，一般大型的詞典、類書等，諸如《辭源》、《辭海》、《中文大辭典》、《大漢和辭典》，以及《佩文韻府》和《駢字類編》等，都收有一些成語典故，利用這些工具書查索成語典故，也是一條重要途徑。

「《成語典》」

　　繆天華編，1971年初版，台北復興書局出版，這是一部目前檢查成語最佳、最實用的辭典，全書共收成語1200條，依部首排列，書前附部首檢字索引，書後附分類索引，共分天文、地輿、歲時、風景、政治、軍事、修身等48類，如無類可歸，則入雜類。對每一成語用淺近文言解釋，典故由來也詳加考證，舉例注明引書的篇卷，以便檢閱原書。

(三)方言俗語

　　古籍中出現的一些方言俗語，隨著時代的推移，地域的變遷，有些已經很難就上下文的意思讀懂，這也是我們閱讀古籍的一大障礙。現在可供查考這方面問題的工具書有：

「《方言》」

　　西漢揚雄編撰，原名為《輶軒使者絕代語釋別國方言》，這是我國的第一部方言詞典。全書 15 卷，今本只有 13 卷，共收詞目

675 條，詞 2,300 多個，仿照《爾雅》，分類編排，但未標明類目名稱，每條詞語下都有解說，再分別說明這一詞義在各地方言中的不同說法。此書保存了不少漢代口頭語彙，為研究古漢語的學者提供了豐富的語言資料。晉代郭璞為《方言》作注，又提供了一些晉代方言的材料，所以郭璞的《方言注》也可以看成是揚雄《方言》的續編。1956 年科學出版社出版的《方言校箋及通檢》，周祖謨校箋，吳曉鈴編通檢，是較便使用的最好版本。

《通俗編》

清翟灝撰，商務印書館 1959 年版。全書收俗語方言 5000 多條。按類編排，分為天文、地理、時序、倫常等 38 類。每類逐引書證，探索語源，明其演變，並加按語，解釋用法。這對研究漢語語源有一定參考價值。

清人梁同書作《直語補證》，收俗語方言 400 多條，可作為《通俗編》的補篇，商務印書館把它們合印為一冊，並編有詞頭單字四角號碼索引。如要查考「水至清，則無魚」、「月子彎彎照九州，幾家歡樂幾家愁」、「東道主」、「破天荒」之類詞語的源流，翻檢此書即可找到。

《恆言錄·恆言廣證》

清錢大昕、陳鱣撰，商務印書館 1958 年版。這是與《通俗編》內容、體例相近的一部方言俗語詞典。全書收詞 800 多條，分為 19 類。此書徵引豐富，論證精詳，較《通俗編》為優，只是所收詞目較少，書後也附有四角號碼索引。

自《通俗編》、《恆言錄》之後，此類詞書相繼出現。主要有錢大昕的《邇言》，鄭志鴻的《常語尋源》，平步青的《釋諺》，胡式鈺的《語竇》，以及羅振玉的《俗說》。1959 年商務印書館將這五種

書混合編爲一册，名爲《邇言等五種》，書後附四角號碼索引。此
外，還有清杜文瀾的《古謠諺》，1958 年中華書局校點排印本；
胡韞玉編《俗語典》，上海廣益書局 1922 年版，共收俗語約 1 萬
條，按《康熙字典》部首編排；史襄哉編《中華諺海》，中華書局
1927 年版，共收諺語 12000 多條，依部首、筆畫編排；中國民
間文學研究會資料室主編的《中國諺語資料》，上海文藝出版社
1961 年版，共收諺語 45814 條，分爲上、中、下三册，上、中
册爲一般諺語，下册爲農諺，另附歇後語 3805 條，此書是資料
性的彙集，但未注明來源出處，書後有筆畫索引。

　　查考古代文學作品中的方言俗語，可利用下面幾種工具書；

《詩詞曲語辭彙釋》

　　張相著，中華書局 1953 年版。全書收錄唐、宋、金、元間
流行於詩、詞、曲中的方言俗語詞目 537 條，附目 600 多條，分
詞目 800 多條。每條先釋義，後舉例，大量羅列比較書證，然後
研究和辨析詞語的意義。由於搜羅宏富，取捨謹嚴，方法縝密，
釋義精當，往往發前人所未發，深受好評，是我們閱讀和研究古
典文學作品必不可少的工具書。書後附有語辭筆畫索引。

《詩詞曲語辭例釋》

　　王鍈著，中華書局 1980 年版。此書可以視爲《詩詞曲語辭彙
釋》的增訂或補遺，全書收詞目 184 條，附目 123 條，分詞目
234 條。體例與張書相同，可以一并參考使用。

　　此外，還有《金元戲曲方言考》、《元劇俗語方言例釋》、《戲
曲詞語彙釋》等可供查考。

《敦煌變文字義通釋》

　　蔣禮鴻著，中華書局 1962 年版。這是專門考釋敦煌變文中俗語難詞的工具書。收詞 400 多條，分類編排，加以考證和解釋，有時舉例旁及唐宋詩詞筆記小說。利用此書不僅可了解變文詞義，而且對於閱讀唐代的文獻資料也有幫助。

《小說詞語彙釋》

　　陸澹安編著，上海古籍出版社 1979 年版。這是一部專門集釋古典小說中方言俗語的詞典。彙釋清末以前 64 種通俗小說中的詞語 8000 多條，按首字筆畫編排。另輯錄不加注釋的成語 2000 多條，編爲《小說成語彙纂》，附於書後。

(四)文言虛詞

　　不懂文言虛詞的意義和用法，就很難讀通古籍。查考文言虛詞，利用一般性的語文詞典，諸如《辭源》、《中文大辭典》等，也可以獲得解決，但不如使用專門的文言虛詞工具書來得簡捷方便，現舉要列表如下：

書　　名	作　　者	出版者 出版年	特　　　　點
文言虛字	呂叔湘著	上海教育出版社1978年	僅收 20 餘字，以常見用法爲主，並與現代比較，便於初學。
古漢語虛詞	楊伯峻著	中華書局 1981 年	收詞 100 多個，說解通俗易懂。例句有譯文。
詞詮	楊樹達撰	中華書局 1965 年	收詞 469 個，內容詳盡，但說解過簡，且用文言。
助字辨略	(清)劉淇撰	中華書局 1954 年	收詞 476 個，取材豐富，解說雖不及《經傳釋詞》，但有些條目可補它的不足。
經傳釋詞 (附補及再補)	(清)王引之撰孫經世補	中華書局 1956 年	收詞 160 個，解說有創見，但取材範圍較窄。

古代漢語 虛詞通釋	何樂士等編	北京出版社 1985 年	收詞 544 組，從詞類、用法、側 句、譯文四個方面進行講解，並 指出其相對應的現代漢語虛詞。

(五)名物術語

　　閱讀研究古籍，除了弄懂語文詞語的意義和用法之外，還必須了解一些名物術語，即古代的百科名詞術語的解釋。例如不少器物，古代的說法就不一。再如古天文星象知識、古曆法知識、古度量衡知識、古舟車知識等等，又都是我們所不熟知的，這些都需要查考一定的工具書才能解決。

《辭海》（1979年版）

　　辭海編輯委員會編，上海辭書出版社出版。這是我國目前最完善的一部大型百科詞典。全書收單字 14,872 個，詞目 106,578 條，總計 1,342 萬字，包括大小學科 120 多個，各種插圖 3,000 多幅，基本上概括了古今中外各個門類的知識，成為科學的總彙。全書以字帶詞，各字按部首編排，詞目再按字數多少排列。書前有部首表 ，筆畫查字表；書後附漢語拼音索引，以及中國歷史紀年表等十來種附錄。為便於專業工作者使用，此書還出版了語詞和各科分冊本，共 20 分冊。除語詞分冊仍按部首編排外，其他各學科分冊均按分類編排，書後都附有詞目筆畫索引。

新《辭海》

　　雖優於 1936 年出版的舊《辭海》，但舊《辭海》今天仍有使用價值。因它所收詞目，相當大一部分是中國古書中的詞類，對今天閱讀古書仍然有用；有的詞目及其解釋，反映當時某些情況，

對閱讀那個時代的某些著作，尤有參考價值。這些特點不是新《辭海》所能代替的。因此，舊《辭海》1981 年又重新出版。

《爾雅》

是我國的第一部詞典，也是我國一部雛形的百科詞典。全書 19 篇，所收詞語詞條 2,091 條，收詞 4,300 多個，按詞義分類編排。前三篇《釋詁》、《釋言》、《釋訓》主要解釋古語、方言和常用詞，都是普通詞義的解釋，後十六篇是關於名物術語的解釋。《釋親》、《釋宮》、《釋器》、《釋樂》是解釋家族關係的名稱、宮室建築物的名稱、生活用具器物的名稱，以及樂器的名稱；《釋天》是解釋天文、氣象、歲時、節氣、祭祀、狩獵的名稱；《釋地》、《釋丘》、《釋山》、《釋水》是解釋古代地理山川、物產的名稱；《釋草》、《釋木》是解釋植物的名稱；《釋蟲》、《釋魚》、《釋鳥》、《釋獸》、《釋畜》是解釋動物的名稱。這對查考先秦古籍詞義，了解古代社會和自然狀況，以及古生物等各方面的知識，都有重要作用。

使用《爾雅》，只要知道和熟悉它的分類方法，就可按類查詞。但是《爾雅》一書釋義比較簡略，一般不易讀懂，需要參考後人的注釋本。主要是晉代郭璞的《爾雅注》和宋代邢昺的《爾雅疏》，兩書曾合而為一，稱《爾雅注疏》，清代邵晉涵的《爾雅正義》，郝懿行的《爾雅義疏》等，都可參閱。

《爾雅》問世之後，歷代仿其體例，增其內容，補其未備的《爾雅》派詞書較多，可供查考名物術語的，擇其要者，列表如下：

書　名	卷數	撰　者	版　本	附　注
小爾雅	1	舊題(漢)孔鮒	宋咸淳本	補《爾雅》

釋名 又名 逸雅	8	(漢)劉熙	四部叢刊本	彙釋百科名詞
埤　　雅	20	(宋)陸佃	叢書集成初編本	主要收動植物名詞
爾　雅　翼	32	(宋)羅願	叢書集成初編本	彙釋動植物名詞
通　　雅	52	(明)方以智	桐城方氏重刻本	按類辨釋名物

四、查語句

(一)文句來源

　　查找文句來源除了利用一些辭典和類書外，主要是靠文句索引來解決。利用辭典查文句來源，可根據文句中的一些關鍵性詞語，例如「才壯風雲，義深淵海」；「人生世間，如輕塵棲弱草爾，何至自苦乃爾？」句中的「風雲」、「淵海」、「輕塵棲弱草」等都屬關鍵性詞語，據此查《辭海》或《辭源》就可獲得解決。利用類書查文句來源，應根據文句中論述對象，按類去找，例如：「都蔗雖甘，杖之必折；巧言雖美，用之必滅。」就可以甘蔗為對象去查找。利用索引查文句來源，大多以文句為主，既可按文句的首字字順去查，也可按文句中的任何一個字去查。前者稱為逐句索引，後者稱為逐字索引。較常用的有：

　　葉紹鈞編的《十三經索引》，開明書店 1934 年出版，中華書局 1957 年重印，中華書局 1983 年出版重訂本。此索引彙集《周易》、《尚書》、《毛詩》、《周禮》、《儀禮》、《禮記》、《春秋左傳》、《春秋公羊傳》、《春秋穀梁傳》、《論語》、《孟子》、《孝經》、《爾雅》等十三部書的文句，按首字筆畫編排，每句之下注明各書及其篇目簡稱，以及印在正文中的段數。這是專供查考十三經文句出處的工具書。此外，擇其要者，列表於後，以備查

考。

書　　名	編　　者	出版者及出版年	備注
莊子引得	引得編纂處	哈佛燕京學社 1947	
荀子引得	引得編纂處	哈佛燕京學社 1950	
墨子引得	引得編纂處	哈佛燕京學社 1948	
韓非子索引	周鍾靈等主編	中華書局 1982	
白虎通引得	引得編纂處	哈佛燕京學社 1931	
說苑引得	引得編纂處	哈佛燕京學社 1931	
世說新語引得	引得編纂處	哈佛燕京學社 1933	
水經注引得	鄭德坤	哈佛燕京學社 1935	
蘇氏演義引得	侯毅	哈佛燕京學社 1933	
容齋隨筆五集綜合引得	引得編纂處	哈佛燕京學社 1933	
考古質疑引得	引得編纂處	哈佛燕京學社 1931	
崔東壁遺書引得	引得編纂處	哈佛燕京學社 1937	
史記及注釋綜合引得	引得編纂處	哈佛燕京學社 1947	
史記索引	黃福鑾	香港中文大學崇基書院遠東學術研究所 1963	
漢書及補注綜合引得	引得編纂處	哈佛燕京學社 1940	
漢書索引	黃福鑾	香港中文大學崇基書院遠東學術研究所 1966	
三國志及裴注綜合引得	引得編纂處	哈佛燕京學社 1938	
三國志索引	黃福鑾	香港現代教育研究社 1973	
國語引得	張以仁	臺北歷史語言研究所 1976	
尚書通檢	顧頡剛	哈佛燕京學社 1936	

論衡通檢	中法漢學研究所編印	哈佛燕京學社 1943	
呂氏春秋通檢	中法漢學研究所編印	哈佛燕京學社 1943	
春秋繁露通檢	中法漢學研究所編印	哈佛燕京學社 1944	
淮南子通檢	中法漢學研究所編印	哈佛燕京學社 1944	
潛夫論通檢	中法漢學研究所編印	哈佛燕京學社 1945	
新序通檢	中法漢學研究所編印	哈佛燕京學社 1946	
風俗通義通檢	中法漢學研究所編印	哈佛燕京學社 1943	
申鑒通檢	中法漢學研究所編印	哈佛燕京學社 1947	
戰國策通檢	巴黎大學北平漢學研究所編印	哈佛燕京學社 1948	
山海經通檢	巴黎大學北平漢學研究所編印	哈佛燕京學社 1948	
大金國志通檢	巴黎大學北平漢學研究所編印	哈佛燕京學社 1949	
契丹國志通檢	巴黎大學北平漢學研究所編印	哈佛燕京學社 1949	
輟耕錄通檢	巴黎大學北平漢學研究所編印	哈佛燕京學社 1950	

另外，日本人也多編有這方面的索引，亦方便使用：

書　　名	編　　者	出版者及出版年	備　注
後漢書語彙集成	藤田至善	京都大學人文科學研究所 1960～1962	

遼史索引	若誠久治郎	東方文化學院京都研究所 1937	
金史語彙集成	小野川秀美	京都大學人文科學研究所 1960～1962	
元史語彙集成		京都大學人文科學研究所 1961～1963	
國語索引	鈴木隆一	東方文化學院京都研究所 1934	
文選索引	斯波六郎	京都大學人文科學研究所 1957～1959	
中國古典戲曲語釋索引	大阪市立大學文學部中國語學中國文學研究室編	采華書林 1970	
董西廂語彙引得	飯田吉郎編印	采華書林 1951	
水滸全傳語彙索引	香坂順一	采華書林 1973	
紅樓夢語彙索引	宮田一郎	采華書林 1973	
儒林外史語彙索引	香坂順一	明清文學語言研究會 1971	

(二)詩詞出處

　　查找詩詞的出處與查找文句出處一樣，可以利用辭典、類書、索引等工具書來解決，其方法也基本相同。特別是那些廣引詩句的類書，可以作爲查考詩詞出處的專門工具書：

《佩文韻府》

　　清張玉書等撰。此書過去是爲了御用文人吟詩作賦運用詞彙和查閱材料的方便，現在我們則可用來查考詩句的出處。全書按韻編排，商務印書館精裝縮製影印本附有詞頭字的四角號碼索引，可按句中關鍵詞或詞組的四角號碼去查，比較方便。但此書

的最大缺點是不注原書的篇名或題目，難於查對原文或寫明眞正
的出處。

《駢字類編》

　　也是淸代專爲御用文人作詩賦查檢詞彙用的大型工具書，現
在我們亦可用來查找詩詞出處。此書只收雙音詞，不收單音詞和
多音詞，每詞按詞的首字類別排列，可按句中的關鍵詞的首字類
別去查。此書沒有輔助索引，只有熟悉它 13 個門類所包含的各
種字，按字找詞找句，別無他法。不過這書出處注得比較明確、
詳細，優於《佩文韻府》。

　　查找詩詞出處最簡捷的辦法，還是利用各種詩詞著作的索
引，現列表舉要如下：

書　　　名	編　　　者	出版者及出版年	備　注
毛詩引得	引得編纂處	哈佛燕京學社 1934	
詩經索引	陳宏天、呂嵐	書目文獻出版社 1984	
漢詩大觀索引	佐久節	日本井田書店 1943	
中國詩人選集總索引	吉川幸次郎、小川環樹	日本岩波書店 1959	
中國舊詩佳句韻編	王芸孫	岳麓書社 1985	
唐宋詩名句索引	孫公望	湖南人民出版社 1984	
唐詩三百首索引	東海大學圖書館	臺北成文出版社 1977	
杜詩引得	引得編纂處	哈佛燕京學社 1940	
杜甫詩集四十種索引	黃永武主編	臺北大通書局 1976	
李白歌詩索引	花房英樹	京都大學人文科學研究所 1957	
韓愈歌詩索引	花房英樹	京都府立大學人文學會 1964	

元稹索引簡編	花房英樹	京都府立大學中文研究室 1971	
張籍歌詩索引	丸山茂	京都朋友書店 1976	
杜牧詩索引	山內春夫	京都彙文堂 1972	
韋應物詩注引得	湯姆斯	臺北美國亞洲學會中文研究資料中心 1976	
李賀詩引得	艾文博	臺北美國亞洲學會中文研究資料中心 1969	
陸機詩索引	後藤秋正	東京松雲堂 1976	
陳子昂詩索引	安東俊六	采華書林 1976	
岑參歌詩索引	新免惠子	廣島中國中世文學研究會 1978	
陶淵明詩文綜合索引	堀江忠道	京都彙文堂 1976	
蘇東坡全集索引	佐伯富	京都彙文堂 1958	
溫庭筠歌詩索引	岩間啓二	京都朋友書店 1976	
唐宋詞選五種綜合引得（初稿）	白井樂山編印	1967	
花間集索引	青山宏	東京大學東洋文化研究所附屬東洋文獻中心 1974	
玉臺新詠索引	小尾郊一、高志眞夫	日本山本書店 1976	

五、查事物

(一)史事故實

　　查考歷史事實和歷史掌故主要靠類書。因為類書是彙輯古籍中有關事物資料，並分門別類地加以編排，專供人們查用各種材

料的工具書，所以可作爲考證事物發生發展和沿革變化之用。作爲查考史事故實的類書主要有：

《太平御覽》

李昉等奉宋太宗之命編撰，始於太平興國二年（977），成於太平興國八年（983），初名《太平總類》，成書時，因太宗每日親覽三卷，而改此名。全書 1,000 卷，約 500 萬字，分 55 部，部下細分子目，共 4,558 類。按類引用古代至唐五代的經史圖書 2,579 種，而且所引古籍十之七八今已失傳。此書不僅是一部大型的綜合性的類書，而且是一座保存古代佚書的重要寶庫。利用此書查考史事故實材料，因其分類較細，一般按類檢索，也還方便。如不大熟悉此書部目，也可利用 1934 年商務印書館出版的錢亞新編《太平御覽索引》、1935 年燕京大學引得編纂處印行的洪業編《太平御覽引得》兩本輔助檢索工具書。

《册府元龜》

王欽若、楊億等奉宋眞宗之命，於景德二年（1005）開始編纂，歷時八年，於大中祥符六年（1013）成書。原名爲《歷代君臣事迹》，後經眞宗親自稽核，爲之制序，賜名《册府元龜》。全書 1,000 卷，900 多萬字，專門輯錄自上古到五代的材料，共分31 部，每部前有總序，詳述本部史事沿革，像是一篇小史；部以下細分若干門，每門之前又有小序，議論本門內容，像是一篇總論。各門材料，按照年代先後順次排列。此書保存了相當豐富的歷史資料，幾乎概括全部十七史，其中所收唐五代史事尤爲詳備。由於《册府元龜》把上古至五代的歷朝史實，分門別類地集中在一起，要想查考某一史事故實，只要按門去找，就可以集中地獲得較多的同類材料。此書有中華書局 1960 年影印本，共十二

大册，書前有總目，每册有分部目錄，書後有按筆畫排的類目索引，也可按筆畫查檢全書的材料。

《玉海》

南宋王應麟撰。全書 200 卷，分 21 類，250 餘條子目，書後附《詞學指南》4卷。書中以事物名稱或書名作為標題，輯錄宋朝當代的掌故，大都依據「國史」和《實錄》，這些都是研究宋史的珍貴資料。

《永樂大典》

是明成祖命解縉於永樂元年（1403）開始編纂的特大型類書。初名《文獻大成》，後經增益，參加編輯儒臣文士 2,169 人，歷時五年，至永樂六年編輯完成。此書輯錄經史子集以及天文、地志、陰陽、醫卜、釋道、技藝等古籍達七、八千種，保存了不少宋元以前的佚文祕籍。全書 22,877 卷，凡例和目錄 60 卷，分裝 11,095 册，約 3 億 7 千萬字。把輯錄的材料按照《洪武正韻》的韻部編排。此書卷帙浩繁，當時未能刊行。明嘉靖至隆慶年間，重新抄錄了正副兩本。後因天災人禍原本和正本均已全毀，現在流傳下來的副本，僅 200 餘册，1960 年中華書局將存書影印出版，共 730 卷，只有原書的 3％，零金碎玉，仍是一分比較珍貴的歷史資料。

《古今圖書集成》

是康熙時由陳夢雷和雍正時蔣廷錫等先後主持編纂的我國現存最大的一部類書。全書 1 萬卷，目錄 40 卷，分裝成 5,020 册，合計 1 億 6 千萬字。共分 6 大彙編，32 典，典下再分 6,109 部。每部之下先彙考，次總論，有圖表、列傳、藝文、選句、紀

事、雜錄、外編等項。分類細緻，條理清晰，只要熟悉各彙編、各典、各部類目的含義，就能較快地獲得多方面的材料。

此外，還有一些類書亦可查考史事故實，諸如《藝文類聚》、《北堂書鈔》、《初學記》、《白孔六帖》、《山堂考索》、《古今合璧事類備要》、《古今事文類聚》等。

(二)事物起源

為便於查考事物發生、發展的過程，古代就有專門彙考事物起源的類書，現列表舉要如下：

書　　　　　名	編　　者	版　　　　　　本
事物紀原 10 卷	(宋)高承	1937 年上海商務印書館《叢書集成初編》本
廣博物志 50 卷	(明)董斯張	明萬曆 43 年高暉堂刻本
格致鏡原 100 卷	(清)陳元龍	光緒二十二年(1896)上海積山書局石印本
事物原會 40 卷	(清)汪伋	嘉慶二年(1797)休寧汪氏古愚山房刊本
壹是紀始 22 卷　補遺 1 卷	(清)魏崧	道光十四年(1834)新化魏氏刊本

(三)典章制度

查考歷朝的典章制度主要是利用政書。它是專門記述我國歷代或某一朝代典章制度的資料彙編。政書可分為兩大類：一是通紀幾個朝代的，是通史性政書，即所謂「十通」；一是專紀一個朝代的，是斷代性政書，即所謂「會要」和「會典」。現分別列表介紹：

◙「十通」一覽表

書　　　名	卷數	作　者	起　訖　年　代	內　　　容
通　　　典	200	(唐)杜佑	上古至唐天寶末年	分八典
通　　　志	200	(宋)鄭樵	上古至隋唐	分本紀、世家、年譜、列傳和二十略
文　獻　通　考	348	(元)馬端臨	上古至南宋寧宗嘉定末年	分二十四考
續　通　典	144	清朝官修	唐肅宗至明崇禎末年	同《通典》
續　通　志	640	清朝官修	唐至明末	同《通志》
續文獻通考	252	清朝官修	宋寧宗至明崇禎末年	同《通考》
清　通　典	100	清朝官修	清初至乾隆五十年	同《通典》
清　通　志	126	清朝官修	清初至乾隆五十年	同《通志》
清文獻通考	300	清朝官修	清初至乾隆五十年	同《通考》
清　朝　續文　獻　通　考	400	劉錦藻	乾隆五十一年至宣統三年	同《通考》

　　「十通」共 2,600 多卷，內容廣博，貫通古今，不熟悉分類體例的人，翻檢頗感不易。1935 年商務印書館出版合印本後，1937年編有《十通索引》一大冊，分為四角號碼檢字索引和分類索引兩部分。前者為篇目主題索引，後者為「十通」的詳細目錄，按照「十通」的三種不同分類體系而分成三大編。可以從主題或分類的不同角度，查找歷代典章制度的資料。

◙ 歷代會要會典表

書　　　名	卷數	纂　修　者	版　　　　　本	類　　　　　目
春　秋　會　要	4	(清)姚彥渠	中華書局 1955	6 門 98 事
七　國　考	14	(明)董說	中華書局 1956	14 門
秦會要訂補（修訂本）	26	(清)孫楷原著徐復訂補	中華書局 1959	14 門
西　漢　會　要	70	(宋)徐天麟	中華書局 1955	15. 門 367 事

東漢會要	40	（宋）徐天麟	上海古籍 1978	15 門 384 事
三國會要	22	（清）楊晨	中華書局 1956	15 門 100 餘事
南朝宋會要		（清）朱銘盤	上海古籍 1984	19 門 458 事
南朝齊會要		（清）朱銘盤	上海古籍 1984	19 門 366 事
南朝梁會要		（清）朱銘盤	上海古籍 1984	19 門 433 事
唐 六 典	30	唐代官修	廣雅書局刊本	
唐 會 要	100	（宋）王溥	中華書局 1955	514 目
五 代 會 要	30	（宋）王溥	中華書局 1955	279 目
宋會要輯稿	366	（清）徐松輯	中華書局 1957	17 門
元 典 章	60	元代官修	中華書局 1957	10 門
明 會 典	218	明代官修	商務印書館萬有文庫本	以 6 部為綱
明 會 要	80	（清）龍文彬	中華書局 1956	15 門 498 事
大 清 會 典	256	（清）允祹等	清雍正武英殿刊本	分宗人府、內閣吏、戶、禮、樂、兵

　　會要、會典綜合一代的典章制度，收錄的資料在某一時限內比「十通」更豐富、更詳備，因而有些資料可補「十通」的不足。

(四)職官官制

　　查考歷代職官官制，一般可從綜合性的辭書查起，諸如《辭海》之類。如要作較深入的了解，就需要利用《歷代職官表》。此書原是紀昀等主編，經黃本驥摘錄，1965 年中華書局上海編輯所又對黃本進行校刊整理，訂正了不少錯誤，重印出版。新本由三部分組成：《歷代官制概述》、《歷代職官表》和《歷代職官簡釋》。書後還附有四角號碼索引，亦便查檢。

　　另外，還有幾種清代職官年表，可查考清代職官官制情況：

書　　　　　　　　名	編　者	版　　　本
清代職官年表	錢實甫	中華書局 1981
清代各地將軍都統大臣等年表	章伯鋒	中華書局 1965
清季主要職官年表	錢實甫	中華書局 1959
清季新設職官年表	錢實甫	中華書局 1961
辛亥以後十七年職官年表	劉壽林	中華書局 1966

六、查圖書

　　整理研究古籍，就必須熟知我們古代有哪些圖書；要想查考圖書，就必須學會利用書目之類的工具書。書目是圖書目錄的簡稱。它是圖書的學術性總結。有了它，我們查考圖書就有了依據。

(一)綜合圖書

　　查考各個學科的古代圖書，必須利用歷代的綜合性圖書目錄。「藝文志」、「經籍志」是現存較早的綜合性書目，其中有記載一代藏書的書目，即著錄當時所有的圖書，如《漢書‧藝文志》記錄了上古到西漢的各種著作，《隋書‧經籍志》則記錄了上古到隋的各種著作。也有只記一代人著作的書目，即只著錄當時本朝人的著作，如《明史‧藝文志》只記明人的著述，《清史稿‧藝文志》只記清人的著述。還有些記傳體史書沒有藝文志，後來一些學者就為之補撰，稱為「補志」，如《補後漢書藝文志》、《補三國藝文志》等。補志大多收在《二十五史補編》中。這樣，自上古至清代的史志書目，大體齊備，我們便可從各種史志書目所收圖書的種類及其內容，熟悉書籍流別，了解學術源流，同時還

可考知古書的存佚情況。

史志書目既有單行本，又有叢書本，使用叢書本較爲集中方便，商務印書館 1955 至 1959 年輯印的《十史藝文經籍志》就便於使用。內收《漢書藝文志》、《隋書經籍志》、《舊唐書經籍志》、《新唐書藝文志》、《宋史藝文志》、《遼、金、元藝文志》、《明史藝文志》、《清史稿藝文志》等十種，每種史志前有出版說明，後有書名、人名索引。全書後附總索引。上海開明書店 1936 年出版二十五史刊行委員會輯的《二十五史補編》，將二十五史中缺遺的補志彙爲一編，可同上書配合使用。中華書局 1957 年曾將此書重印，亦方便查找。

以上各種史志著錄的書籍，自先秦至清代共四萬餘條，查檢起來比較困難，但可利用 1933 年哈佛燕京學社引得編纂處編印的《藝文志二十種綜合引得》。此書 1960 年中華書局重新出版，删去了「拼音檢字」，校改了一些錯誤。這部引得把書名、人名混合編排，後附「筆畫檢字」，不論從已知書名或著者姓名，都可迅速查到某一書在哪些藝文志中有過著錄，用它去考查古籍的歷史記載和流傳情況，也比較方便。

此外，較常用的綜合性書目，還有清代永瑢、紀昀等撰的《四庫全書總目》，又稱《四庫全書總目提要》，是一部大型的官修書目，也是一部非常重要的學術著作。《四庫全書》這部大叢書收羅範圍廣泛，基本上包括了乾隆以前我國古代的重要著作，是我國較完備的古代典籍的總彙。《四庫全書總目》共 200 卷，經史子集四部之下，細分 44 類，類下再分 67 個子目，部有大序，類有小序，每書各附提要，得其要旨，條理井然，因而爲我們認識歷代重要古籍提供了要領，也爲研究我國古代學術指示了門徑。此書中華書局 1965 年後出的新印本，書後附有四角號碼及筆畫的書名和著者索引，便於查檢。

《四庫全書總目》也有不少錯漏，查閱時可參考 1958 年科學出版社出版的余嘉錫撰《四庫提要辨證》，考辨、訂正古籍 500種。1960 年中華書局出版的胡玉縉撰、王欣夫輯《四庫全書總目提要補正》，集前人研究成果，補訂古籍 2,000 多種。1955 年商務印書館出版的清代阮元撰、傅以禮重編《四庫未收書目提要》，徵集《總目》未收遺書 174 種。

由於《總目》內容浩繁，卷帙太大，紀昀等又刪節提要，除去存目，編成《四庫全書簡明目錄》，共 20 卷。1957 年古典文學出版社出版的新本，書後也附有四角號碼書名和著者索引。

❖如要查考乾隆以後出版的新古籍，就可利用以下幾本綜合性書目：

《書目答問補正》

清代張之洞原著，范希曾補正，中華書局 1963 年影印出版。《書目答問》是一部指引治學門徑的書目，也是了解中國古籍版本知識的入門書。此書共收錄古籍 2200 種左右，都經過認真選擇，大部分是歷史上流傳下來的重要古籍。其中許多是《總目》編成以後的新書，范希曾作的《補正》，所收錄的古籍約 1200種，這對我們查考乾隆以後一百多年間的古籍，很有價值。

《販書偶記》、《販書偶記續編》

孫殿起編，前者中華書局 1959 年出版，後者上海古籍出版社 1980 年出版。此書以收錄清人的著作為主，但見於《四庫全書總目》的不收，卷數、版本不同的除外，也兼收少量明人的著作，以及辛亥革命至抗戰以前的有關古代文化的著作，正好補了《總目》和《書目答問補正》的不足，可視為《總目》的續篇。

《古籍目錄》（1949 年 10 月至 1976 年 12 月）

國家出版局版本圖書館編，中華書局 1980 年出版，這是查考建國以後新版古籍的綜合性書目，反映了 1949 年以來古籍整理出版的概貌。

(二)專題圖書

查考某一學科或某一方面問題的圖書，有針對性地利用某一學科或某一方面問題的專題書目，比查考綜合性圖書目錄更爲迅速方便，可收事半功倍之效。歷來各種專題書目較多，現就文史方面的古籍專題書目舉要如下：

- 《中國文化史要論》（人物、圖書） 蔡尚思著 湖南人民出版社 1982 年出版增訂本。
- 《五十年甲骨學論著目》 胡厚宣編 中華書局 1952 年版
- 《金石書錄目》 容媛輯 商務印書館 1936 年版
- 《中國古典文學名著題解》 中國青年出版社編輯部編 中國青年出版社 1980 年版
- 《楚辭書目五種》 姜亮夫輯 中華書局 1961 年版
- 《曲海總目提要》 （清）黃文暘撰、董康輯補 人民文學出版社 1959 年版
- 《曲海總目提要補編》 北嬰編著 人民文學出版社 1959 年版
- 《錄鬼簿（外四種）》 （元）鍾嗣成等著 上海古籍出版社 1978 年重印出版。
- 《宋代歌舞劇曲錄要》 劉永濟輯錄 古典文學出版社 1957 年版
- 《現存元人雜劇書錄》 徐調孚編 古典文學出版社 1957 年版
- 《元代雜劇全目》 傅惜華編 作家出版社 1957 年版
- 《明代雜劇全目》 傅惜華著 作家出版社 1958 年版

- 《明代傳奇全目》 傅惜華編 人民文學出版社 1959 年版
- 《清代雜劇全目》 傅惜華編 人民文學出版社 1981 年版
- 《中國通俗小說書目》 孫楷第編 作家出版社 1957 年版
- 《晚清戲曲小說目》 阿英編 中華書局 1959 年版
- 《古小說簡目》 程毅中著 中華書局 1981 年版
- 《紅樓夢書錄》 一粟編 古典文學出版社 1958 年版
- 《史記書錄》賀次君撰 商務印書館 1958年版
- 《隋唐五代史論著目錄》 中國社會科學院歷史研究所隋唐史研究室編 江蘇古籍出版社 1985 年版
- 《中國考古學文獻目錄（1949～1966）》 中國社會科學院考古研究所圖書館資料室編 文物出版社 1978 年版
- 《增訂晚明史籍考》 謝國楨撰 中華書局 1964 年版
- 《中國近八十年明史論著目錄》 中國社會科學院歷史研究所明史研究室編 江蘇人民出版社 1981 年出版。
- 《太平天國資料目錄》 張秀民等編 上海人民出版社 1957 年版。
- 《七十六年史學書目（1900～1975）》 中國社會科學院歷史研究所資料室編 中國社會科學出版社 1981 年版。

(三)古籍版本

❖查考歷代古籍版本，主要是利用各種版本書目：

《（增訂）四庫簡明目錄標注》

（清）邵懿辰撰，邵章續錄，上海古籍出版社 1963 年重印出版。此書對《四庫全書簡明目錄》所收各書版本分別作了著錄或加評注。這就為我們提供了一書的眾多版本以及考查各種版本優劣的一些線索。

當然，前面提到的《書目答問補正》、《販書偶記》、《販書偶記續編》也可作爲版本目錄使用。

《中國善本書提要》

王重民撰，上海古籍出版社 1983 年版。正在印行的《中國古籍善本書目》，以及各大型圖書館編印的各館館藏善本書目，都是查考古籍善本書的專門工具書。

㈣古代叢書

我國古籍中，叢書占有很大比例，不少文化典籍只有叢書本，而無單行本。我們查考古籍，就要善於查考其叢書本。要想了解各種叢書情況，就必須利用各種叢書目錄。我國最早的叢書目錄是清嘉慶四年（1799）顧修編的《彙刻書目》，收錄叢書 271種。

❖現在查考古代叢書最完備的工具書當推：

《中國叢書綜錄》

上海圖書館編，1959 年至 1962 年中華書局出版。此書收錄了解放後國內 41 所圖書館收藏的古代叢書 2797 種，書名子目 7萬餘條，囊括古籍 38891 種，占全國古籍總數一半左右，反映了我國歷代出版叢書的概貌。全書共分三冊。

第一冊是《叢書總目》，按經、史、子、集四部分類編排，分爲「彙編」和「類編」兩部分。「彙編」所屬是綜合性叢書，「類編」所屬是專科性叢書。書後附《全國主要圖書館收藏情況表》、《叢書書名索引》。使用此冊，可查每種叢書所收的古籍，以及一些圖書館的收藏情況。

第二冊是《子目分類目錄》，把各叢書所收的近 4 萬種古籍，

按學科內容分類編排。使用此册，可大體了解每本書的內容，便於按類求書，即可從中查找某一學科或某一專門問題的古代圖書。

第三册是《子目書名索引》和《子目著者索引》，均按四角號碼檢字法編排，另附《索引字頭筆畫檢字》、《索引字頭拼音檢字》，此册是爲第二册服務的。使用此册，通過《子目書名索引》，可查一書是否收入叢書，或者收在哪一部叢書中，還可查到同一書名不同著者的著作；如果只知著者，就可通過《子目著者索引》去查找，也可查到同一著者還有些什麼著作收錄在哪些叢書中。

所以《中國叢書綜錄》爲我們從各個不同的角度去查考古代叢書提供了極大的方便。爲了查全查準還應查閱 1984 年江蘇廣陵古籍刻印社出版陰海清編撰的《中國叢書綜錄補正》。

❖查考古籍叢書本，還可參考使用一些著名叢書各自編的書目。

如 1935 年商務印書館編印的《叢書集成初編目錄》，介紹了宋代到清代的 100 部重要叢書。

1922 年商務印書館出版的孫毓修編《四部叢刊書錄》，收錄了宋元明精刻本、精鈔本和手稿本，共 468 種。

1936 年中華書局編印的《四部備要書目提要》，簡介了 360 種叢書，著重收錄常用的集子，歷代重要作家的主要著作，大都可以在這些叢書中找到。

(五)地方史志

查考歷代所編地方史志的圖書，主要利用各種方志目錄，較常用的有：

《中國地方志綜錄（增訂本）》

朱士嘉編，商務印書館 1958 年版。此書收錄全國41所圖書館入藏的方志 7,413 種，109,143 卷，書後附有按筆畫排的《書名索引》和《人名索引》，是一部檢索我國現存方志的總目錄。

《中國地方志聯合目錄（初稿）》

是中國天文史料普查整編組在《中國地方志綜錄》的基礎上1978 年編印的又一本方志目錄。此書著錄較《綜錄》更爲詳盡具體，收錄地方史志 8,500 多種。書後附《日本稀見中國地方志目錄》、《美國國會圖書館所藏稀見中國地方志目錄》。

另外，1962 年中華書局出版的張國淦撰《中國古方志考》，收錄秦漢至元代的古方志 2000 多種，存佚皆錄，是一部查考我國古代地方志的書目，同上兩書配合使用，可以考察我國歷來方志的全貌。

《中國邊疆圖籍錄》

鄧衍林編，商務印書館 1958 年出版，是查考我國地方文獻的一部重要書目。此書收錄古今專著及輿圖數千種，先以地區，再依作者時代編排，書後附四角號碼《書名索引》、《著者索引》，另附《筆畫檢字表》。

(六)歷代書目

查閱圖書，需要利用書目；想要了解歷代書目編制情況，則要查考書目彙編，即書目的書目。這是一種專供查考歷代書目的工具書。現在可以見到的有：

《書目舉要》，周貞亮、李之鼎編，1920 年刊本，共收錄漢代至清末各種書目及有關的書籍 270 多種。

後來陳鐘凡爲之補正，編《書目舉要補》，金陵大學印行。全

書增加自著書一類，補收 150 多種。

1928 年邵瑞彭、閻樹善等編《書目長編》，共 2 卷，附補遺補校，全書收書目 1300 餘種，內容相當豐富。

而收錄最全的還是《中國歷代書目總錄》，梁子涵編，臺灣中華文化出版事業委員會 1953 年初版，1955 年再版。它將現存目錄書籍，分門別類，彙爲一編。中文爲主，附以日文，共分五大類，即：圖書總目、史乘目錄、學科書目、特種書目、藏書目錄。

此外還有《書目類編》，嚴靈峯編，臺北成文出版社 1978 年影印出版，114 册。收編中日兩國古籍書目及有關資料約 200 種。

查閱解放後編制的各種書目，可利用 1958 年中華書局出版的馮秉文編《全國圖書館書目彙編》。此書收錄 1949 至 1957 年所編或正在編輯的各種書目索引 23,000 多種，按分類編排，後附筆畫主題索引和館名索引。

七、查論文

科學研究工作者從事科學研究，必須較多地搜集占有資料，盡快地了解前人的研究成果，掌握科學研究的新動向新材料，所以從事古籍整理的人員，除了查考圖書以外，也必須經常地查考各方面的論文。查論文，主要是利用報刊索引和各種專題論文索引。近年來臺灣中央圖書館已將期刊論文條目作成光碟檢索系統出售。個人電腦也可與之連線，使用非常方便。

㈠各科論文

查閱各科論文主要是利用各種報刊索引。

　　查閱解放前的各科論文，主要利用這樣幾種索引：如要查閱1927年以前的報刊論文，可利用嶺南大學圖書館編印的《中文雜誌索引》。查閱1930年至解放前夕的報刊論文，可利用南京中山文化教育館編刊的《期刊索引》和上海人文月刊編輯部編輯的《最近雜誌要目索引》。但這些索引都未收錄革命報刊上的論文，還需利用《十九種影印革命期刊索引》、《新華日報索引》（1938.1至1947.2.28）、《新中華報索引》（1939.2.7至1941.5.15）、《解放日報索引》（1941.5至1947.3）、《人民日報索引》（1946.5.15至1948.6.14；1949.1至12）。

　　查閱解放後的各科論文，主要利用《人民日報》圖書資料組編印的《一九五〇年全國主要期刊重要資料索引》。1951年4月山東省圖書館編輯出版的《全國主要期刊重要資料索引》（季刊），此刊1955年3月交由上海市報刊圖書館（該館1956年併入上海圖書館）編輯出版，名爲《全國主要期刊資料索引》（雙月刊）1956年起增收報紙，改名爲《全國主要報刊資料索引》，同年七月改爲月刊。1959年以哲學社會科學版和自然技術科學版分別出版，1966年9月休刊，1973年10月復刊，改稱《全國報刊索引》。這一索引1955年以前未收錄報紙論文，因而還需要參考使用《人民日報》、《光明日報》等主要報紙自編的索引。

　　查閱臺灣、香港、澳門的重要論文，主要是利用臺灣大學圖書館編的《中文期刊論文分類索引》和臺灣中央圖書館期刊股編《中華民國期刊論文索引》，自1947年一直可以查到現在。前者17冊已是彙編本，後者從1977年起著手編印年度彙編本，檢索起來更爲便捷。

　　報刊論文索引只能提供論文線索，若要直接查閱這些論文，特別是解放前的報刊論文，還必須利用各種報刊目錄，才能找到有關資料。查閱報刊的工具書主要有：

《全國中文期刊聯合目錄》

全國圖書聯合目錄編輯組編，北京圖書館 1961 年初版，書目文獻出版社 1981 年出版增訂本。全書收錄國內 50 所圖書館 1957 年以前入藏的 1933～1949 年中文舊期刊 19,115 種，按刊名筆畫多少、順次編排，載有刊名刊期、編輯出版、創刊停刊、注釋和館藏等項。附有《刊名首字漢語拼音檢字表》和《刊名首字筆畫檢字表》，以及《參加單位名稱代號和地址表》，便於查檢。這是查考解放前各種舊期刊的重要工具書。

《中華民國中文期刊聯合目錄》

臺灣中央圖書館編，臺北該館 1980 年版，2 冊。收錄清末至 1979 年，臺灣 171 所圖書館所藏中文期刊 7401 種。

《中華民國台灣區公藏中文人文社會科學期刊聯合目錄》

臺灣中央圖書館編，該館 1970 年版，收錄清同治七年（1868）至 1968 年底有關人文科學、社會科學及不屬於任何學科的綜合性期刊 2337 種。

(二)專題論文

查檢某一學科或某一方面問題的論文，選用各種有關的專題論文索引，就能開門見山，登堂入室。現選錄一些文史方面的論文索引供參用：

《國學論文索引》（一至五編）

王重民初編，徐緒昌續編，劉修業三、四編，侯植忠五編。初編至四編 1929～1936 年由中華圖書館協會出版，五編 1955 年由北京圖書館參考組印。此書收錄了清末至 1937 年 7 月的有關

「國學」論文。

《六十年來之國學》

　　程發軔主編，臺北正中書局 1972 年至 1975 年出版，共 5 冊，內收多種國學書目及索引。

《中國近二十年文史哲論文分類索引》

　　臺灣中央圖書館編輯，臺灣正中書局 1970 年初版，1976 年二版。收錄 1948～1968 年間刊行的中文期刊及各種論文集中文史哲方面論文 23026 篇。

《中國語言學論文索引》

　　中國科學院語言研究所編，科學出版社 1965 年版，全書分甲、乙編兩冊。甲編收 1949 年以前的論文五千多篇；乙編收 1950 年至 1963 年的論文七千多篇。

《文學論文索引》

　　陳璧如、劉修業等編，中華圖書館協會 1932 至 1936 年出版，全書分初、續、三編三分冊，報刊論文四千多篇。

《中國古典文學研究論文索引（1949～1966.6）》

　　北京師範學校中文系資料室、中國社會科學院文學研究所圖書資料室編，中華書局 1979 年出版增訂二版。1982 年中華書局又出版《中國古典文學研究論文索引（1966.7～1979.12）》。還有 1984 年廣西人民出版社出版中山大學中文系資料室編《中國古典文學研究論文索引（1949～1980）》

《中國古典文學評論資料索引》（正、續編）

福建師範學院中文系，古典文學教研室、中文系資料室編，福建人民教育出版社1960年、1961年出版。

《中國史學論文索引》

中國科學院歷史研究所第一、二所、北京大學歷史系合編，科學出版社1957年出版第一編上、下兩冊；第二編，中國科學院歷史研究所資料室編，中華書局1979年出版上、下兩冊。共收錄清末至建國前夕史學論文6萬餘篇。

《中國古代史論文資料索引(1949.10～1979.9)》（上、下冊）

復旦大學歷史系資料室編，上海人民出版社1985年版。

《戰國秦漢史論文索引（1900～1980）》

張傳璽等編，北京大學出版社1983年版。

《清史論文索引》

中國社會科學院歷史研究所清史研究室、中國人民大學清史研究所合編，中華書局1984年版。

(三)文集篇目

查考歷代文集篇目，主要是利用各種文集篇目索引，現在比較成型的有：《元人文集篇目分類索引》，陸峻嶺編，中華書局1979年出版；《清代文集篇目分類索引》，王重民、楊殿珣等編，中華書局1965年重印出版。

《元人文集篇目分類索引》

收元人文集 170 種，別集 151 種，總集3種及涉及元代史事的明初人別集 16 種。全書所收文集篇目，均按內容分爲人物傳記、史事典制、藝文雜撰三大部分。下面再分各類，元人的主要文集篇目均可按類從本書中查到。元人文集包括極爲豐富的關於元代史事資料，可訂正與補充《元史》的誤漏。這是挖掘元人文集中豐富史料的重要工具書。

《清代文集篇目分類索引》

收清代別集 428 種，總集 12 種。所收文集篇目，均按內容分爲學術文、傳記文與雜文三部分。這是查閱清代文集篇目的重要工具。

❖要想查考各種索引工具書的情況，可利用：

《漢學索引總目》

鄭恆雄編，臺北臺灣學生書局 1975 年出版。此書收錄清末至 1975 年 4 月底出版的中文索引及外文有關漢學索引。其中書籍索引 376 種，期刊索引 373 種，報紙索引 25 種，西文關於漢學索引 16 種，共 970 種。

八、查人物

㈠生平簡況

查考歷史人物的一般情況，可充分利用各種綜合性辭書和專門的人名辭書。現在較常用的人名辭典有：

《中國人名大辭典》

臧勵龢等編，商務印書館 1921 年初版，1949 年出第九版，1958 年重印出版。此書收錄上起遠古，下止清朝末年，共 4 萬多人，按姓氏筆畫編排。姓名之下，一一注明字號、朝代、籍貫、生平事蹟及著作等，但未注人物生卒年代。書後附《姓氏考略》，考證姓氏的起源，以及原分布地域。《異名表》可供從歷史人物的別名字號、諡號等檢索其本名，以便按真實姓名查找正文內容。此書 1934 年再版以後，增附四角號碼索引，提高了檢索效率。這是一部內容豐富、便於查考我國歷代名人生平簡況的大型工具書，有一定參考使用價值。

《中國歷代名人辭典》

南京大學歷史系《中國歷代名人辭典》編寫組編，江西人民出版社 1982 年版。這是一部內容較新的人名辭典。

1936 年好望書店出版的彭作楨編《古今同姓名大辭典》，是一部專供區別同姓名人物的工具書。此書是集歷代同姓名錄資料大成的著作，共收上古至 1936 年同姓名人物約 56700 人，簡錄生平事迹，可與前面兩書配合使用。

另外，還有一些專科人名辭典可供利用：

1934 年上海光明書局出版的譚正璧編《中國文學家大辭典》，收錄春秋戰國至 1929 年的中國文學家 6,850 餘人。《中國文學家辭典》，北京語言學院《中國文學家辭典》編委會編，四川人民出版社 1979 年陸續出版，共收作家四千餘人。

1961 年人民美術出版社出版的朱鑄禹編《唐前畫家人名辭典》。

1958 年古典藝術出版社出版他的又一本《唐宋畫家人名辭典》。

1959 年商務印書館出版的曹惆生編《中國音樂、舞蹈、戲曲人名辭典》等

(二)傳記年譜

若要深入研究歷史人物的各種活動，就必須進一步查考他們的傳記年譜之類的系統資料。這就要求我們必須進一步掌握查考歷史人物傳記年譜材料的各種工具書。

凡二十五史中有傳的，可利用《二十五史人名索引》，二十五史刊引委員會編，開明書店 1935 年初版，中華書局 1956 年重印出版，並訂正了原書的一些錯誤。此書的人名按四角號碼編排，書後附筆畫索引。人名之下，用符號注明書名，用數字標明卷數、頁數和欄數。

《二十四史紀傳人名索引》

張忱石、吳樹平編，中華書局 1980 年版。此書是根據中華書局二十四史點校本編制的，使用此書最方便。

爲了解決查閱二十四史中不列傳的人名和便於查閱一人在某一史中的所有資料，中華書局在出齊二十四史點校本的同時，正在陸續編輯出版查檢這一新本的各史人名索引。這套人名索引收錄了各史每頁所見人名，以姓氏或曾用稱謂爲主目，別名、字號、封號、諡號、綽號等，附注於後，並作參見，按四角號碼編排，後附筆畫索引。凡有紀傳的人物，均綴以星號，只要我們知道史書中人物的任何一個別名，都可查到有關材料。

❖如果我們要查的人物，在二十四史裡沒有傳記，可按時代查找以下各種索引：

•《唐五代人物傳記資料綜合索引》，傅璇琮、張忱石、許逸民編撰，中華書局 1982 年版。

- 《宋人傳記資料索引》，昌彼得等編，臺北鼎文書局 1974 年至 1976 年出版，全書共 6 冊，是查考宋人傳記資料最完備的一種索引。
- 《四十七種宋代傳記綜合引得》，引得編纂處編，哈佛燕京學社 1939 年版，中華書局 1959 年影印出版。
- 《宋會要輯稿人名索引》，王德毅編，臺北新文豐出版公司 1978 年版。
- 《宋元方志傳記索引》，朱士嘉編，中華書局 1963 年版。
- 《宋元明清四朝學案索引》，陳鐵凡編撰，臺北藝文印書館 1974 年版。
- 《遼金元傳記三十種綜合引得》，引得編纂處編，哈佛燕京學社 1940 年出版，中華書局 1959 年影印出版。
- 《遼金元人傳記索引》，梅原郁、衣川強合編，日本京都大學人文科學研究所 1972 年版。
- 《元人傳記資料索引》，王德毅、李榮村、潘柏澄合編，台北新文豐出版公司 1980 年至 1983 年出版，共 5 冊。
- 《明人傳記資料索引》，臺灣中央圖書館編，臺北文史哲出版社 1978 年版。
- 《八十九種明代傳記綜合引得》，引得編纂處編，哈佛燕京學社 1935 年出版，中華書局 1959 年影印出版。
- 《明清進士題名碑錄索引》朱保烱、謝沛霖編，上海古籍出版社 1980 年版。
- 《三十三種清代傳記綜合引得》，杜聯喆、房兆楹合編，哈佛燕京學社 1932 年出版，中華書局 1979 年影印出版。
- 《清代碑傳文通檢》，陳乃乾編，中華書局 1959 年版。
- 《增校清朝進士題名碑錄附引得》，房兆楹、杜聯喆合編，哈佛燕京學社 1941 年出版。

❖年譜是按年月記載人物生平事迹的專書，是個人編年體的傳記，查考歷代人物的年譜，可利用以下幾種年譜總錄：

- 《中國歷代名人年譜》，李士濤編，商務印書館 1941 年版。此書收錄年譜 1108 部。
- 《中國歷代人物年譜集目》，杭州大學圖書館資料組編，1962 年印行。此書收錄年譜約二千餘種。
- 《中國歷代年譜總錄》，楊殿珣編，書目文獻出版社 1980 年版，此書收錄歷代年譜 3,015 種，這是年譜目錄中最完備的一種。

(三)生卒年代

考核歷史人物的生卒年，比較困難，可以查考歷史人物生卒年表之類的專門工具書。主要有：

《歷代名人生卒年表》

梁廷燦編，商務印書館 1930 年版。此書收錄上起春秋，下至清末四千餘人，全書按朝代排列，以人物生年先後為序，每人著錄姓名、字號、籍貫、生年、卒年、公元、年齡等項。書前有姓氏筆畫索引及四角號碼索引，書後有《歷代帝王生卒年表》、《歷代閨秀生卒年表》、《歷代高僧生卒年表》等三種附錄。

《歷代人物年里碑傳綜表》

姜亮夫編纂，陶秋英校訂，中華書局 1959 年版。此書商務印書館 1937 年初版，原名《歷代名人年里碑傳總表》，取材以文集碑傳為主，同時綜合參考各家疑年錄、雜史筆記等，再版時，訂正錯誤，增新材料，刪去帝王、閨秀二表，高僧材料，因有陳垣《釋氏疑年錄》可供查考，也予刪去。全書收錄公元前 551 年至

公元 1919 年間歷代著名人物 12,000 人，按出生年代編排，生平不詳的，則按卒年編排，著錄人物姓名、字號、籍貫、歲數、生年、卒年、備考等項。生卒年項還詳注帝號、年號、年數、干支和公元。備考欄內列舉各家異說，並注明可供查考的史傳資料出處。書後附筆畫人名索引，後注生年或卒年，可以據此查檢。書中也還有個別失誤的地方，但儘管這樣，此書仍是一部內容較爲詳備，方便適用的生卒年表。

(四)別名字號

歷史上的好些人物既有眞實姓名，又有別名字號，往往一人有多種別名字號。我們閱讀、整理、研究古籍時，常常會遇到一些稱字、稱號、稱室名、稱爵里、稱行第而不知其本名的情形，這就需要利用室名別號索引類的工具書加以解決。

《室名別號索引》

陳乃乾編，中華書局 1957 年出版。這是一部由室名別號查眞實姓名的工具書，共收清代以前古人室名別號1萬多個。此書1982 年中華書局又出版增訂本，對原書作了較大的補充。全書按室名別號筆畫編排，室名別號下注明姓名、時代、籍貫。書後附筆畫和四角號碼檢字索引。

《古今人物別名索引》

陳德芸著，嶺南大學圖書館 1937 年印行。這也是一部由別名查本名的索引。全書收錄 1936 年以前古今人物 4 萬多人，別名 70,200 多個。凡屬別名、字號、諡號、齋舍自署、爵里稱謂、帝王廟號、文學家筆名、書畫家題識，均予採入，下注本名及時代，按漢字起筆筆形次序編排，後附筆畫檢字。

　　專供查考書畫篆刻家別名字號的工具書有人民美術出版社
1960 年出版的啇承祚、黃華編《中國歷代書畫篆刻家字號索
引》，收錄秦漢至民國的書畫篆刻家 16,000 多人。

　　此外，唐代盛行用排行或以排行與官職連帶相稱的風氣，這
也給後人閱讀唐代詩文帶來很大困難。中華書局 1962 年出版，
上海古籍出版社 1978 年重印岑仲勉著《唐人行第錄》，就是專供
查考唐代人物行第姓名的工具書。全書按姓氏筆畫編排，同姓的
再依排行定其先後，並注本名字號，不知的或有出入的，則作出
詳細的徵引和考證。書後附四角號碼索引，以便查驗。

九、查地域

㈠古今地名

　　古籍中的地名較多，特別是歷史地名，我們既要搞清它的歷
史建置、沿革變化情況，又要確切地知道它今天相應的地理位
置，今爲何處、何名？當然一般利用《辭海》或它的《地理分册》等
辭典即可獲得解決。但這類綜合性辭典所收地名畢竟有限，所以
還要利用一些專門的地名辭典。

《中國古今地名大辭典》

　　臧勵龢等編，商務印書館 1959 年重印出版。此書收錄遠古
至 1930 年的地名，包括省府郡縣、山川湖泊、名城要塞、鐵路
啇港、名勝古跡、寺觀亭園等共四萬多條。按地名筆畫編排，凡
古代地名，述其沿革，現代地名，說其概況。對於同名異地、軍
事要塞、交通要道，以及各地物產，也都略有記述。書後附有行
政區域表、全國鐵路表、全國啇埠表、各縣異名表，以及四角號

碼索引。值得注意的是此書出版已久,「今地」已非現在的行政
區,地名亦有所更動,使用此書,還必須同現今的有關地理參考
工具書核對。

查考古籍中有關西域的地名,可以利用:

《西域地名(修訂本)》

馮承鈞著,中華書局 1980 年出版。西域是漢代以後人們對
玉門關以西地區的總稱。又有狹義與廣義之分,狹義專指葱嶺以
東,廣義則包括亞洲中、西部,印度半島,歐洲東部和非洲北部
等。此書廣收西域地名,羅列詞目 920 多條。每條均用羅馬字譯
寫,並加簡要考釋,標明今地。全書按羅馬字順序排列,書後附
有漢名筆畫索引。

(二)疆域沿革

查考歷代疆域的變動,行政區劃的分合廢置情況,需要利用
地理沿革一類的工具書。

清代學者編有幾種地理沿革表,爲查考疆域沿革提供了方
便。

《歷代地理沿革表》

陳芳績編,《叢書集成初編》本,46 卷。表按古代地方三級
行政區劃,分三部分:部表、郡表和縣表。每部分先概述,後列
表。各表都以地域爲經,以朝代爲緯。部表首列虞十二州及交
州,每州之下再列自虞至明代轄境內之州、國、道、路、府、省
等地方區劃。郡表首列秦 40 郡,每郡下再列秦至明代轄境內之
郡、州、路、府、軍、衞等地方區劃。縣表按《漢書‧地理志》所
載 1450 縣次序,列舉漢至明代各縣之增廢。每有變動均加旁

注，注明變動時間。

《歷代疆域表》

（清）段長基編，段揩書注，商務印書館《萬有文庫》本。此表共 3 卷，上起五帝，下迄明朝，記述歷代疆域變遷。表分三欄：上欄爲都邑，記國都所在及其變遷；中欄爲疆域，記郡或州、路府建置及變遷，並注領縣；下欄列舉領縣，並注清代屬地。

《歷代沿革表》

（清）段長基編，段揩書注，商務印書館《萬有文庫》本。此表共 3 卷，收歷代地名，起自初置，迄於明代，以地爲經，以時爲緯，縱橫編排，與陳芳績《歷代地理沿革表》不同，它以清嘉慶年間行政區劃爲綱，首列清代省、府、縣，然後再逐代記述。

《清代地理沿革表》

趙泉澄編著，中華書局 1955 年出版。此書文表兼用，先以文詳述，再以表揭示。

《中國歷史地圖集》

中國歷史地圖集編輯組編輯，中華地圖學社 1974 年後陸續出版。此書反映了 1840 年以前我國各歷史時期的政區設置和部族分布的基本概貌。圖中重要地名，採用古今對照的表示方法，今圖的國內行政區劃以 1970 年底建制爲準，全集共分8冊：

(1)原始社會、商、周、春秋、戰國時期。

(2)秦、西漢、東漢時期。

(3)三國、西晉時期。

(4)東晉十六國、南北朝時期。

(5)隋、唐、五代十國時期。

(6)宋、遼、金時期。

(7)元、明時期。

(8)清時期。

每册圖集均附有地名索引，索引只收古地名、古山名、古河名等，但據此可查出今地名、今山名、今河名及其位置。

十、查年代

(一)年代對照

為了確定歷史上各種曆法相對應的年代，需要利用各種紀年年表之類的工具書。常用的有：

《中國歷史年代簡表》

文物出版社 1974 年編輯出版。這是一本專供查考中國歷史年代與公元紀年對照的袖珍型簡便年表。全書分「年代簡表」和「年號通檢」兩個部分。「簡表」以公元紀年與中國歷史紀年，自西周共和元年（公元前 841 年）至清宣統三年（1911），逐年對照，並列出朝代、帝王稱號、姓名、所用年號，以及逐年干支。「通檢」將歷代年號按首字筆畫多少編排，注明所屬朝代、使用者、使用年限。因此利用此書既可以從公元查朝代、年號、干支，又可以從年號查公元，比較簡便。

《中國歷史紀年表》

萬國鼎編，萬斯年、陳夢家補訂，商務印書館 1956 年出

版。此書分上下兩編，上編爲《歷史年代總表》和《公元甲子紀年表》，下編爲各個朝代的年代簡表和《中日對照年表》、《公元甲子檢查表》、《太歲紀年表》，以及筆畫索引。《公元甲子紀年表》，記載了公元前 841 年至公元 1949 年，共 2700 多年間公曆與中曆的年代對照。每頁 50 年，每年一格，格內注有帝王、廟號、年號紀年，以及地支。天干紀於表的左端格外，與同一橫行內的地支相配合，即成這年的干支，表的頂端爲公元紀年，既可由帝王年號紀年查公元或干支紀年，又可從公元或干支紀年查帝王年號紀年。《公元甲子檢查表》分甲乙兩表，公元前查甲表，公元後查乙表，從公元查甲子或由甲子查公元，都十分簡捷。

查考中曆和公曆年代對照的年表還有：三聯書店 1957 年出版，榮孟源編的《中國歷史紀年》，上海人民出版社 1976 年編輯出版的《中國歷史紀年表》。前者編有「歷代建元譜」，記載歷代帝王姓名、年號、謚號、廟號，按朝代分段，每段之後還附各朝代農民起義的年號年代；後者能確定公曆和中曆年代對照的絕對年代，查考年代比較準確，解決了公曆和中曆的歲差問題。

(二)曆法換算

除了查考各種曆法的年代對照之外，有時還需月日的對照，查考各種曆法年月日的對照，就需要使用各種曆表之類的工具書。這類曆表，有的勿需推算，有的還需要進行換算，使用起來自然要比年表複雜一些。常用的曆表有：

《中西回史日曆》

陳垣編，北京大學研究所 1926 年出版，中華書局 1962 年修訂增補重印出版。這是我們閱讀整理古籍，研究歷史，特別是研究回族史、元史和中外交通史極爲重要的工具書。此書「以西曆

爲衡，中曆回曆爲權」；就是以西曆的日序表爲基礎，把推算出的中曆、回曆分別標記在西曆月日之旁。全書爲公元元年至公元2000年間中、西、回三曆年、月、日的對照。中曆從漢平帝元始元年（公元元年）開始，西曆從羅馬紀年754年（公元元年）開始，回曆從回曆紀元元年（公元622年）開始。

此書以一個世紀爲一卷，共20卷。因爲西曆四年一閏，故此表以四年爲一單元，每單元即成一張兩面。每單元的最後一年，即中曆逢子、辰、申之年，都是西曆的閏年。

「表格」分上下兩層。上層紀年代，爲一大格，格內紅色漢字記西曆紀年，以及同它相對應的中曆干支紀年和年號紀年，紅色阿拉伯數字則是羅馬紀年或回曆紀年。下層紀月日，分爲六大格，即六大段，每段五日，以淸眉目，按西曆每月每日的次序由上而下，自右而左直行排列日序表。表中筆畫較粗的黑體阿拉伯數字是西曆月序，並代表這月的第一天。日序數右側的紅色中文數字是中曆月序，並代表這月的朔日，即初一，相當於左側西曆的某月某日。日序數右側的紅色阿拉伯數字是回曆的月序，並代表回曆這月的首日，亦相當於左側西曆的某月某日。紅色的「冬」字是這年的冬至日，「閏」字即中曆的閏月。日序表每一單元的最後，注有日曜表數和甲子表數，說明這一單元採用書後所附某日曜表和某甲子表，可查這四年裡的任何一天爲星期幾，是何干支。

日曜表，共7個，格式與日序表相同。日序數字有紅點標誌的，是星期日。要查某日是星期幾，就用這一單元注明的第幾日曜表，按日序表原月日，從它附近帶紅點的星期日，或前或後，一數便知。

甲子表，共60個，每個分單雙兩行，每行30個甲子。甲子表的單雙行正好同日序表的單雙行相適應。如查某年某月某日的

甲子，即以這年的日序表，同所在單元指定的甲子表相對照，單行對單行，雙行對雙行，依次大格對大格，小格對小格，某日的甲子，一看便是。這樣，每一單元只用甲子表兩行，就可查出四年裡每天的干支。

書後還附年號表，即歷代帝王年號筆畫索引表。

現舉一例，以明其用法：

《太宗實錄》記述《太平御覽》之緣起說：「太平興國二年三月戊寅，詔翰林學士李昉、扈蒙，……分門編爲一千卷。」太宗下詔，叫李昉等人編纂《御覽》，西曆是哪年哪月哪日？首先從該書年號表查得太平興國元年是公元 976 年，按年翻頁，即知宋太平興國二年是公元 977 年，干支丁丑。再在下層找到紅色漢字數碼「三」字，即中曆三月初一，西曆是 3 月 23 日。戊寅是哪一天？這就需要查這一單元的甲子表了。翻到 498 左下角有「甲子表 5」的字樣，就需從書後甲子表中找到戊寅在第二行第二大格第三小格，回頭與日序表相對應，雙行對雙行，日序表中雙行二大格三小格所示就是西曆 4 月 8 日，中曆三月十七日。進而也就知道這一天的回曆是 366 年 8 月 15 日，若要查這一天星期幾，按所示的「日曜表4」一核查，即知 4 月 8 日這一天是星期日。這樣，各種對照的日期全出來了。

若知道西曆公元，而求中曆日期，反過來查就更爲簡便。

[《二十史朔閏表》]

陳垣編，中華書局 1962 年修訂重印出版。這是《中西回史日曆》的簡縮本，也可以說是它的姊妹篇。

《朔閏表》最初編爲漢至清二十部歷史的年月朔閏，也就是「二十四史」中除去年代重覆的五部，再加《清史稿》，共二十史，所以名爲《二十史朔閏表》，後又續至公元 2000 年，但仍未

改其名。

此表公元前每頁 20 年，公元後每頁 10 年，每行一年。表以中曆為基礎，表格欄外天頭載有這年紀年的干支和每四年內使用的日曜表數；欄內最上一大橫欄，是記各朝國號、帝王廟號、年號紀年，以下十二個橫格是中曆正月至十二月，格內干支是這月朔日的干支，左側相當於這一朔日的西曆月日，中文數字為月，阿拉伯數字為日。知道每月朔日的干支，就可用干支次序表推出全月每日的干支；了解每月朔日的西曆月日，則可推出全月每天的西曆日期。推而廣之，兩千年間的中曆每日干支和西曆相應日期，可以盡知。

由於中曆每月大小不定，因而每月天數也就不好掌握。但是利用此表，每月的大小，也有規律可尋。凡相連的兩月朔日天干相同，則上月大，如果相連的兩月朔日天干不同，則上月小。月大 30 天，月小則 29 天。

第十三格是閏月，逢閏年指明這年閏某月，注出閏月朔日干支及其相應西曆月日。

第十四格是回曆，格內中文數字是中曆月，阿拉伯數字是中曆日，即相當於回曆歲首的中曆月日，右側有黑點者，為閏年。閏年十二月為 30 天。由於回曆每月天數固定，單月 30 天，雙月 29 天，知其歲首，就可推知一年的月日。

最後一大欄是回曆紀年和西曆紀年，以及附注。書前有筆畫《年號通檢》，書後附 7 個日曜表。

《朔閏表》的查法與《中西回史日曆》基本相同，只是要稍加推算。需要注意的是，此書推算漢太初以前的朔閏有錯誤，《文物》1974 年第三期《臨沂出土漢初古曆初探》一文，已糾其誤。中華書局 1978 年重印此書時，仍未據以改正，這是一大疏忽。

《兩千年中西曆對照表》

　　薛仲三、歐陽頤編，三聯書店 1957 年增訂重印出版。此書是公曆和中曆年月日對照的曆表。此書一頁五表，即五年。每表五欄，年序、陰曆月序、陰曆日序、星期與干支。

　　年序欄下列有國號、帝號、年號、年數、干支及陽曆年數。

　　陰曆月序欄下列有表示中曆月份的阿拉伯數碼，表示中曆閏月的黑體阿拉伯數碼，以及與每年一月並列供推算各月份干支用的甲子表序數。

　　陰曆日序欄下列有中曆日序、陽曆月序與日序，陽曆月序以黑體阿拉伯數碼標示，其中 O、N、D 是英文的縮寫，分別代表10、11、12 月。

　　星期欄下列有供推算星期用的星期數；干支欄下列有供推算日干支用的干支數。詳細用法可參照書前的凡例，換算方法也比較簡單易學。

(三)史事紀年

　　查考歷史事件發生、發展的過程，可利用各種史事年表之類的工具書，常用的有：

- 《中國大事年表》，陳慶麟編，商務印書館 1934 年版。
- 《中國通史大事年表》，中國人民大學中國史與革命史教研室編，該校 1951 年出版。
- 《中國歷史年表》，郭衣洞（柏楊）編，臺北星光出版社 1977年版，共 2 冊。
- 《中國歷代大事年表》，楊遠鳴編撰，臺北集文書局 1982 年版。它是公元前 4488 年至 1981 年的中國大事記。
- 《中國歷史大事年表（古代）》，沈起煒編著，上海辭書出版社1983 年版。

- 《中國歷史大事年表》，馮君實主編，遼寧人民出版社 1984 年版。
- 《中國史大事紀年》，臧云浦等編，山東教育出版社 1984 年版。
- 《中外歷史年表》，齊思和等編，中華書局 1961 年至 1963 年版。

十一、工具書之工具書舉要

- 《文史哲工具書簡介》南京大學圖書館、中文系、歷史系編寫組編，天津人民出版社 1981 年第 2 版。
- 《中文工具書使用法》，武漢大學圖書館學系《中文工具書使用法》編寫組編，商務印書館 1982 年版。
- 《文史工具書手冊》，朱文俊、陳宏天著，中國青年出版社 1982 年版。
- 《中國文史工具資料書舉要》，吳小如、吳同賓編著，中華書局 1982 年版。
- 《古典文學文獻及其檢索》，潘樹廣編著，陝西人民出版社 1984 年版。
- 《文史工具的源流和使用》，王明根等著，上海人民出版社 1980 年版。
- 《文史工具書評介》，張旭光編著，濟南齊魯書社 1986 年 5 月。
- 《中文工具書及其使用》，祝鼎民編著，北京出版社 1987 年 7 月。
- 《中國歷史工具書指南》，林鐵森主編，北京出版社 1992 年 2 月。

- 《中文工具書導論》，詹德優編著，湖北教育出版社 1994 年 12
  月。
- 《文史工具書辭典》，祝鴻熹、洪湛侯主編，浙江古籍出版社
  1990 年 12 月。
- 《中國古今工具書大辭典》，盛廣智、許華應、劉孝嚴主編，吉
  林人民出版社 1991 年 12 月。
- 《社會科學文獻檢索與利用》，來新夏、惠世榮、王榮授編著，
  南開大學出版社 1986 年 8 月。
- 《中國古典文學文獻檢索與利用》，袁學良編著，四川大學出版
  社 1988 年 11 月。
- 《中文參考用書指引》，張錦郎編著，臺北文史哲出版社 1983
  年增訂三版。
- 《近三十年國外「中國學」工具書簡介》，馮燕編著，中華書局
  1981 年版。
- 《古籍索引概論》，潘樹廣編著，書目文獻出版社 1984 年版。
- 《中文參考資料》，鄭恒雄著，臺灣學生書局 1982 年。
- 《怎樣使用文史工具書》，不題作者，明文書局 1985 年 3 月再
  版。
- 《文史工具書手冊》，朱天俊、陳宏天著，明文書局 1985 年 11
  月。
- 《文史參考工具書指南》，陳社潮著，明文書局 1995 年 2 月。

文獻研究叢書・圖書文獻學叢刊 0901Z01

古籍知識手冊（一）古籍知識

主　　編　高振鐸
責任編輯　吳家嘉

發 行 人　林慶彰
總 經 理　梁錦興
總 編 輯　張晏瑞
編 輯 所　萬卷樓圖書股份有限公司
　　　　　臺北市羅斯福路二段 41 號 6 樓之 3
　　　　　電話 (02)23216565
　　　　　傳真 (02)23218698

發　　行　萬卷樓圖書股份有限公司
　　　　　臺北市羅斯福路二段 41 號 6 樓之 3
　　　　　電話 (02)23216565
　　　　　傳真 (02)23218698
　　　　　電郵 SERVICE@WANJUAN.COM.TW
香港經銷　香港聯合書刊物流有限公司
　　　　　電話 (852)21502100
　　　　　傳真 (852)23560735

ISBN 978-986-478-620-6
2022 年 3 月再版一刷
定價：新臺幣 560 元

如何購買本書：

1. 劃撥購書，請透過以下郵政劃撥帳號：
　　帳號：15624015
　　戶名：萬卷樓圖書股份有限公司
2. 轉帳購書，請透過以下帳戶
　　合作金庫銀行　古亭分行
　　戶名：萬卷樓圖書股份有限公司
　　帳號：0877717092596
3. 網路購書，請透過萬卷樓網站
　　網址 WWW.WANJUAN.COM.TW

大量購書，請直接聯繫我們，將有專人為您
服務。客服：(02)23216565 分機 610

如有缺頁、破損或裝訂錯誤，請寄回更換

國家圖書館出版品預行編目資料

古籍知識手冊. 一, 古籍知識/高振鐸主編. --
再版. -- 臺北市 ： 萬卷樓圖書股份有限公司,
2022.03
　　面；　　公分. -- (文獻研究叢書. 圖書文獻學
叢刊 0901Z01)
ISBN 978-986-478-620-6(平裝)
1.CST: 漢學　2.CST: 古籍　3.CST: 圖書學

032　　　　　　　　　　　　　　111003087